1천 동사 5천 문장을 듣고 따라 하면 저절로 암기되는 영어 회화(MP3)

정호창

머리말

1천 동사 5천 문장을 듣고 따라 하면 저절로 암기되는 영어 회화(MP3)

1천 동사의 5천 문장들 듣고 따라하면 저절로 암기되는 영어 회화(한국어와 영어 MP3 파일)

영어 회화 마스터하기: 단계별 학습으로 완성하는 언어의 여정

어서 오십시오, 영어 학습의 새로운 차원으로의 초대입니다. "영어 회화 마스터하기"는 기초부터 심화 학습까지, 여러분의 영어 회화 능력을 체계적으로 발전시킬 수 있는 완벽한 가이드입니다.

이 책과 함께 제공되는 MP3 파일들은 한국어와 영어 학습자를 위해 특별히 설계되었습니다.

1천 개의 동사와 명사를 활용하여 구성된 5천여 문장들은 일상생활에서 자주 접할 수 있는 표현들로, 초등학교 수준의 기본 문장부터 시작하여 점차 난이도를 높여갑니다.

소개글

학습자 중심의 혁신적인 접근법

"영어 회화 마스터하기"는 1천개의 동사의 문장들 듣고 따라하면서, 자연스럽게 암기할 수 있도록 설계되었습니다.

이 책은 암기 훈련, 말하기 훈련, 듣기 훈련을 통합적으로 할 수 있도록 구성되어 있으며, 학습자가 한국어로 단어를 듣고 머릿속으로 이미지를 연상한 후, 영어로 동시에 따라하며 학습할 수 있도록 돕습니다.

말하기와 듣기 능력의 동시 향상

이 책과 함께 제공되는 MP3 파일들은 말하기와 듣기 능력을 동시에 향상시키는 데 중점을 두고 있습니다.

영어가 주어진 횟수만큼 반복됨으로써, 학습자는 영어의 정확한 발음을 익히고, 한국어와의 비교를 통해 단어의 의미를 더욱 명확히 이해할 수 있습니다.

이 과정을 통해, 학습자는 자신도 모르는 사이에 영어 회화 능력을 자연스럽게 개발하게 됩니다.

영어 학습의 새로운 시작

이제 "영어 회화 마스터하기"와 함께라면, 영어 학습이 더 이상 어렵지 않습니다.

학습자 중심의 접근법과 효과적인 학습 지원 도구를 통해, 여러분은 영어를 보다

쉽고 재미있게 배울 수 있을 것입니다.

MP3 파일을 통한 효과적인 학습 지원
본 교재에 포함된 MP3 파일들은 한국어 단어를 한 번 듣고, 영어로 3번, 2번, 1번 반복하여 듣는 패턴으로 구성되어 있습니다.
또한 듣기 훈련을 위해 영어 3번, 한국어1, 영어 2번, 한국어 1번, 영어 1번, 한국어 1번으로 나오도록 구성되어 있습니다.
이는 학습자가 영어 발음과 억양을 정확히 익히고, 단어의 뜻을 깊이 이해할 수 있게 함으로써, 보다 효과적으로 언어를 습득할 수 있도록 합니다.

또한, 여러분이 단어와 문장을 외울 수 있도록 MP3 파일들이 한 단어(문장)으로 나누어져 있어서 학습자가 이미 알고 있는 단어는 건너뛰고, 모르는 단어는 반복하여 들을 수 있도록 하여 개별적인 학습이 가능합니다.
그리고 먼저 명사, 동사의 단어들을 외우고, 그 다음 이 단어들을 가지고 문장들을 암기하도록 구성되어 있습니다.
하나의 동사마다 5문장이 있습니다. 문장은 과거, 현재, 미래, 의문문, 의문문의 대답, 인칭대명사(나는, 너는, 그는, 그녀는, 우리는, 당신들은, 그들은)이 나오도록 구성되어 있습니다.

MP3 파일을 통한 효과적인 학습 지원
영어 배우기 샘플- QR 코드를 스마트폰을 찍으시면 보실 수 있습니다.
https://naver.me/GDNHjWQq <= 영어 배우기 샘플
MP3 파일들 다운로드는 맨 마지막 페이지에 있습니다.

1. 1. 명사 단어들 외우기, 필수 10개 동사의 단어들을 가지고 50문장 연습하기 - 1. memorize noun words, practice 50 sentences with essential 10 verb words
2. 학교 - school
3. 공원 - park
4. 집 - house
5. 여기 - here
6. TV - TV
7. 전시회 - Exhibition
8. 주말 - weekend
9. 영화 - movie
10. 음악 - music
11. 콘서트 - concert
12. 클래식 - classic
13. 친구 - friend
14. 이야기 - story
15. 회의 - meeting
16. 발표 - presentation
17. 여행 - travel
18. 경험 - experience
19. 저녁 - dinner
20. 점심 - lunch
21. 아침 - morning
22. 피자 - pizza
23. 물 - water
24. 커피 - coffee
25. 주스 - juice
26. 음료 - beverage
27. 녹차 - green tea
28. 의자 - chair
29. 소파 - Sofa
30. 벤치 - Bench
31. 창가 - window
32. 시간 - hour

33. 문 - door

34. 줄 - line

35. 해변 - Beach

36. 산책로 - trail

37. 가다 - go

38. 나는 학교에 갔다. - I went to school.

39. 너는 지금 가고 있다. - You are going now.

40. 그는 내일 공원에 갈 것이다. - He will go to the park tomorrow.

41. 그녀는 언제 학교에 가나요? - When does she go to school?

42. 그녀는 매일 학교에 갑니다. - She goes to school every day.

43. 오다 - To come

44. 나는 집에 왔다. - I am coming home.

45. 너는 지금 오고 있다. - You are coming now.

46. 그녀는 내일 여기에 올 것이다. - She will be here tomorrow.

47. 당신들은 언제 집에 오나요? - When do you guys come home?

48. 우리는 저녁에 집에 옵니다. - We come home in the evening.

49. 보다 - See

50. 나는 TV를 봤다. - I watched TV.

51. 너는 지금 무언가를 보고 있습니다. - You are watching something now.

52. 우리는 내일 전시회를 볼 것이다. - We will see the exhibition tomorrow.

53. 그들은 주말에 무엇을 보나요? - What do they watch on the weekend?

54. 그들은 주말에 영화를 봅니다. - They watch movies on the weekends.

55. 듣다 - To listen to

56. 나는 음악을 들었다. - I listened to music.

57. 너는 지금 무언가를 듣고 있습니다. - You are listening to something now.

58. 그는 내일 콘서트에서 음악을 들을 것이다. - He will listen to music at the concert tomorrow.

59. 그녀는 어떤 음악을 듣고 싶어하나요? - What kind of music does she want to listen to?

60. 그녀는 클래식 음악을 듣고 싶어합니다. - She wants to listen to classical music.

61. 말하다 - To speak

62. 나는 친구와 이야기했다. - I spoke with my friend.

63. 너는 지금 무언가를 말하고 있습니다. - You are saying something now.

64. 우리는 내일 회의에서 발표할 것이다. - We will present at the meeting tomorrow.

65. 그는 무엇에 대해 말하고 싶어하나요? - What does he want to talk about?

66. 그는 여행 경험에 대해 말하고 싶어합니다. - He wants to talk about his travel experiences.

67. 먹다 - to eat

68. 나는 저녁을 먹었다. - I ate dinner.

69. 너는 지금 점심을 먹고 있다. - You are eating lunch now.

70. 그는 내일 아침을 먹을 것이다. - He will eat breakfast tomorrow.

71. 그녀는 무엇을 먹고 싶어하나요? - What does she want to eat?

72. 그녀는 피자를 먹고 싶어합니다. - She wants to eat pizza.

73. 마시다 - Drink

74. 나는 물을 마셨다. - I drank water.

75. 너는 지금 커피를 마시고 있다. - You are drinking coffee now.

76. 우리는 내일 주스를 마실 것이다. - We will drink juice tomorrow.

77. 너는 어떤 음료를 마시나요? - What drink do you drink?

78. 나는 녹차를 마십니다. - I drink green tea.

79. 앉다 - to sit

80. 나는 의자에 앉았다. - I sat down in a chair.

81. 너는 지금 소파에 앉아 있다. - You are sitting on the couch now.

82. 그녀는 내일 벤치에 앉을 것이다. - She will sit on the bench tomorrow.

83. 그들은 어디에 앉고 싶어하나요? - Where do they want to sit?

84. 그들은 창가에 앉고 싶어합니다. - They want to sit by the window.

85. 서다 - To stand

86. 나는 한 시간 동안 서 있었다. - I have been standing for an hour.

87. 너는 지금 문 앞에 서 있다. - You are standing at the door now.

88. 그는 내일 줄에서 서 있을 것이다. - He will be standing in line tomorrow.

89. 그녀는 얼마나 오래 서 있었나요? - How long has she been standing?

90. 그녀는 30분 동안 서 있었습니다. - She has been standing for half an hour.

91. 걷다 - to walk

92. 나는 공원을 걸었다. - I walked through the park.

93. 너는 지금 집으로 걷고 있다. - You are walking home now.

94. 우리는 내일 해변을 걸을 것이다. - We will walk on the beach tomorrow.

95. 그들은 어디를 걷고 싶어하나요? - Where do they want to walk?

96. 그들은 산책로를 걷고 싶어합니다. - They want to walk on the boardwalk.

97. 2. 명사 단어들 외우기, 필수 10개 동사의 단어들을 가지고 50문장 연습하기 - 2. memorize the noun words, practice 50 sentences with the words of the 10 essential verbs

98. 10킬로미터 - 10 kilometers

99. 그림 - painting

100. 꽃 - flower

101. 농담 - joke

102. 댄스(춤) - dance (dance)

103. 마라톤 - marathon

104. 무엇 - what

105. 백화점 - department store

106. 보고서 - report

107. 샌드위치 - sandwich

108. 소설 - novel

109. 소식 - News

110. 쇼 - show

111. 수학 - math

112. 신문 - newspaper

113. 신발 - shoes

114. 아침 - morning

115. 영어 - english

116. 영화 - movie

117. 옷 - clothes

118. 요가 - yoga

119. 요리 - cooking

120. 운동장 - Playground

121. 이야기 - story

122. 인사 - greeting

123. 일기 - diary

124. 자전거 - bicycle

125. 작년 - last year

126. 잡지 - magazine

127. 정원 - garden

128. 책 - book

129. 편지 - letter

130. 프로젝트 - project

131. 피아노 - piano

132. 한국어 - korean

133. 달리다 - run

134. 나는 마라톤을 달렸다. - I ran a marathon.

135. 너는 지금 운동장을 달리고 있다. - You are running around the playground now.

136. 그는 내일 아침에 달릴 것이다. - He will run tomorrow morning.

137. 그녀는 얼마나 빨리 달릴 수 있나요? - How fast can she run?

138. 그녀는 시속 10킬로미터로 달릴 수 있습니다. - She can run ten kilometers per hour.

139. 웃다 - to laugh

140. 나는 친구의 농담에 웃었다. - I laughed at my friend's joke.

141. 너는 지금 행복해 보인다. - You look happy now.

142. 우리는 내일 코미디 쇼에서 웃을 것이다. - We will laugh at the comedy show tomorrow.

143. 너는 무엇에 웃나요? - What do you laugh at?

144. 나는 유머러스한 이야기에 웃습니다. - I laugh at humorous stories.

145. 울다 - Cry

146. 나는 영화를 보고 울었다. - I cried at the movie.

147. 너는 지금 슬픈 이야기에 울고 있다. - You are crying now at the sad story.

148. 그녀는 내일 작별 인사를 할 때 울 것이다. - She will cry when she says goodbye tomorrow.

149. 그는 왜 울었나요? - Why did he cry?

150. 그는 감동적인 소식에 울었습니다. - He cried at the touching news.

151. 사다 - to buy

152. 나는 새 신발을 샀다. - I bought new shoes.

153. 너는 지금 옷을 사고 있다. - You are buying clothes now.

154. 그들은 내일 선물을 살 것이다. - They will buy presents tomorrow.

155. 그녀는 어디서 쇼핑하나요? - Where does she shop?

156. 그녀는 백화점에서 쇼핑합니다. - She shops at the department store.

157. 팔다 - To sell

158. 나는 자전거를 팔았다. - I sold my bicycle.

159. 너는 지금 꽃을 팔고 있다. - You are selling flowers now.

160. 그는 내일 책을 팔 것이다. - He will sell books tomorrow.

161. 당신들은 무엇을 팔고 싶어하나요? - What do you guys want to sell?

162. 우리는 그림을 팔고 싶어합니다. - We want to sell paintings.

163. 만들다 - to make

164. 나는 샌드위치를 만들었다. - I made a sandwich.

165. 너는 지금 프로젝트를 만들고 있다. - You are making a project now.

166. 우리는 내일 정원을 만들 것이다. - We will make a garden tomorrow.

167. 그들은 어떤 케이크를 만드나요? - What kind of cake do they make?

168. 그들은 초콜릿 케이크를 만듭니다. - They make chocolate cake.

169. 쓰다 - to write

170. 나는 편지를 썼다. - I wrote a letter.

171. 너는 지금 보고서를 쓰고 있다. - You are writing a report now.

172. 그녀는 내일 일기를 쓸 것이다. - She will write her diary tomorrow.

173. 그는 언제 소설을 썼나요? - When did he write his novel?

174. 그는 작년에 소설을 썼습니다. - He wrote the novel last year.

175. 읽다 - to read

176. 나는 소설을 읽었다. - I read the novel.

177. 너는 지금 신문을 읽고 있다. - You are reading the newspaper now.

178. 그녀는 내일 잡지를 읽을 것이다. - She will read a magazine tomorrow.

179. 너는 어떤 책을 좋아하나요? - What kind of books do you like?

180. 나는 모험 소설을 좋아합니다. - I like adventure novels.

181. 배우다 - to learn

182. 나는 피아노를 배웠다. - I learned to play the piano.

183. 너는 지금 한국어를 배우고 있다. - You are learning Korean now.

184. 우리는 내일 요가를 배울 것이다. - We will learn yoga tomorrow.

185. 너는 무엇을 배우고 싶어하나요? - What do you like to learn?

186. 나는 댄스를 배우고 싶어합니다. - I want to learn to dance.

187. 가르치다 - Teach

188. 나는 수학을 가르쳤다. - I taught math.

189. 너는 지금 영어를 가르치고 있다. - You are teaching English now.

190. 그는 내일 요리를 가르칠 것이다. - He will teach cooking tomorrow.

191. 그들은 어디에서 가르치나요? - Where do they teach?

192. 그들은 학교에서 가르칩니다. - They teach at school.

193. 3. 명사 단어들 외우기, 필수 10개 동사의 단어들을 가지고 50문장 연습하기 - 3. memorize noun words, practice 50 sentences with the 10 essential verb words

194. 열쇠 - key

195. 안경 - glasses

196. 지갑 - wallet

197. 책 - book

198. 전화기 - cellphone

199. 시계 - clock

200. 선물 - gift

201. 문서 - document

202. 기부금 - donation

203. 편지 - letter

204. 이메일 - email

205. 상 - award

206. 프로젝트 - project

207. 운동 - work out

208. 여행 - travel

209. 숙제 - homework

210. 회의 - meeting

211. 작업 - work

212. 창문 - window

213. 상자 - Box

214. 전시회 - Exhibition

215. 문 - door

216. 컴퓨터 - computer

217. 가게 - store

218. 라이트 - light

219. 텔레비전 - television

220. 에어컨 - air conditioner

221. 라디오 - radio

222. 불 - fire

223. 난방 - heating

224. TV - TV

225. 찾다 - find

226. 나는 열쇠를 찾았다. - I found the keys.

227. 너는 지금 안경을 찾고 있다. - You are looking for your glasses now.

228. 그녀는 내일 그녀의 지갑을 찾을 것이다. - She will find her wallet tomorrow.

229. 그는 무엇을 찾았나요? - What did he find?

230. 그는 그의 책을 찾았습니다. - He found his book.

231. 잃다 - To lose

232. 나는 전화기를 잃었다. - I lost my phone.

233. 너는 지금 무언가를 잃었습니다. - You have lost something now.

234. 그는 내일 그의 시계를 잃을 것이다. - He will lose his watch tomorrow.

235. 그녀는 자주 무엇을 잃나요? - What does she often lose?

236. 그녀는 자주 열쇠를 잃습니다. - She often loses her keys.

237. 주다 - To give

238. 나는 친구에게 선물을 주었다. - I gave a gift to my friend.

239. 너는 지금 문서를 주고 있다. - You are giving the document now.

240. 우리는 내일 기부금을 줄 것이다. - We will give a donation tomorrow.

241. 그는 누구에게 도움을 주나요? - Who does he give help to?

242. 그는 어린이 병원에 도움을 줍니다. - He gives help to the children's hospital.

243. 받다 - to receive

244. 나는 편지를 받았다. - I received a letter.

245. 너는 지금 이메일을 받고 있다. - You are receiving an e-mail now.

246. 그녀는 내일 상을 받을 것이다. - She will receive an award tomorrow.

247. 그는 어떤 상을 받았나요? - What award did he receive?

248. 그는 최우수 학생 상을 받았습니다. - He won the best student award.

249. 시작하다 - to start

250. 나는 새로운 프로젝트를 시작했다. - I have started a new project.

251. 너는 지금 운동을 시작하고 있다. - You are starting to exercise now.

252. 우리는 내일 여행을 시작할 것이다. - We will start traveling tomorrow.

253. 당신들은 언제 공부를 시작했나요? - When did you guys start studying?

254. 우리는 오늘 아침에 공부를 시작했습니다. - We started studying this morning.

255. 끝내다 - to finish

256. 나는 숙제를 끝냈다. - I finished my homework.

257. 너는 지금 회의를 끝내고 있다. - You are finishing the meeting now.

258. 그는 내일 그의 작업을 끝낼 것이다. - He will finish his work tomorrow.

259. 그녀는 책을 언제 끝냈나요? - When did she finish the book?

260. 그녀는 어제 책을 끝냈습니다. - She finished her book yesterday.

261. 열다 - to open

262. 나는 창문을 열었다. - I opened the window.

263. 너는 지금 상자를 열고 있다. - You are opening the box now.

264. 그들은 내일 전시회를 열 것이다. - They will open the exhibition tomorrow.

265. 그는 문을 언제 열었나요? - When did he open the door?

266. 그는 아침에 문을 열었습니다. - He opened the door in the morning.

267. 닫다 - To close

268. 나는 책을 닫았다. - I closed the book.

269. 너는 지금 컴퓨터를 닫고 있다. - You are closing the computer now.

270. 우리는 내일 가게를 닫을 것이다. - We will close the store tomorrow.

271. 그녀는 왜 창문을 닫았나요? - Why did she close the window?

272. 추워서 창문을 닫았습니다. - She closed the window because it was cold.

273. 켜다 - to turn on

274. 나는 라이트를 켰다. - I turned on the light.

275. 너는 지금 텔레비전을 켜고 있다. - You are turning on the television now.

276. 그는 내일 에어컨을 켤 것이다. - He will turn on the air conditioner tomorrow.

277. 그들은 언제 라디오를 켰나요? - When did they turn on the radio?

278. 그들은 점심 때 라디오를 켰습니다. - They turned on the radio at lunch.

279. 끄다 - to turn off

280. 나는 컴퓨터를 껐다. - I turned off the computer.

281. 너는 지금 불을 끄고 있다. - You are turning off the light now.

282. 그녀는 내일 난방을 끌 것이다. - She will turn off the heating tomorrow.

283. 그는 왜 TV를 껐나요? - Why did he turn off the TV?

284. 잠자려고 TV를 껐습니다. - I turned off the TV to go to sleep.

285. 4. 명사 단어들 외우기, 필수 10개 동사의 단어들을 가지고 50문장 연습하기 - 4. Memorize noun words, practice 50 sentences with the 10 essential verb words

286. 결과 - result

287. 공부 - study

288. 날씨 - weather

289. 날 - me

290. 남 - other

291. 답 - answer

292. 도움 - help

293. 눈 - eye

294. 봉사활동 - Volunteer

295. 부엌 - kitchen

296. 사람 - person

297. 사무실 - office

298. 소파 - Sofa

299. 손 - hand

300. 어르신 - Elderly

301. 얼굴 - face

302. 음식 - food

303. 일 - Day

304. 일정 - schedule

305. 자 - ruler

306. 정원 - garden

307. 조언 - advice

308. 차 - car

309. 친구 - friend

310. 침대 - bed

311. 책 - book

312. 추위 - cold

313. 휴식 - rest

314. 해답 - solution

315. 회의 - meeting

316. 씻다 - wash

317. 나는 손을 씻었다. - I washed my hands.

318. 너는 지금 얼굴을 씻고 있다. - You are washing your face now.

319. 우리는 내일 차를 씻을 것이다. - We will wash the car tomorrow.

320. 그들은 언제 차를 씻나요? - When do they wash the car?

321. 그들은 매주 일요일에 차를 씻습니다. - They wash their car every Sunday.

322. 청소하다 - to clean

323. 나는 방을 청소했다. - I cleaned the room.

324. 너는 지금 사무실을 청소하고 있다. - You are cleaning the office now.

325. 그들은 내일 정원을 청소할 것이다. - They will clean the garden tomorrow.

326. 그녀는 언제 부엌을 청소했나요? - When did she clean the kitchen?

327. 그녀는 오늘 아침에 부엌을 청소했습니다. - She cleaned the kitchen this morning.

328. 일어나다 - to get up

329. 나는 일찍 일어났다. - I woke up early.

330. 너는 지금 침대에서 일어나고 있다. - You are getting out of bed now.

331. 우리는 내일 아침 6시에 일어날 것이다. - We will get up at 6:00 tomorrow morning.

332. 그는 보통 몇 시에 일어나나요? - What time does he usually get up?

333. 그는 보통 7시에 일어납니다. - He usually gets up at seven o'clock.

334. 자다 - to sleep

335. 나는 깊이 잤다. - I slept deeply.

336. 너는 지금 소파에서 자고 있다. - You are sleeping on the couch now.

337. 그녀는 내일 일찍 자러 갈 것이다. - She will go to bed early tomorrow.

338. 너는 얼마나 오래 잤나요? - How long did you sleep?

339. 나는 8시간 잤습니다. - I slept for eight hours.

340. 알다 - Know

341. 나는 답을 알았다. - I knew the answer.

342. 너는 지금 비밀을 알고 있다. - You know the secret now.

343. 우리는 내일 결과를 알 것이다. - We will know the result tomorrow.

344. 그는 그녀의 전화번호를 알고 있나요? - Does he know her phone number?

345. 네, 알고 있습니다. - Yes, he knows it.

346. 모르다 - I don't know

347. 나는 그 사람을 몰랐다. - I didn't know the person.

348. 너는 지금 답을 모르고 있다. - You don't know the answer now.

349. 그들은 내일 일정을 모를 것이다. - They won't know the schedule tomorrow.

350. 그녀는 왜 해답을 모르나요? - Why doesn't she know the answer?

351. 그녀는 공부하지 않았습니다. - She didn't study.

352. 좋아하다 - To like

353. 나는 여름을 좋아했다. - I liked the summer.

354. 너는 지금 책을 좋아하고 있다. - You are liking books now.

355. 우리는 내일 바베큐를 좋아할 것이다. - We will like the barbecue tomorrow.

356. 그들은 어떤 음식을 좋아하나요? - What kind of food do they like?

357. 그들은 일식을 좋아합니다. - They like Japanese food.

358. 싫어하다 - Dislike

359. 나는 눈을 싫어했다. - I hated the snow.

360. 너는 지금 추위를 싫어하고 있다. - You are hating the cold right now.

361. 그는 내일 회의를 싫어할 것이다. - He will hate the meeting tomorrow.

362. 그녀는 어떤 날씨를 싫어하나요? - What kind of weather does she dislike?

363. 그녀는 비오는 날씨를 싫어합니다. - She hates rainy weather.

364. 필요하다 - Needed

365. 나는 도움이 필요했다. - I needed help.

366. 너는 지금 휴식이 필요하다. - You need a break now.

367. 그녀는 내일 조언이 필요할 것이다. - She will need advice tomorrow.

368. 그들에게 무엇이 필요한가요? - What do they need?

369. 그들은 지원이 필요합니다. - They need support.

370. 돕다 - to help

371. 나는 이웃을 도왔다. - I helped my neighbor.

372. 너는 지금 친구를 돕고 있다. - You are helping a friend now.

373. 우리는 내일 봉사활동을 할 것이다. - We're going to volunteer tomorrow.

374. 당신은 누구를 도와주고 싶어하나요? - Who do you like to help?

375. 나는 어르신들을 도와주고 싶어합니다. - I like to help the elderly.

376. 5. 명사 단어들 외우기, 필수 10개 동사의 단어들을 가지고 50문장 연습하기 - 5. memorize noun words, practice 50 sentences with words from the 10 essential verbs

377. 가족 - family

378. 공원 - park

379. 길 - road

380. 날 - day

381. 누구 - who

382. 늦은 - late

383. 도로 - road

384. 만남 - encounter

385. 무례함 - rudeness

386. 사람 - people

387. 사랑 - love

388. 사무실 - office

389. 삶 - life

390. 서울 - Seoul

391. 시골 - countryside

392. 슬픔 - sadness

393. 약속 - promise

394. 어디 - where

395. 영원 - eternity

396. 오랜 - long

397. 오후 - afternoon

398. 의사 - doctor

399. 일 - day

400. 전화 - phone

401. 주말 - weekend

402. 지난달 - Last month

403. 집 - Home

404. 친구 - Friend

405. 해변 - beach

406. 행복 - happy

407. 헤어짐 - breakup

408. 놀다 - play

409. 나는 공원에서 놀았다. - I played in the park.

410. 너는 지금 친구들과 노는 중이다. - You are playing with your friends now.

411. 우리는 내일 해변에서 놀 것이다. - We will play on the beach tomorrow.

412. 당신들은 주말에 어디에서 노나요? - Where do you guys play on the weekends?

413. 우리는 주말에 공원에서 논다. - We play in the park on the weekends.

414. 일하다 - To work

415. 나는 늦게까지 일했다. - I worked until late.

416. 너는 지금 사무실에서 일하고 있다. - You are working in the office now.

417. 그는 내일 집에서 일할 것이다. - He will work at home tomorrow.

418. 그녀는 어떤 일을 하나요? - What kind of work does she do?

419. 그녀는 선생님이다. - She is a teacher.

420. 살다 - to live

421. 나는 서울에서 살았다. - I used to live in Seoul.

422. 너는 지금 어디에 살고 있나요? - Where do you live now?

423. 우리는 내일 새 집에서 살 것이다. - We will live in our new house tomorrow.

424. 그들은 어디에서 살고 싶어하나요? - Where do they want to live?

425. 그들은 시골에서 살고 싶어한다. - They want to live in the countryside.

426. 죽다 - to die

427. 나는 거의 죽을 뻔했다. - I almost died.

428. 너는 지금 삶을 살고 있다. - You are living life now.

429. 그는 오래 살 것이다. - He will live a long time.

430. 그녀는 어떻게 살고 싶어하나요? - How does she want to live?

431. 그녀는 행복하게 살고 싶어한다. - She wants to live happily ever after.

432. 사랑하다 - To love

433. 나는 너를 사랑했다. - I loved you.

434. 너는 지금 누군가를 사랑하고 있다. - You are in love with someone now.

435. 그녀는 영원히 사랑할 것이다. - She will love forever.

436. 그는 누구를 사랑하나요? - Who does he love?

437. 그는 그의 가족을 사랑한다. - He loves his family.

438. 미워하다 - Hate

439. 나는 어제 늦은 약속을 미워했다. - I hated my late appointment yesterday.

440. 너는 지금 막힌 도로를 미워한다. - You hate the blocked road right now.

441. 그는 내일 일찍 일어나는 것을 미워할 것이다. - He will hate getting up early tomorrow.

442. 그녀는 무엇을 미워하나요? - What does she hate?

443. 그녀는 무례함을 미워합니다. - She hates rudeness.

444. 기다리다 - To wait for

445. 나는 어제 너를 오랫동안 기다렸다. - I waited for you for a long time yesterday.

446. 너는 지금 친구를 기다린다. - You wait for your friend now.

447. 그는 내일 중요한 전화를 기다릴 것이다. - He will wait for an important call tomorrow.

448. 우리는 얼마나 더 기다려야 하나요? - How much longer do we have to wait?

449. 5분만 더 기다려 주세요. - Please wait for five more minutes.

450. 만나다 - To meet

451. 나는 지난 주에 그를 만났다. - I met him last week.

452. 너는 지금 새로운 사람을 만난다. - You meet a new person now.

453. 그녀는 내일 오랜 친구를 만날 것이다. - She will meet an old friend tomorrow.

454. 그들은 언제 만나기로 했나요? - When are they going to meet?

455. 그들은 내일 오후에 만나기로 했습니다. - They are going to meet tomorrow afternoon.

456. 헤어지다 - break up

457. 나는 지난달에 그녀와 헤어졌다. - I broke up with her last month.

458. 너는 지금 슬픔을 헤어진다. - You break up your sorrows now.

459. 그들은 내일 서로 헤어질 것이다. - They will part with each other tomorrow.

460. 왜 그들은 헤어지기로 결정했나요? - Why did they decide to part ways?

461. 그들은 서로 다른 길을 가기로 결정했습니다. - They decided to go their separate ways.

462. 전화하다 - to call

463. 나는 어제 그에게 전화했다. - I called him yesterday.

464. 너는 지금 의사에게 전화한다. - You call the doctor now.

465. 그녀는 내일 저녁에 나에게 전화할 것이다. - She will call me tomorrow evening.

466. 그는 언제 나에게 전화할 거예요? - When is he going to call me?

467. 그는 저녁에 전화할 거예요. - He will call me in the evening.

468. 6. 명사 단어들 외우기, 필수 10개 동사의 단어들을 가지고 50문장 연습하기 - 6. memorize noun words, practice 50 sentences with the 10 essential verb words

469. 길 - way

470. 질문 - Question

471. 조언 - Advice

472. 시간 - Time

473. 문제 - Problem

474. 상자 - Box

475. 책 - book

476. 가방 - bag

477. 펜 - pen

478. 열쇠 - key

479. 서류 - document

480. 캐리어 - carrier

481. 장난감 - toy

482. 바구니 - basket

483. 카트 - cart

484. 문 - door

485. 의자 - chair

486. 책장 - bookshelf

487. 로프 - rope

488. 커튼 - curtain

489. 끈 - string

490. 손잡이 - handle

491. 방 - room

492. 집 - house

493. 회의실 - meeting room

494. 건물 - building

495. 영화관 - Cinema

496. 사무실 - office

497. 도서관 - library

498. 언덕 - Hill

499. 계단 - stairs

500. 탑 - tower

501. 산 - mountain

502. 묻다 - ask

503. 나는 어제 길을 물었다. - I asked for directions yesterday.

504. 너는 지금 질문을 한다. - You ask a question now.

505. 그는 내일 조언을 물을 것이다. - He will ask for advice tomorrow.

506. 그녀는 무엇을 물어봤나요? - What did she ask?

507. 그녀는 시간을 물어봤습니다. - She asked for the time.

508. 대답하다 - To answer

509. 나는 그의 질문에 대답했다. - I answered his question.

510. 너는 지금 내 질문에 대답한다. - You answer my question now.

511. 그녀는 내일 문제에 대답할 것이다. - She will answer the question tomorrow.

512. 그들은 어떻게 대답했나요? - How did they answer?

513. 그들은 친절하게 대답했습니다. - They answered kindly.

514. 들다 - to lift

515. 나는 무거운 상자를 들었다. - I lifted the heavy box.

516. 너는 지금 책을 든다. - You are carrying a book now.

517. 그는 내일 가방을 들 것이다. - He will lift the bag tomorrow.

518. 그녀는 무엇을 들 수 있나요? - What can she lift?

519. 그녀는 큰 가방을 들 수 있습니다. - She can lift a big bag.

520. 놓다 - To put

521. 나는 펜을 책상 위에 놓았다. - I put the pen on the desk.

522. 너는 지금 열쇠를 놓는다. - You place your keys now.

523. 그들은 내일 서류를 책상 위에 놓을 것이다. - They will put the papers on the desk tomorrow.

524. 그는 어디에 그것을 놓았나요? - Where did he put it?

525. 그는 문 앞에 그것을 놓았습니다. - He put it in front of the door.

526. 끌다 - to drag

527. 나는 캐리어를 끌었다. - I dragged the suitcase.

528. 너는 지금 장난감을 끈다. - You drag the toy now.

529. 그녀는 내일 바구니를 끌 것이다. - She will drag the basket tomorrow.

530. 그들은 무엇을 끌었나요? - What did they drag?

531. 그들은 작은 카트를 끌었습니다. - They pushed a small cart.

532. 밀다 - To push

533. 나는 문을 밀었다. - I pushed the door.

534. 너는 지금 의자를 밀고 있다. - You are pushing the chair now.

535. 그는 내일 상자를 밀 것이다. - He will push the boxes tomorrow.

536. 그녀는 어떤 것을 밀어야 하나요? - What does she have to push?

537. 그녀는 책장을 밀어야 합니다. - She needs to push the bookcase.

538. 당기다 - To pull

539. 나는 로프를 당겼다. - I pulled the rope.

540. 너는 지금 커튼을 당긴다. - You pull the curtains now.

541. 그들은 내일 끈을 당길 것이다. - They will pull the string tomorrow.

542. 그는 무엇을 당겼나요? - What did he pull?

543. 그는 문 손잡이를 당겼습니다. - He pulled the door handle.

544. 들어가다 - to enter

545. 나는 방에 들어갔다. - I entered the room.

546. 너는 지금 집에 들어간다. - You are entering the house now.

547. 그녀는 내일 회의실에 들어갈 것이다. - She will enter the conference room tomorrow.

548. 그들은 언제 건물에 들어갔나요? - When did they enter the building?

549. 그들은 아침에 건물에 들어갔습니다. - They entered the building in the morning.

550. 나오다 - to come out

551. 나는 어제 영화관에서 나왔다. - I came out of the movie theater yesterday.

552. 너는 지금 사무실에서 나온다. - You come out of the office now.

553. 그는 내일 도서관에서 나올 것이다. - He will come out of the library tomorrow.

554. 너는 어디에서 나왔나요? - Where did you come out of?

555. 나는 회의실에서 나왔습니다. - I came out of the conference room.

556. 올라가다 - to climb

557. 나는 언덕을 올라갔다. - I went up the hill.

558. 너는 지금 계단을 올라간다. - You are going up the stairs now.

559. 우리는 내일 탑에 올라갈 것이다. - We will climb the tower tomorrow.

560. 그들은 어디로 올라갔나요? - Where did they go up to?

561. 그들은 산으로 올라갔습니다. - They went up to the mountain.

562. 7. 명사 단어들 외우기, 필수 10개 동사의 단어들을 가지고 50문장 연습하기 - 7. memorize the noun words, practice 50 sentences with the words of the 10 essential verbs

563. 지하 - underground

564. 계단 - stairs

565. 지하철역 - subway station

566. 지하실 - cellar

567. 자전거 - bicycle

568. 버스 - bus

569. 기차 - train

570. 배 - ship

571. 역 - station

572. 비행기 - airplane

573. 정류장 - station
574. 중앙 정류장 - central stop
575. 계약서 - contract
576. 메뉴 - menu
577. 계획 - plan
578. 문서 - document
579. 보고서 - report
580. 미래 - future
581. 결정 - decision
582. 직업 변경 - change job
583. 대학 - university
584. 저녁 메뉴 - dinner menu
585. 여행지 - travel destination
586. 색깔 - Color
587. 파란색 - blue
588. 문제 - problem
589. 어려움 - difficulty
590. 수수께끼 - Riddle
591. 상황 - situation
592. 팀워크 - teamwork
593. 순간 - Moment
594. 날짜 - date
595. 대화 - conversation
596. 숫자 - number
597. 전화번호 - phone number
598. 생일 - birthday
599. 약속 - promise
600. 회의 - meeting
601. 회의 시간 - meeting time
602. 말 - word
603. 소식 - News
604. 기적 - miracle
605. 운명 - fate
606. 내려가다 - go down

607. 나는 지하로 내려갔다. - I went down to the basement.

608. 너는 지금 계단을 내려간다. - You are going down the stairs now.

609. 그녀는 내일 지하철역으로 내려갈 것이다. - She will go down to the subway station tomorrow.

610. 그는 어디로 내려갔나요? - Where did he go down?

611. 그는 지하실로 내려갔습니다. - He went down to the basement.

612. 타다 - to ride

613. 나는 자전거를 탔다. - I rode my bike.

614. 너는 지금 버스를 탄다. - You ride the bus now.

615. 그들은 내일 기차를 탈 것이다. - They will take the train tomorrow.

616. 그녀는 무엇을 타고 싶어하나요? - What does she want to ride?

617. 그녀는 배를 타고 싶어합니다. - She wants to go on a boat.

618. 내리다 - To get off

619. 나는 역에서 기차에서 내렸다. - I got off the train at the station.

620. 너는 지금 버스에서 내린다. - You get off the bus now.

621. 그는 내일 비행기에서 내릴 것이다. - He will get off the plane tomorrow.

622. 그들은 어느 정류장에서 내렸나요? - At which stop did they get off?

623. 그들은 중앙 정류장에서 내렸습니다. - They got off at the central stop.

624. 살펴보다 - to look over

625. 나는 계약서를 살펴보았다. - I looked over the contract.

626. 너는 지금 메뉴를 살펴본다. - You look over the menu now.

627. 그녀는 내일 계획을 살펴볼 것이다. - She will look over the plans for tomorrow.

628. 그들은 어떤 문서를 살펴보고 있나요? - What documents are they looking over?

629. 그들은 보고서를 살펴보고 있습니다. - They are looking over the report.

630. 생각하다 - To think

631. 나는 우리의 미래에 대해 생각했다. - I was thinking about our future.

632. 너는 지금 무엇에 대해 생각한다. - You think about what now.

633. 그는 내일 결정에 대해 생각할 것이다. - He will think about his decision tomorrow.

634. 그녀는 무엇에 대해 생각하고 있나요? - What is she thinking about?

635. 그녀는 직업 변경에 대해 생각하고 있습니다. - She is thinking about changing jobs.

636. 결정하다 - to decide

637. 나는 대학을 결정했다. - I have decided on a university.

638. 너는 지금 저녁 메뉴를 결정한다. - You are deciding on the dinner menu now.

639. 그들은 내일 여행지를 결정할 것이다. - They will decide where to travel tomorrow.

640. 그는 어떤 색깔을 결정했나요? - What color did he decide on?

641. 그는 파란색을 결정했습니다. - He decided on blue.

642. 해결하다 - to solve

643. 나는 그 문제를 해결했다. - I solved that problem.

644. 너는 지금 어려움을 해결한다. - You solve the difficulty now.

645. 그녀는 내일 그 수수께끼를 해결할 것이다. - She will solve that riddle tomorrow.

646. 그들은 어떻게 그 상황을 해결했나요? - How did they solve that situation?

647. 그들은 팀워크로 해결했습니다. - They solved it with teamwork.

648. 기억하다 - Remember

649. 나는 그 순간을 기억했다. - I remembered the moment.

650. 너는 지금 중요한 날짜를 기억한다. - You remember the important date now.

651. 우리는 내일 그 대화를 기억할 것이다. - We will remember that conversation tomorrow.

652. 그녀는 어떤 숫자를 기억하나요? - What number does she remember?

653. 그녀는 그의 전화번호를 기억합니다. - She remembers his phone number.

654. 잊다 - Forget

655. 나는 그의 생일을 잊었다. - I forgot his birthday.

656. 너는 지금 약속을 잊는다. - You forget the appointment now.

657. 그는 내일 중요한 회의를 잊을 것이다. - He will forget his important meeting tomorrow.

658. 그들은 무엇을 잊어버렸나요? - What did they forget?

659. 그들은 그 회의 시간을 잊어버렸습니다. - They forgot the time of that

meeting.

660. 믿다 - to believe

661. 나는 그녀의 말을 믿었다. - I believed her words.

662. 너는 지금 그 소식을 믿는다. - You believe the news now.

663. 그들은 내일 기적을 믿을 것이다. - They will believe in a miracle tomorrow.

664. 그는 무엇을 믿나요? - What does he believe in?

665. 그는 운명을 믿습니다. - He believes in fate.

666. 8. 명사 단어들 외우기, 필수 10개 동사의 단어들을 가지고 50문장 연습하기 - 8. memorize noun words, practice 50 sentences with the 10 essential verb words

667. 말 - word

668. 소식 - News

669. 계획 - plan

670. 이야기 - story

671. 결과 - result

672. 평화 - peace

673. 성공 - success

674. 미래 - future

675. 건강 - health

676. 안전 - safety

677. 가족 - family

678. 행복 - happiness

679. 세계 평화 - world peace

680. 차 - car

681. 집 - house

682. 여행 - travel

683. 시골 - countryside

684. 활동 - activity

685. 신호등 - Traffic Light

686. 새벽 - dawn

687. 학교 - school

688. 아침 - morning

689. 회사 - company

690. 목적지 - destination

691. 오후 - afternoon

692. 편지 - letter

693. 메일 - mail

694. 선물 - gift

695. 친구 - friend

696. 길 - road

697. 강 - river

698. 다리 - leg

699. 보트 - boat

700. 과거 - past

701. 결정 - decision

702. 무언가 - something

703. 의심하다 - to doubt

704. 나는 그의 말을 의심했다. - I doubted his words.

705. 너는 지금 그 소식을 의심한다. - You doubt the news now.

706. 그는 내일 그 계획을 의심할 것이다. - He will doubt the plan tomorrow.

707. 너는 왜 그를 의심하나요? - Why do you doubt him?

708. 나는 그의 이야기가 일관되지 않기 때문입니다. - I doubt him because his story is inconsistent.

709. 희망하다 - to hope

710. 나는 좋은 결과를 희망했다. - I hoped for a good outcome.

711. 너는 지금 평화를 희망한다. - You hope for peace now.

712. 그들은 내일 성공을 희망할 것이다. - They will hope for success tomorrow.

713. 우리는 무엇을 희망해야 하나요? - What should we hope for?

714. 우리는 더 나은 미래를 희망해야 합니다. - We should hope for a better future.

715. 기도하다 - To pray

716. 나는 건강을 위해 기도했다. - I prayed for health.

717. 너는 지금 안전을 기도한다. - You pray for safety now.

718. 그녀는 내일 가족의 행복을 기도할 것이다. - She will pray for the happiness of her family tomorrow.

719. 너는 무엇을 위해 기도하나요? - What do you pray for?

720. 나는 세계 평화를 위해 기도합니다. - I pray for world peace.

721. 운전하다 - to drive

722. 나는 어제 차를 운전했다. - I drove my car yesterday.

723. 너는 지금 집으로 운전한다. - You drive home now.

724. 그는 내일 여행을 운전할 것이다. - He will drive the trip tomorrow.

725. 그녀는 어디로 운전해 가나요? - Where is she driving to?

726. 그녀는 시골로 운전해 갑니다. - She is driving to the countryside.

727. 멈추다 - To stop

728. 나는 갑자기 멈췄다. - I stopped suddenly.

729. 너는 지금 멈춘다. - You stop now.

730. 우리는 내일 활동을 멈출 것이다. - We will stop our activities tomorrow.

731. 그들은 왜 멈췄나요? - Why did they stop?

732. 그들은 신호등에서 멈췄습니다. - They stopped at the traffic light.

733. 출발하다 - To depart

734. 나는 새벽에 출발했다. - I set off at dawn.

735. 너는 지금 여행을 출발한다. - You are departing on a trip now.

736. 그녀는 내일 학교로 출발할 것이다. - She will depart for school tomorrow.

737. 그들은 언제 출발할 예정인가요? - When are they scheduled to depart?

738. 그들은 내일 아침에 출발할 예정입니다. - They are scheduled to depart tomorrow morning.

739. 도착하다 - to arrive

740. 나는 어젯밤에 도착했다. - I arrived last night.

741. 너는 지금 회사에 도착한다. - You arrive at work now.

742. 그들은 내일 목적지에 도착할 것이다. - They will arrive at their destination tomorrow.

743. 너는 언제 도착했나요? - When did you arrive?

744. 나는 오후에 도착했습니다. - I arrived in the afternoon.

745. 보내다 - To send

746. 나는 편지를 보냈다. - I sent a letter.

747. 너는 지금 메일을 보낸다. - You send the mail now.

748. 그는 내일 선물을 보낼 것이다. - He will send the gift tomorrow.

749. 우리는 누구에게 선물을 보내나요? - Who do we send gifts to?

750. 우리는 친구에게 선물을 보냅니다. - We send gifts to our friends.

751. 건너다 - to cross

752. 나는 길을 건넜다. - I crossed the road.

753. 너는 지금 강을 건넌다. - You cross the river now.

754. 그녀는 내일 다리를 건널 것이다. - She will cross the bridge tomorrow.

755. 당신들은 어떻게 강을 건넜나요? - How did you cross the river?

756. 우리는 보트를 이용해서 건넜습니다. - We crossed by boat.

757. 돌아보다 - Look back

758. 나는 뒤를 돌아보았다. - I looked back.

759. 너는 지금 과거를 돌아본다. - You look back now.

760. 우리는 내일 결정을 돌아볼 것이다. - We will look back on our decision tomorrow.

761. 그녀는 왜 주저하며 돌아보나요? - Why does she hesitate to look back?

762. 그녀는 무언가를 잊었기 때문입니다. - Because she forgot something.

763. 9. 명사 단어들 외우기, 필수 10개 동사의 단어들을 가지고 50문장 연습하기 - 9. memorize noun words, practice 50 sentences with the 10 essential verb words

764. 위험 - danger

765. 갈등 - conflict

766. 교통 체증 - Traffic jam

767. 논쟁 - arguement

768. 제품 - product

769. 가격 - price

770. 옵션 - option

771. 대학 프로그램 - university program

772. 시험 - test

773. 발표 - presentation

774. 파티 - party

775. 저녁 식사 - dinner

776. 방 - room

777. 책상 - table

778. 창고 - storage

779. 서류 - document

780. 자전거 - bicycle

781. 컴퓨터 - computer

782. 시계 - clock

783. 옥상 - rooftop

784. 신발 - shoes

785. 문 - door

786. 안경 - glasses

787. 자동차 - automobile

788. 피아노 - piano

789. 공 - ball

790. 골프 - golf

791. 드럼 - drum

792. 돌 - rock

793. 종이비행기 - paper airplane

794. 나비 - butterfly

795. 물고기 - fish

796. 꽃 - flower

797. 화분 - pot

798. 정원 - garden

799. 피하다 - avoid

800. 나는 위험을 피했다. - I avoided danger.

801. 너는 지금 갈등을 피한다. - You avoid conflict now.

802. 그들은 내일 교통 체증을 피할 것이다. - They will avoid the traffic jam tomorrow.

803. 그는 무엇을 피하려고 하나요? - What is he trying to avoid?

804. 그는 불필요한 논쟁을 피하려고 합니다. - He is trying to avoid unnecessary arguments.

805. 비교하다 - To compare

806. 나는 두 제품을 비교했다. - I compared the two products.

807. 너는 지금 가격을 비교한다. - You compare prices now.

808. 그녀는 내일 옵션을 비교할 것이다. - She will compare options tomorrow.

809. 그들은 어떤 것들을 비교하나요? - What things do they compare?

810. 그들은 다양한 대학 프로그램을 비교합니다. - They compare different college programs.

811. 준비하다 - to prepare

812. 나는 시험을 준비했다. - I prepared for the test.

813. 너는 지금 발표를 준비한다. - You prepare for the presentation now.

814. 우리는 내일 파티를 준비할 것이다. - We will prepare for the party tomorrow.

815. 그녀는 무엇을 준비하고 있나요? - What is she preparing?

816. 그녀는 저녁 식사를 준비하고 있습니다. - She is preparing dinner.

817. 정리하다 - to organize

818. 나는 내 방을 정리했다. - I tidied up my room.

819. 너는 지금 책상을 정리한다. - You are organizing your desk now.

820. 그들은 내일 창고를 정리할 것이다. - They will organize the warehouse tomorrow.

821. 그는 언제 서류를 정리할까요? - When will he organize his papers?

822. 그는 이번 주말에 서류를 정리할 것입니다. - He will organize his papers this weekend.

823. 수리하다 - to repair

824. 나는 자전거를 수리했다. - I repaired my bike.

825. 너는 지금 컴퓨터를 수리한다. - You are repairing the computer now.

826. 그녀는 내일 시계를 수리할 것이다. - She will repair her watch tomorrow.

827. 그들은 무엇을 수리하고 있나요? - What are they repairing?

828. 그들은 옥상을 수리하고 있습니다. - They are repairing the roof.

829. 고치다 - to fix

830. 나는 신발을 고쳤다. - I fixed my shoes.

831. 너는 지금 문을 고친다. - You fix the door now.

832. 그는 내일 안경을 고칠 것이다. - He will fix his glasses tomorrow.

833. 그녀는 언제 자동차를 고쳤나요? - When did she fix her car?

834. 그녀는 지난 주에 자동차를 고쳤습니다. - She fixed her car last week.

835. 치다 - To play

836. 나는 피아노를 쳤다. - I played the piano.

837. 너는 지금 공을 친다. - You hit the ball now.

838. 그들은 내일 골프를 칠 것이다. - They will play golf tomorrow.

839. 너는 언제 드럼을 쳤나요? - When did you play the drums?

840. 나는 어제 드럼을 쳤습니다. - I played the drums yesterday.

841. 던지다 - To Throw

842. 나는 공을 던졌다. - I threw the ball.

843. 너는 지금 돌을 던진다. - You throw stones now.

844. 그는 내일 종이비행기를 던질 것이다. - He will throw a paper airplane tomorrow.

845. 그녀는 무엇을 던졌나요? - What did she throw?

846. 그녀는 공을 던졌어요. - She threw a ball.

847. 잡다 - to catch

848. 나는 나비를 잡았다. - I caught a butterfly.

849. 너는 지금 공을 잡는다. - You catch the ball now.

850. 우리는 내일 물고기를 잡을 것이다. - We will catch fish tomorrow.

851. 그들은 무엇을 잡았나요? - What did they catch?

852. 그들은 큰 물고기를 잡았어요. - They caught a big fish.

853. 피다 - to bloom

854. 나는 꽃을 피웠다. - I bloomed a flower.

855. 너는 지금 화분에서 꽃이 피는 것을 본다. - You see a flower blooming in a pot now.

856. 그녀는 내일 정원에서 꽃을 피울 것이다. - She will have flowers in the garden tomorrow.

857. 그들은 어디에서 꽃을 피웠나요? - Where did they bloom?

858. 그들은 정원에서 꽃을 피웠어요. - They bloomed in the garden.

859. 침대 - the bed

860. 소파 - the couch

861. 잔디밭 - lawn

862. 꿈 - a dream

863. 몸 - a body

864. 병 - bottle

865. 물 - water

866. 수프 - soup

867. 차 - tea

868. 친구들 - friends

869. 파티 - party

870. 모임 - gathering

871. 공원 - Park

872. 집 - house

873. 여행 - travel

874. 학교 - school

875. 방 - room

876. 비밀 - secret

877. 진실 - Truth

878. 이야기 - story

879. 서랍 - drawer

880. 책 - book

881. 가방 - Bag

882. 지갑 - Wallet

883. 상자 - Box

884. 선물 - Gift

885. 편지 - Letter

886. 눕다 - lay down

887. 나는 일찍 누웠다. - I lay down early.

888. 너는 지금 침대에 눕는다. - You lie down in bed now.

889. 그는 내일 소파에 누울 것이다. - He will lie down on the couch tomorrow.

890. 그녀는 어디에 누웠나요? - Where did she lie down?

891. 그녀는 잔디밭에 누웠어요. - She lay down on the lawn.

892. 꿈꾸다 - To dream

893. 나는 행복한 꿈을 꿨다. - I had a happy dream.

894. 너는 지금 꿈을 꾼다. - You are dreaming now.

895. 우리는 내일 큰 꿈을 꿀 것이다. - We will have a big dream tomorrow.

896. 그들은 무슨 꿈을 꿨나요? - What did they dream about?

897. 그들은 여행하는 꿈을 꿨어요. - They dreamed of traveling.

898. 움직이다 - to move

899. 나는 천천히 움직였다. - I moved slowly.

900. 너는 지금 몸을 움직인다. - You move your body now.

901. 그들은 내일 더 빠르게 움직일 것이다. - They will move faster

tomorrow.

902. 그녀는 왜 움직이지 않나요? - Why isn't she moving?

903. 그녀는 피곤해서 움직이지 않아요. - She's not moving because she's tired.

904. 흔들다 - to shake

905. 나는 나무를 흔들었다. - I shook the tree.

906. 너는 지금 의자를 흔든다. - You shake the chair now.

907. 그는 내일 우산을 흔들 것이다. - He will shake the umbrella tomorrow.

908. 그들은 무엇을 흔들었나요? - What did they shake?

909. 그들은 병을 흔들었어요. - They shook the bottle.

910. 끓이다 - boil

911. 나는 물을 끓였다. - I boiled the water.

912. 너는 지금 수프를 끓인다. - You boil the soup now.

913. 그녀는 내일 차를 끓일 것이다. - She will boil the tea tomorrow.

914. 그들은 언제 물을 끓였나요? - When did they boil the water?

915. 그들은 아침에 물을 끓였어요. - They boiled the water in the morning.

916. 어울리다 - To get along with

917. 나는 친구들과 잘 어울렸다. - I got along well with my friends.

918. 너는 지금 파티에서 잘 어울린다. - You look good at the party now.

919. 우리는 내일 모임에서 잘 어울릴 것이다. - We will get along well at tomorrow's gathering.

920. 그들은 어디에서 어울렸나요? - Where did they hang out?

921. 그들은 공원에서 잘 어울렸어요. - They got along well in the park.

922. 떠나다 - To leave

923. 나는 새벽에 떠났다. - I left at dawn.

924. 너는 지금 집을 떠난다. - You are leaving home now.

925. 그는 내일 여행을 떠날 것이다. - He will leave on his trip tomorrow.

926. 그녀는 언제 떠났나요? - When did she leave?

927. 그녀는 어제 떠났어요. - She left yesterday.

928. 돌아오다 - to return

929. 나는 저녁에 돌아왔다. - I came back in the evening.

930. 너는 지금 학교에서 돌아온다. - You are returning from school now.

931. 우리는 내일 여행에서 돌아올 것이다. - We will return from our trip tomorrow.

932. 그들은 언제 돌아올까요? - When will they be back?

933. 그들은 내일 돌아올 거예요. - They'll be back tomorrow.

934. 밝히다 - to light up

935. 나는 방에 불을 밝혔다. - I lit the light in the room.

936. 너는 지금 비밀을 밝힌다. - You reveal the secret now.

937. 그녀는 내일 진실을 밝힐 것이다. - She will reveal the truth tomorrow.

938. 그는 왜 이야기를 밝혔나요? - Why did he reveal the story?

939. 그는 솔직하고 싶어서 밝혔어요. - He revealed it because he wanted to be honest.

940. 꺼내다 - to take out

941. 나는 서랍에서 책을 꺼냈다. - I took the book out of the drawer.

942. 너는 지금 가방에서 지갑을 꺼낸다. - You take your wallet out of your bag now.

943. 그는 내일 상자에서 선물을 꺼낼 것이다. - He will take out the gift from the box tomorrow.

944. 그녀는 무엇을 꺼냈나요? - What did she take out?

945. 그녀는 편지를 꺼냈어요. - She took out a letter.

946. 10. 명사 단어들 외우기, 필수 10개 동사의 단어들을 가지고 50문장 연습하기 - 10. memorize noun words, practice 50 sentences with the words of the 10 essential verbs

947. 상자 - box

948. 사진 - picture

949. 서류 - paper

950. 파일 - file

951. 책 - book

952. 책장 - Bookshelves

953. 서랍 - Drawer

954. 신문 - newspaper

955. 컵 - cup

956. 물건 - object

957. 저녁 - dinner

958. 식탁 - dining table

959. 아침 - breakfast

960. 식사 - meal

961. 파티 - party

962. 테이블 - table

963. 정리 - organizing

964. 책상 - Desk

965. 방 - room

966. 장난감 - Toys

967. 친구 - friend

968. 연필 - Pencil

969. 텐트 - tent

970. 선생님 - teacher

971. 돈 - money

972. 도구 - tool

973. 소식 - news

974. 소리 - Sound

975. 선물 - present

976. 밤 - Night

977. 시험 - Test

978. 결과 - Result

979. 발표 - announcement

980. 높은 - high

981. 건강 - health

982. 여행 - travel

983. 날씨 - Weather

984. 메시지 - Message

985. 넣다 - Insert

986. 나는 상자에 사진을 넣었다. - I put the photo in the box.

987. 너는 지금 서류를 파일에 넣는다. - You put the papers in the file now.

988. 우리는 내일 책을 책장에 넣을 것이다. - We will put the books on the bookshelf tomorrow.

989. 그들은 어디에 넣었나요? - Where did they put them?

990. 그들은 서랍에 넣었어요. - They put it in the drawer.

991. 버리다 - to throw away

992. 나는 오래된 신문을 버렸다. - I threw away the old newspaper.

993. 너는 지금 깨진 컵을 버린다. - You throw away the broken cup now.

994. 그는 내일 불필요한 물건을 버릴 것이다. - He will throw away unnecessary things tomorrow.

995. 그녀는 왜 그것을 버렸나요? - Why did she throw it away?

996. 그녀는 필요 없어서 버렸어요. - She threw it away because she didn't need it.

997. 차리다 - To set the table

998. 나는 저녁 식탁을 차렸다. - I set the table for dinner.

999. 너는 지금 아침 식사를 차린다. - You set the table for breakfast now.

1000. 우리는 내일 파티를 위해 테이블을 차릴 것이다. - We will set the table for the party tomorrow.

1001. 그들은 언제 식탁을 차렸나요? - When did they set the table?

1002. 그들은 방금 차렸어요. - They just set the table.

1003. 치우다 - to clean up

1004. 나는 파티 후에 정리를 했다. - I cleaned up after the party.

1005. 너는 지금 책상을 치운다. - You are clearing the desk now.

1006. 그녀는 내일 방을 치울 것이다. - She will put her room away tomorrow.

1007. 그들은 무엇을 치웠나요? - What did they put away?

1008. 그들은 장난감을 치웠어요. - They put the toys away.

1009. 빌리다 - To borrow

1010. 나는 친구에게 책을 빌렸다. - I borrowed a book from a friend.

1011. 너는 지금 연필을 빌린다. - You borrow a pencil now.

1012. 우리는 내일 텐트를 빌릴 것이다. - We will borrow the tent tomorrow.

1013. 그녀는 누구에게 빌렸나요? - Who did she borrow from?

1014. 그녀는 선생님에게 빌렸어요. - She borrowed from her teacher.

1015. 갚다 - to repay

1016. 나는 친구에게 돈을 갚았다. - I paid back the money to my friend.

1017. 너는 지금 빌린 책을 갚는다. - You pay back the borrowed book now.

1018. 그는 내일 빌린 도구를 갚을 것이다. - He will pay back the borrowed tools tomorrow.

1019. 그들은 언제 갚을까요? - When will they pay it back?

1020. 그들은 내일 갚을 거예요. - They will pay it back tomorrow.

1021. 놀라다 - to be surprised

1022. 나는 소식에 놀랐다. - I was surprised by the news.

1023. 너는 지금 갑작스러운 소리에 놀란다. - You are surprised by the sudden sound now.

1024. 그녀는 내일 깜짝 선물에 놀랄 것이다. - She will be surprised by the surprise tomorrow.

1025. 그는 왜 놀랐나요? - Why was he surprised?

1026. 그는 선물을 받아서 놀랐어요. - He was surprised to receive the gift.

1027. 두렵다 - Frightened

1028. 나는 어두운 밤이 두려웠다. - I was afraid of the dark night.

1029. 너는 지금 시험 결과가 두렵다. - You are afraid of the exam results now.

1030. 우리는 내일 발표가 두려울 것이다. - We will be afraid of the presentation tomorrow.

1031. 그녀는 무엇이 두렵나요? - What is she afraid of?

1032. 그녀는 높은 곳이 두려워요. - She's afraid of heights.

1033. 걱정하다 - to be worried

1034. 나는 시험 결과를 걱정했다. - I was worried about the exam results.

1035. 너는 친구의 건강을 걱정한다. - You worry about your friend's health.

1036. 그는 여행의 날씨를 걱정할 것이다. - He will worry about the weather on his trip.

1037. 걱정이 많나요? - Do you worry a lot?

1038. 네, 걱정이 많아요. - Yes, I worry a lot.

1039. 안심하다 - to be relieved

1040. 나는 메시지를 받고 안심했다. - I was relieved to receive the message.

1041. 너는 결과를 듣고 안심한다. - You are relieved to hear the result.

1042. 그녀는 확인 후 안심할 것이다. - She will be relieved after checking.

1043. 안심됐나요? - Are you relieved?

1044. 네, 안심됐어요. - Yes, I am relieved.

1045. 11. 명사 단어들 외우기, 필수 10개 동사의 단어들을 가지고 50문장 연습하기 - 11. memorize noun words, practice 50 sentences with the 10 essential verb words

1046. 실수 - mistake

1047. 지연 - Delay

1048. 문제 - Problem

1049. 친구 - friend

1050. 아이 - Child

1051. 동료 - coworker

1052. 동생 - Sibling

1053. 졸업 - Graduation

1054. 생일 - Birthday

1055. 성공 - Success

1056. 도움 - help

1057. 선생님 - teacher

1058. 지원 - support

1059. 오해 - misunderstanding

1060. 잘못 - wrong

1061. 서류 - Document

1062. 파일 - file

1063. 책 - Book

1064. 책장 - bookshelf

1065. 돈 - money

1066. 저금통 - piggy bank

1067. 그릇 - bowl

1068. 신문 - newspaper

1069. 옷 - clothes

1070. 저녁 - dinner

1071. 식탁 - dining table

1072. 아침 - breakfast

1073. 식사 - meal

1074. 파티 - party

1075. 테이블 - table

1076. 화내다 - get angry

1077. 나는 실수를 하고 화냈다. - I made a mistake and got angry.

1078. 너는 지연에 화낸다. - You are angry at the delay.

1079. 그들은 문제를 보고 화낼 것이다. - They will see the problem and be angry.

1080. 화났나요? - Are you angry?

1081. 네, 화났어요. - Yes, I'm angry.

1082. 달래다 - To appease

1083. 나는 친구를 달랬다. - I soothed my friend.

1084. 너는 아이를 달랜다. - You will appease the child.

1085. 그녀는 동료를 달랠 것이다. - She will appease her coworker.

1086. 달랐나요? - Was it different?

1087. 네, 달랐어요. - Yes, it was different.

1088. 축하하다 - To celebrate

1089. 나는 동생의 졸업을 축하했다. - I congratulated my brother on his graduation.

1090. 너는 친구의 생일을 축하한다. - You celebrate your friend's birthday.

1091. 우리는 성공을 축하할 것이다. - We will celebrate our success.

1092. 축하할까요? - Shall we celebrate?

1093. 네, 축하해요. - Yes, let's celebrate.

1094. 감사하다 - To be grateful

1095. 나는 도움을 받고 감사했다. - I was helped and thanked.

1096. 너는 선생님께 감사한다. - You are grateful to your teacher.

1097. 그들은 지원에 감사할 것이다. - They will be grateful for the support.

1098. 감사해요? - Are you grateful?

1099. 네, 감사해요. - Yes, I'm grateful.

1100. 사과하다 - To apologize

1101. 나는 실수에 대해 사과했다. - I apologized for my mistake.

1102. 너는 지각에 대해 사과한다. - You apologize for your tardiness.

1103. 그는 오해에 대해 사과할 것이다. - He will apologize for the misunderstanding.

1104. 사과할까요? - Shall I apologize?

1105. 네, 사과해요. - Yes, I apologize.

1106. 용서하다 - To forgive

1107. 나는 친구의 실수를 용서했다. - I forgave my friend for his mistake.

1108. 너는 그의 잘못을 용서한다. - You forgive his fault.

1109. 그녀는 오해를 용서할 것이다. - She will forgive the misunderstanding.

1110. 용서할까요? - Shall we forgive?

1111. 네, 용서해요. - Yes, I forgive.

1112. 선물하다 - To give a gift

1113. 나는 친구에게 선물을 했다. - I gave a gift to my friend.

1114. 너는 선생님께 선물한다. - You give a gift to your teacher.

1115. 그들은 기념일에 선물할 것이다. - They will give a gift on their anniversary.

1116. 선물할까요? - Shall I give a gift?

1117. 네, 선물해요. - Yes, I give a gift.

1118. 넣다 - To put

1119. 나는 서류를 파일에 넣었다. - I put the papers in the file.

1120. 너는 책을 책장에 넣는다. - You put the books on the bookshelf.

1121. 그는 돈을 저금통에 넣을 것이다. - He will put the money in the piggy bank.

1122. 넣을까요? - Shall I put it in?

1123. 네, 넣어요. - Yes, put it in.

1124. 버리다 - To throw away

1125. 나는 깨진 그릇을 버렸다. - I threw away the broken bowl.

1126. 너는 오래된 신문을 버린다. - You throw away the old newspaper.

1127. 그녀는 사용하지 않는 옷을 버릴 것이다. - She will throw away the clothes she doesn't use.

1128. 버릴까요? - Shall we throw them away?

1129. 네, 버려요. - Yes, throw it away.

1130. 차리다 - To set the table

1131. 나는 저녁 식탁을 차렸다. - I set the table for dinner.

1132. 너는 아침 식사를 차린다. - You set the table for breakfast.

1133. 우리는 파티를 위해 테이블을 차릴 것이다. - We will set the table for the party.

1134. 차릴까요? - Shall we set the table?

1135. 네, 차려요. - Yes, let's set the table.

1136. 12. 명사 단어들 외우기, 필수 10개 동사의 단어들을 가지고 50문장 연습하기 - 12. Memorize the noun words, practice 50 sentences with the words of the 10 essential verbs

1137. 저녁 - dinner

1138. 식사 - meal

1139. 방 - room

1140. 책상 - desk

1141. 이웃 - neighbor

1142. 사다리 - ladder

1143. 친구 - friend

1144. 책 - book

1145. 차 - car

1146. 빚 - Debt

1147. 은행 - bank

1148. 대출 - loan

1149. 돈 - money

1150. 소식 - News

1151. 소리 - sound

1152. 발표 - announcement

1153. 어둠 - darkness

1154. 높이 - height

1155. 실패 - Failure

1156. 시험 - Test

1157. 결과 - Results

1158. 여행 - travel

1159. 계획 - planning

1160. 답장 - Reply

1161. 확인 - check

1162. 해결 - solve

1163. 지각 - Lateness

1164. 실수 - Mistakes

1165. 지연 - Delay

1166. 아이 - Child

1167. 동료 - coworker

1168. 승진 - Promotion

1169. 성공 - Success

1170. 기념일 - Anniversary

1171. 치우다 - put away

1172. 나는 저녁 식사 후에 정리했다. - I cleaned up after dinner.

1173. 너는 방을 치운다. - You tidy up your room.

1174. 그는 책상을 치울 것이다. - He will clear the desk.

1175. 치울까요? - Shall I put it away?

1176. 네, 치워요. - Yes, put it away.

1177. 빌리다 - To borrow

1178. 나는 이웃에게 사다리를 빌렸다. - I borrowed a ladder from my neighbor.

1179. 너는 친구에게 책을 빌린다. - You borrow a book from a friend.

1180. 그들은 차를 빌릴 것이다. - They will borrow the car.

1181. 빌릴까요? - Shall I borrow it?

1182. 네, 빌려요. - Yes, let's borrow.

1183. 갚다 - To repay

1184. 나는 친구에게 빚을 갚았다. - I paid off my debt to my friend.

1185. 너는 은행에 대출을 갚는다. - You pay back the loan to the bank.

1186. 그는 돈을 갚을 것이다. - He will pay back the money.

1187. 갚을까요? - Shall I pay him back?

1188. 네, 갚아요. - Yes, I will pay it back.

1189. 놀라다 - To be surprised

1190. 나는 소식을 듣고 놀랐다. - I was surprised to hear the news.

1191. 너는 갑작스러운 소리에 놀란다. - You are surprised by the sudden sound.

1192. 그녀는 발표를 듣고 놀랄 것이다. - She will be surprised to hear the announcement.

1193. 놀랐나요? - Are you surprised?

1194. 네, 놀랐어요. - Yes, I was surprised.

1195. 두렵다 - Frightened

1196. 나는 어둠이 두려웠다. - I was afraid of the dark.

1197. 너는 높이가 두렵다. - You are afraid of heights.

1198. 그들은 실패가 두려울 것이다. - They're afraid of failure.

1199. 두려워요? - Are you afraid?

1200. 네, 두려워요. - Yes, I'm afraid.

1201. 걱정하다 - to worry

1202. 나는 시험을 걱정했다. - I was worried about the exam.

1203. 너는 결과를 걱정한다. - You worry about the results.

1204. 그는 여행 계획을 걱정할 것이다. - He will worry about his travel plans.

1205. 걱정이 많으세요? - Do you worry a lot?

1206. 아니요, 조금요. - No, a little.

1207. 안심하다 - to be relieved

1208. 나는 답장을 받고 안심했다. - I was relieved to get a reply.

1209. 너는 확인하고 안심한다. - You are relieved to get confirmation.

1210. 그녀는 해결되면 안심할 것이다. - She will be relieved when it is resolved.

1211. 안심됐어요? - Are you relieved?

1212. 네, 안심됐어요. - Yes, I'm relieved.

1213. 화내다 - to be angry

1214. 나는 지각에 화냈다. - I am angry at the tardiness.

1215. 너는 실수에 화낸다. - You are angry at the mistake.

1216. 그는 지연에 화낼 것이다. - He will be angry at the delay.

1217. 화낼 거예요? - Are you going to be angry?

1218. 아니요, 안 화낼래요. - No, I won't be angry.

1219. 달래다 - To soothe

1220. 나는 울던 아이를 달랬다. - I soothed the crying child.

1221. 너는 친구를 달랜다. - You will soothe your friend.

1222. 그녀는 동료를 달랠 것이다. - She will comfort her coworker.

1223. 달랠 수 있어요? - Can you appease?

1224. 네, 달랠게요. - Yes, I will soothe.

1225. 축하하다 - To celebrate

1226. 나는 승진을 축하했다. - I celebrated my promotion.

1227. 너는 성공을 축하한다. - You celebrate your success.

1228. 우리는 기념일을 축하할 것이다. - We will celebrate our anniversary.

1229. 축하해줄까요? - Shall I congratulate you?

1230. 네, 축하해요. - Yes, let's celebrate.

1231. 13. 명사 단어들 외우기, 필수 10개 동사의 단어들을 가지고 50문장 연습하기 - 13. memorize noun words, practice 50 sentences with the 10 essential verb words

1232. 도움 - help

1233. 지원 - support

1234. 협력 - Cooperation

1235. 잘못 - wrong

1236. 실수 - mistake

1237. 오해 - misunderstanding

1238. 거짓말 - lie

1239. 생일 - birthday

1240. 선물 - gift

1241. 졸업 - graduate

1242. 책 - book

1243. 운동 - work out

1244. 여행지 - travel destination

1245. 조언 - advice

1246. 조용 - quiet

1247. 정리 - organize

1248. 제출 - submit

1249. 흡연 - smoking

1250. 출입 - coming and going

1251. 사용 - use

1252. 요청 - request

1253. 출발 - depart

1254. 참여 - Participation

1255. 제안 - proposal

1256. 초대 - invite

1257. 감사하다 - Thank

1258. 나는 도움에 감사했다. - I am grateful for the help.

1259. 너는 지원에 감사한다. - You are grateful for the support.

1260. 그들은 협력에 감사할 것이다. - They would appreciate the cooperation.

1261. 감사드려도 돼요? - Can I thank you?

1262. 네, 감사해요. - Yes, thank you.

1263. 사과하다 - Apologize

1264. 나는 잘못을 사과했다. - I apologized for my mistake.

1265. 너는 늦은 것에 사과한다. - You apologize for being late.

1266. 그는 실수에 대해 사과할 것이다. - He will apologize for his mistake.

1267. 사과해야 하나요? - Should I apologize?

1268. 네, 사과하세요. - Yes, apologize.

1269. 용서하다 - To forgive

1270. 나는 실수를 용서했다. - I forgave the mistake.

1271. 너는 오해를 용서한다. - You forgive the misunderstanding.

1272. 그녀는 거짓밀을 용서할 것이다. - She will forgive the lie.

1273. 용서해줄 수 있어요? - Can you forgive me?

1274. 네, 용서해요. - Yes, I forgive you.

1275. 선물하다 - To give a gift

1276. 나는 생일 선물을 했다. - I gave a birthday present.

1277. 너는 감사의 표시로 선물한다. - You give a gift as a sign of gratitude.

1278. 우리는 졸업 선물을 할 것이다. - We will give a graduation gift.

1279. 선물 좋아하세요? - Do you like gifts?

1280. 네, 좋아해요. - Yes, I like them.

1281. 권하다 - To recommend

1282. 나는 책을 권했다. - I recommended a book.

1283. 너는 운동을 권한다. - You recommend exercising.

1284. 그는 여행지를 권할 것이다. - He will recommend a travel destination.

1285. 추천해줄까요? - Do you want me to recommend something?

1286. 네, 추천해주세요. - Yes, please recommend.

1287. 요청하다 - To ask for

1288. 나는 도움을 요청했다. - I asked for help.

1289. 너는 조언을 요청한다. - You ask for advice.

1290. 그들은 지원을 요청할 것이다. - They will ask for support.

1291. 도와달라고 할까요? - Shall I ask for help?

1292. 네, 부탁해요. - Yes, please.

1293. 명령하다 - To command

1294. 나는 조용히 할 것을 명령했다. - I ordered you to be quiet.

1295. 너는 정리를 명령한다. - You are ordered to tidy up.

1296. 그녀는 제출을 명령할 것이다. - She will order you to turn it in.

1297. 명령할게요? - Do you want me to order you?

1298. 아니요, 괜찮아요. - No, thank you.

1299. 금지하다 - to forbid

1300. 나는 흡연을 금지했다. - I forbade smoking.

1301. 너는 출입을 금지한다. - You are forbidden to enter.

1302. 그들은 사용을 금지할 것이다. - They will forbid use.

1303. 금지된 건가요? - Is it forbidden?

1304. 네, 금지예요. - Yes, it's forbidden.

1305. 허락하다 - To grant permission

1306. 나는 요청을 허락했다. - I have granted the request.

1307. 너는 출발을 허락한다. - You are allowed to leave.

1308. 우리는 참여를 허락할 것이다. - We will give permission to participate.

1309. 허락될까요? - Shall I be allowed?

1310. 네, 허락돼요. - Yes, you are allowed.

1311. 거절하다 - Refuse

1312. 나는 제안을 거절했다. - I declined the offer.

1313. 너는 초대를 거절한다. - You decline the invitation.

1314. 그는 요청을 거절할 것이다. - He will decline the request.

1315. 거절해도 돼요? - Is it okay to decline?

1316. 네, 괜찮아요. - Yes, it's okay.

1317. 14. 명사 단어들 외우기, 필수 10개 동사의 단어들을 가지고 50문장 연습하기 - 14. memorize noun words, practice 50 sentences with the 10 essential verb words

1318. 계획 - plan

1319. 의견 - opinion

1320. 제안 - proposal

1321. 결정 - decision

1322. 방침 - policy

1323. 정책 - Policy

1324. 새벽 - dawn

1325. 직원 - employee

1326. 파트너 - partner

1327. 규칙 - rule

1328. 방법 - method

1329. 절차 - procedure

1330. 여행 - travel

1331. 미래 - future

1332. 꿈 - dream

1333. 경험 - experience

1334. 상황 - situation

1335. 권리 - right

1336. 입장 - Entrance

1337. 문제 - problem

1338. 해결책 - solution

1339. 중요성 - importance

1340. 필요성 - Necessity

1341. 안전 - safety

1342. 동의하다 - Agree

1343. 나는 계획에 동의했다. - I agreed with the plan.

1344. 너는 의견에 동의한다. - You agree with the opinion.

1345. 그녀는 제안에 동의할 것이다. - She will agree to the proposal.

1346. 동의할 수 있나요? - Can you agree?

1347. 네, 동의해요. - Yes, I agree.

1348. 반대하다 - To oppose

1349. 나는 결정에 반대했다. - I opposed the decision.

1350. 너는 방침에 반대한다. - You are against the policy.

1351. 우리는 정책에 반대할 것이다. - We will oppose the policy.

1352. 반대해야 하나요? - Should I oppose it?

1353. 아니요, 고민해보세요. - No, think about it.

1354. 인사하다 - To greet

1355. 나는 새벽에 인사했다. - I greeted at dawn.

1356. 너는 도착하자마자 인사한다. - You greet upon arrival.

1357. 그들은 만날 때 인사할 것이다. - They will say hello when they meet.

1358. 인사드려도 될까요? - May I say hello?

1359. 네, 인사하세요. - Yes, please say hello.

1360. 소개하다 - to introduce

1361. 나는 친구를 소개했다. - I introduced my friend.

1362. 너는 새 직원을 소개한다. - You introduce the new employee.

1363. 그는 파트너를 소개할 것이다. - He will introduce his partner.

1364. 소개시켜줄까요? - Shall I introduce you?

1365. 네, 소개해주세요. - Yes, please introduce me.

1366. 설명하다 - Explain

1367. 나는 규칙을 설명했다. - I explained the rules.

1368. 너는 방법을 설명한다. - You explain the method.

1369. 그녀는 절차를 설명할 것이다. - She will explain the procedure.

1370. 설명해드릴까요? - Would you like me to explain?

1371. 네, 부탁해요. - Yes, please.

1372. 이야기하다 - to talk about

1373. 나는 여행에 대해 이야기했다. - I talked about the trip.

1374. 너는 계획에 대해 이야기한다. - You talk about plans.

1375. 우리는 미래에 대해 이야기할 것이다. - We will talk about the future.

1376. 이야기해볼까요? - Shall we talk?

1377. 네, 해봐요. - Yes, let's do it.

1378. 묘사하다 - Describe

1379. 나는 꿈을 묘사했다. - I described a dream.

1380. 너는 경험을 묘사한다. - You describe an experience.

1381. 그는 상황을 묘사할 것이다. - He will describe a situation.

1382. 묘사해줄 수 있어요? - Can you describe it?

1383. 네, 묘사할게요. - Yes, I'll describe it.

1384. 주장하다 - To assert

1385. 나는 의견을 주장했다. - I asserted an opinion.

1386. 너는 권리를 주장한다. - You assert a right.

1387. 그녀는 입장을 주장할 것이다. - She will assert a position.

1388. 주장할 건가요? - Are you going to assert?

1389. 네, 주장할래요. - Yes, I'm going to assert.

1390. 논의하다 - To discuss

1391. 나는 문제를 논의했다. - I discussed the problem.

1392. 너는 계획을 논의한다. - You discuss the plan.

1393. 우리는 해결책을 논의할 것이다. - We will discuss the solution.

1394. 논의해볼까요? - Shall we discuss?

1395. 네, 논의합시다. - Yes, let's discuss it.

1396. 강조하다 - Emphasize

1397. 나는 중요성을 강조했다. - I emphasized the importance.

1398. 너는 필요성을 강조한다. - You emphasize the necessity.

1399. 그들은 안전을 강조할 것이다. - They will emphasize safety.

1400. 강조해야 할까요? - Should we emphasize?

1401. 네, 강조하세요. - Yes, emphasize.

1402. 15. 명사 단어들 외우기, 필수 10개 동사의 단어들을 가지고 50문장 연습하기 - 15. memorize the noun words, practice 50 sentences with the words of the 10 essential verbs

1403. 지각 - tardy

1404. 실수 - mistake

1405. 불참 - nonappearance

1406. 자료 - data

1407. 책 - book

1408. 문서 - document

1409. 데이터 - data

1410. 결과 - result

1411. 추세 - Trends

1412. 길이 - length

1413. 무게 - weight

1414. 온도 - temperature

1415. 날씨 - weather

1416. 경기 - game

1417. 스코어 - score

1418. 문제 - problem

1419. 논의 - Argument

1420. 회의 - meeting

1421. 식당 - restaurant

1422. 영화 - movie

1423. 여행지 - travel destination

1424. 프로젝트 - project

1425. 성능 - Performance

1426. 보고서 - report

1427. 계약서 - contract

1428. 제안 - proposal

1429. 약속 - promise

1430. 시간 - hour

1431. 주소 - address

1432. 예약 - reservation

1433. 변명하다 - Excuse

1434. 나는 지각에 대해 변명했다. - I excused myself for being late.

1435. 너는 실수에 대해 변명한다. - You make excuses for your mistakes.

1436. 그는 불참에 대해 변명할 것이다. - He will excuse himself for his absence.

1437. 변명할까요? - Shall I make an excuse?

1438. 아니요, 솔직히 말해요. - No, be honest.

1439. 분류하다 - To categorize

1440. 나는 자료를 분류했다. - I sorted the materials.

1441. 너는 책을 분류한다. - You sort the books.

1442. 그녀는 문서를 분류할 것이다. - She will categorize documents.

1443. 분류해야 하나요? - Do I need to categorize?

1444. 네, 분류해주세요. - Yes, please categorize.

1445. 분석하다 - To analyze

1446. 나는 데이터를 분석했다. - I analyzed the data.

1447. 너는 결과를 분석한다. - You analyze the results.

1448. 우리는 추세를 분석할 것이다. - We will analyze the trend.

1449. 분석할까요? - Shall we analyze?

1450. 네, 분석해 주세요. - Yes, please analyze.

1451. 측정하다 - To measure

1452. 나는 길이를 측정했다. - I measured the length.

1453. 너는 무게를 측정한다. - You measure the weight.

1454. 그는 온도를 측정할 것이다. - He will measure the temperature.

1455. 크기 확인할까요? - Do you want to check the size?

1456. 네, 확인해 주세요. - Yes, please check.

1457. 예측하다 - To predict

1458. 나는 날씨를 예측했다. - I predicted the weather.

1459. 너는 결과를 예측한다. - You predict the outcome.

1460. 그녀는 경기 스코어를 예측할 것이다. - She will predict the score of the match.

1461. 미래 맞출 수 있나요? - Can you guess the future?

1462. 아마도 가능할 거예요. - You probably can.

1463. 결론내다 - To conclude

1464. 나는 문제의 결론을 내렸다. - I concluded the problem.

1465. 너는 논의를 결론짓는다. - You conclude the discussion.

1466. 우리는 회의를 결론낼 것이다. - We will conclude the meeting.

1467. 결론은 뭐예요? - What's the conclusion?

1468. 곧 결정할 거예요. - We'll decide soon.

1469. 추천하다 - To recommend

1470. 나는 좋은 식당을 추천했다. - I recommended a good restaurant.

1471. 너는 영화를 추천한다. - You recommend a movie.

1472. 그들은 여행지를 추천할 것이다. - They'll recommend a travel destination.

1473. 어디 가볼까요? - Where should we go?

1474. 이곳 추천해요. - I recommend this place.

1475. 평가하다 - To rate

1476. 나는 프로젝트를 평가했다. - I rated a project.

1477. 너는 성능을 평가한다. - You evaluate performance.

1478. 당신들은 결과를 평가할 것이다. - You will evaluate the results.

1479. 어떻게 생각해요? - What do you think?

1480. 잘 했어요. - Well done.

1481. 검토하다 - To review

1482. 나는 보고서를 검토했다. - I reviewed the report.

1483. 너는 계약서를 검토한다. - You will review the contract.

1484. 그는 제안을 검토할 것이다. - He will review the proposal.

1485. 다시 볼까요? - Shall we look at it again?

1486. 네, 확인해요. - Yes, let's check.

1487. 확인하다 - to confirm

1488. 나는 약속 시간을 확인했다. - I confirmed the appointment time.

1489. 너는 주소를 확인한다. - You confirm the address.

1490. 그녀는 예약을 확인할 것이다. - She will confirm the appointment.

1491. 맞는지 봐줄래요? - Can you see if it's right?

1492. 네, 볼게요. - Yes, I'll check.

1493. 16. 명사 단어들 외우기, 필수 10개 동사의 단어들을 가지고 50문장 연습하기 - 16. memorize noun words, practice 50 sentences with the words of the 10 essential verbs

1494. 카페 - cafe

1495. 비밀 - secret

1496. 보물 - treasure

1497. 별 - star

1498. 행동 - action

1499. 자연 - Nature

1500. 실수 - Mistake

1501. 장점 - Strength

1502. 성과 - Achievement

1503. 의견 - Opinion

1504. 규칙 - Rule

1505. 문화 - Culture

1506. 친구 - Friend

1507. 선생님 - Teacher

1508. 고객 - Customer

1509. 메시지 - Message

1510. 소식 - News

1511. 선물 - Gift

1512. 결과 - Result

1513. 상황 - Situation

1514. 진행 - Progress

1515. 질문 - Question

1516. 요청 - Requests

1517. 초대 - Invite

1518. 놀람 - Surprise

1519. 기쁨 - Joy

1520. 감사함 - Gratitude

1521. 문제 - Problem

1522. 도전 - Challenge

1523. 위기 - Crisis

1524. 발견하다 - Discover

1525. 나는 새로운 카페를 발견했다. - I discovered a new cafe.

1526. 너는 비밀을 발견한다. - You discover a secret.

1527. 그들은 보물을 발견할 것이다. - They will discover a treasure.

1528. 뭔가 찾았어요? - Did you find something?

1529. 네, 발견했어요. - Yes, I found it.

1530. 관찰하다 - to observe

1531. 나는 별을 관찰했다. - I observed the stars.

1532. 너는 행동을 관찰한다. - You observe behavior.

1533. 우리는 자연을 관찰할 것이다. - We will observe nature.

1534. 봐도 돼요? - Can I watch?

1535. 네, 같이 봐요. - Yes, let's watch together.

1536. 인정하다 - Admit

1537. 나는 실수를 인정했다. - I admitted my mistake.

1538. 너는 장점을 인정한다. - You recognize merit.

1539. 그녀는 성과를 인정할 것이다. - She will recognize achievements.

1540. 맞아요? - Is that right?

1541. 네, 인정해요. - Yes, I admit it.

1542. 존중하다 - Respect

1543. 나는 상대방의 의견을 존중했다. - I respected the other person's opinion.

1544. 너는 규칙을 존중한다. - You will respect the rules.

1545. 우리는 문화를 존중할 것이다. - We will respect the culture.

1546. 존중하는 거 맞죠? - We're respectful, right?

1547. 네, 맞아요. - Yes, we are.

1548. 연락하다 - Contact

1549. 나는 친구에게 연락했다. - I contacted my friend.

1550. 너는 선생님에게 연락한다. - You will contact your teacher.

1551. 그들은 고객에게 연락할 것이다. - They will contact the customer.

1552. 연락할까요? - Shall I contact them?

1553. 네, 해주세요. - Yes, please.

1554. 전달하다 - To forward

1555. 나는 메시지를 전달했다. - I forwarded the message.

1556. 너는 소식을 전달한다. - You deliver the news.

1557. 그녀는 선물을 전달할 것이다. - She will deliver the gift.

1558. 전해드려야 하나요? - Should I deliver it?

1559. 네, 부탁해요. - Yes, please.

1560. 보고하다 - To report

1561. 나는 결과를 보고했다. - I reported the results.

1562. 너는 상황을 보고한다. - You report the situation.

1563. 당신들은 진행 상황을 보고할 것이다. - You will report on the progress.

1564. 알려줘야 해요? - Should I let you know?

1565. 네, 알려주세요. - Yes, please let me know.

1566. 회답하다 - Answer

1567. 나는 질문에 회답했다. - I answered the question.

1568. 너는 요청에 회답한다. - You will respond to the request.

1569. 그는 초대에 회답할 것이다. - He will reply to the invitation.

1570. 답할 수 있어요? - Can you answer?

1571. 네, 할게요. - Yes, I will.

1572. 반응하다 - to react

1573. 나는 놀람으로 반응했다. - I reacted with surprise.

1574. 너는 기쁨으로 반응한다. - You respond with joy.

1575. 그녀는 감사함으로 반응할 것이다. - She will react with gratitude.

1576. 기뻐해야 할까요? - Should I rejoice?

1577. 네, 기뻐하세요. - Yes, rejoice.

1578. 대응하다 - To react

1579. 나는 문제에 대응했다. - I responded to the problem.

1580. 너는 도전에 대응한다. - You respond to the challenge.

1581. 우리는 위기에 대응할 것이다. - We will respond to the crisis.

1582. 준비됐나요? - Are you ready?

1583. 네, 준비됐어요. - Yes, I'm ready.

1584. 17. 명사 단어들 외우기, 필수 10개 동사의 단어들을 가지고 50문장 연습하기 - 17. memorize noun words, practice 50 sentences with words from the 10 essential verbs

1585. 아이 - kid

1586. 반려동물 - pet

1587. 정원 - garden

1588. 짐 - load

1589. 우산 - umbrella

1590. 선물 - gift

1591. 여행 - travel

1592. 파티 - party

1593. 프로젝트 - project

1594. 팀 - team

1595. 메뉴 - menu

1596. 위원회 - Committee

1597. 모임 - class

1598. 대회 - Competition

1599. 이벤트 - event

1600. 계획 - plan

1601. 명령 - Command

1602. 작전 - Operation

1603. 약속 - promise

1604. 규칙 - rule

1605. 수업 - class

1606. 회의 - meeting

1607. 활동 - activity

1608. 캠페인 - campaign

1609. 박물관 - museum

1610. 친구 집 - friend's house

1611. 병원 - hospital

1612. 돌보다 - Take care

1613. 나는 아이를 돌보았다. - I took care of a child.

1614. 너는 반려동물을 돌본다. - You take care of a pet.

1615. 그들은 정원을 돌볼 것이다. - They will take care of the garden.

1616. 잘 지내나요? - How are they doing?

1617. 네, 잘 지내요. - Yes, I'm doing well.

1618. 챙기다 - to pack

1619. 나는 짐을 챙겼다. - I packed my luggage.

1620. 너는 우산을 챙긴다. - You pack your umbrella.

1621. 그녀는 선물을 챙길 것이다. - She will pack her gifts.

1622. 필요한 거 있어요? - Do you need anything?

1623. 아니요, 다 챙겼어요. - No, I've packed everything.

1624. 계획하다 - To plan

1625. 나는 여행을 계획했다. - I planned the trip.

1626. 너는 파티를 계획한다. - You plan a party.

1627. 우리는 프로젝트를 계획할 것이다. - We will plan a project.

1628. 언제 시작할까요? - When are we going to start?

1629. 곧 시작해요. - We're starting soon.

1630. 구성하다 - To organize

1631. 나는 팀을 구성했다. - I organized the team.

1632. 너는 메뉴를 구성한다. - You organize the menu.

1633. 그들은 위원회를 구성할 것이다. - They will organize the committee.

1634. 누가 포함되나요? - Who will be included?

1635. 모두 포함될 거예요. - Everyone will be included.

1636. 조직하다 - To organize

1637. 나는 모임을 조직했다. - I organized a meeting.

1638. 너는 대회를 조직한다. - You organize a competition.

1639. 우리는 이벤트를 조직할 것이다. - We will organize an event.

1640. 준비됐어요? - Are you ready?

1641. 네, 준비됐습니다. - Yes, I'm ready.

1642. 실행하다 - To execute

1643. 나는 계획을 실행했다. - I executed the plan.

1644. 너는 명령을 실행한다. - You execute the order.

1645. 그는 작전을 실행할 것이다. - He will execute the operation.

1646. 진행할까요? - Shall we proceed?

1647. 네, 시작해요. - Yes, let's get started.

1648. 실천하다 - To put into practice

1649. 나는 약속을 실천했다. - I practiced my promise.

1650. 너는 규칙을 실천한다. - You practice the rules.

1651. 그녀는 계획을 실천할 것이다. - She will follow through with her plan.

1652. 지키고 있나요? - Are you keeping it?

1653. 네, 지키고 있어요. - Yes, I'm keeping it.

1654. 참가하다 - To participate in

1655. 나는 대회에 참가했다. - I participated in the competition.

1656. 너는 수업에 참가한다. - You participate in the class.

1657. 그들은 회의에 참가할 것이다. - They will join a conference.

1658. 가입할 수 있나요? - Can I join?

1659. 네, 가능해요. - Yes, you can.

1660. 참여하다 - to participate in

1661. 나는 프로젝트에 참여했다. - I participated in a project.

1662. 너는 활동에 참여한다. - You participate in an activity.

1663. 우리는 캠페인에 참여할 것이다. - We will participate in a campaign.

1664. 도울까요? - Do you want to help?

1665. 네, 도와주세요. - Yes, please help.

1666. 방문하다 - To visit

1667. 나는 박물관을 방문했다. - I visited the museum.

1668. 너는 친구 집을 방문한다. - You will visit your friend's house.

1669. 그는 병원을 방문할 것이다. - He will visit the hospital.

1670. 언제 갈까요? - When are we going?

1671. 이번 주말에 가요. - I'm going this weekend.

1672. 18. 명사 단어들 외우기, 필수 10개 동사의 단어들을 가지고 50문장 연습하기 - 18. memorize noun words, practice 50 sentences with the 10 essential verb words

1673. 전시회 - Exhibition

1674. 영화 - movie

1675. 공연 - show

1676. 도시 - city

1677. 명소 - sights

1678. 섬 - island

1679. 유럽 - europe

1680. 국내 여행 - domestic travel

1681. 아시아 - Asia

1682. 숲 - forest

1683. 동굴 - cave

1684. 사막 - desert

1685. 연구 결과 - Results

1686. 프로젝트 - project

1687. 계획 - plan

1688. 연극 - theater

1689. 무대 - stage

1690. 콘서트 - concert

1691. TV 프로그램 - TV program

1692. 드라마 - drama

1693. 피아노 - piano

1694. 기타 - etc

1695. 바이올린 - violin

1696. 친구 결혼식 - friends wedding

1697. 샤워실 - shower room

1698. 가라오케 - karaoke

1699. 파티 - party

1700. 클럽 - club

1701. 축제 - festival

1702. 관람하다 - watch

1703. 나는 전시회를 관람했다. - I went to an exhibition.

1704. 너는 영화를 관람한다. - You will go to the movies.

1705. 그녀는 공연을 관람할 것이다. - She will go to a concert.

1706. 좋았나요? - Was it good?

1707. 네, 멋졌어요. - Yes, it was great.

1708. 관광하다 - To sightsee

1709. 나는 도시를 관광했다. - I went sightseeing in the city.

1710. 너는 명소를 관광한다. - You sightsee the sights.

1711. 그들은 섬을 관광할 것이다. - They will sightsee the island.

1712. 재밌었나요? - Did you have fun?

1713. 네, 정말 재밌었어요. - Yes, it was a lot of fun.

1714. 여행하다 - to travel

1715. 나는 유럽을 여행했다. - I traveled around Europe.

1716. 너는 지금 국내 여행을 한다. - You are traveling domestically now.

1717. 그는 내일 아시아로 여행할 것이다. - He will travel to Asia tomorrow.

1718. 어디로 가고 싶어요? - Where do you want to go?

1719. 제주도로 가고 싶어요. - I want to go to Jeju Island.

1720. 탐험하다 - to explore

1721. 나는 숲을 탐험했다. - I explored the forest.

1722. 너는 지금 동굴을 탐험한다. - You explore the cave now.

1723. 그들은 내일 사막을 탐험할 것이다. - They will explore the desert tomorrow.

1724. 무엇을 찾고 있나요? - What are you looking for?

1725. 보물을 찾고 있어요. - I'm looking for treasure.

1726. 발표하다 - to publish

1727. 나는 연구 결과를 발표했다. - I presented my research results.

1728. 너는 지금 프로젝트를 발표한다. - You are presenting your project now.

1729. 그녀는 내일 계획을 발표할 것이다. - She will present her plans tomorrow.

1730. 언제 발표해요? - When is she presenting?

1731. 오후 3시에 발표해요. - I'm presenting at 3:00 p.m.

1732. 공연하다 - To perform

1733. 나는 연극을 공연했다. - I performed a play.

1734. 너는 지금 무대에서 공연한다. - You are performing on stage now.

1735. 우리는 내일 콘서트를 공연할 것이다. - We will perform a concert tomorrow.

1736. 무슨 공연이에요? - What kind of concert is it?

1737. 뮤지컬 공연이에요. - It's a musical performance.

1738. 출연하다 - To appear in

1739. 나는 TV 프로그램에 출연했다. - I appeared in a TV program.

1740. 너는 지금 영화에 출연한다. - You are acting in a movie now.

1741. 그는 내일 드라마에 출연할 것이다. - He will appear in a soap opera tomorrow.

1742. 어디에 나와요? - Where are you appearing?

1743. TV에서 나와요. - I'm on TV.

1744. 연주하다 - To play

1745. 나는 피아노를 연주했다. - I used to play the piano.

1746. 너는 지금 기타를 연주한다. - You play the guitar now.

1747. 그녀는 내일 바이올린을 연주할 것이다. - She will play the violin tomorrow.

1748. 어떤 악기를 다루나요? - What instrument do you play?

1749. 바이올린을 다루요. - I play the violin.

1750. 노래하다 - To sing

1751. 나는 친구 결혼식에서 노래했다. - I sang at my friend's wedding.

1752. 너는 지금 샤워실에서 노래한다. - You are singing in the shower now.

1753. 우리는 내일 가라오케에서 노래할 것이다. - We will sing at karaoke tomorrow.

1754. 좋아하는 노래 있어요? - Do you have a favorite song?

1755. 네, 많아요. - Yes, I have many.

1756. 춤추다 - To dance

1757. 나는 파티에서 춤췄다. - I danced at the party.

1758. 너는 지금 클럽에서 춤춘다. - You are dancing in the club now.

1759. 그들은 내일 축제에서 춤출 것이다. - They will dance at the festival tomorrow.

1760. 어떤 춤을 추나요? - What kind of dancing do you do?

1761. 힙합을 춰요. - I dance hip-hop.

1762. 19. 명사 단어들 외우기, 필수 10개 동사의 단어들을 가지고 50문장 연습하기 - 19. memorize noun words, practice 50 sentences with the words of the 10 essential verbs

1763. 풍경화 - landscape

1764. 초상화 - portrait

1765. 벽화 - mural

1766. 바다 - ocean

1767. 보고서 - report

1768. 이메일 - email

1769. 계약서 - contract

1770. 일기 - diary

1771. 회의 내용 - Meeting details

1772. 실험 결과 - Experiment result

1773. 사진 - picture

1774. 컴퓨터 - computer

1775. 문서 - document

1776. 데이터 - data

1777. 클라우드 - cloud

1778. 중요 문서 - important document

1779. 파일 - file

1780. 앱 - app

1781. 음악 - music

1782. 소프트웨어 - software

1783. 소셜 미디어 - social media

1784. 비디오 - video

1785. 웹사이트 - Website

1786. 프로그램 - program

1787. 게임 - game

1788. 바이러스 - virus

1789. 악성 소프트웨어 - malicious software

1790. 오류 - error

1791. 그리다 - draw

1792. 나는 풍경화를 그렸다. - I drew a landscape painting.

1793. 너는 지금 초상화를 그린다. - You paint a portrait now.

1794. 그녀는 내일 벽화를 그릴 것이다. - She will paint a mural tomorrow.

1795. 무엇을 그리고 싶어요? - What do you want to draw?

1796. 바다를 그리고 싶어요. - I want to draw the sea.

1797. 작성하다 - To write

1798. 나는 보고서를 작성했다. - I wrote a report.

1799. 너는 지금 이메일을 작성한다. - You write an email now.

1800. 그는 내일 계약서를 작성할 것이다. - He will write the contract tomorrow.

1801. 언제 끝낼 수 있어요? - When can you finish?

1802. 한 시간 안에 끝낼 수 있어요. - I can finish it in an hour.

1803. 기록하다 - To record

1804. 나는 일기를 기록했다. - I recorded my diary.

1805. 너는 지금 회의 내용을 기록한다. - You are recording the meeting now.

1806. 그들은 내일 실험 결과를 기록할 것이다. - They will record the results of the experiment tomorrow.

1807. 기록 필요해요? - Do you need to record?

1808. 네, 필요해요. - Yes, I do.

1809. 저장하다 - Save

1810. 나는 사진을 컴퓨터에 저장했다. - I saved the photo to my computer.

1811. 너는 지금 문서를 저장한다. - You save the document now.

1812. 그녀는 내일 데이터를 클라우드에 저장할 것이다. - She will save the data to the cloud tomorrow.

1813. 어디에 저장할까요? - Where will she save it?

1814. 클라우드에 저장해요. - In the cloud.

1815. 복사하다 - Copy

1816. 나는 중요 문서를 복사했다. - I copied an important document.

1817. 너는 지금 사진을 복사한다. - You copy the photo now.

1818. 그는 내일 파일을 복사할 것이다. - He will copy the file tomorrow.

1819. 몇 부 복사해야 하나요? - How many copies do I need to make?

1820. 3부 복사해 주세요. - Please make 3 copies.

1821. 삭제하다 - Delete

1822. 나는 오래된 이메일을 삭제했다. - I deleted an old email.

1823. 너는 지금 불필요한 파일을 삭제한다. - You delete unnecessary files now.

1824. 그녀는 내일 앱을 삭제할 것이다. - She will delete the app tomorrow.

1825. 지울까요? - Shall I delete it?

1826. 네, 지워주세요. - Yes, please delete it.

1827. 다운로드하다 - Download

1828. 나는 음악을 다운로드했다. - I downloaded the music.

1829. 너는 지금 앱을 다운로드한다. - You download the app now.

1830. 우리는 내일 소프트웨어를 다운로드할 것이다. - We will download software tomorrow.

1831. 어떤 앱을 받을까요? - Which app should I get?

1832. 최신 버전 받아요. - I want the latest version.

1833. 업로드하다 - Upload

1834. 나는 사진을 소셜 미디어에 업로드했다. - I uploaded a photo to social media.

1835. 너는 지금 비디오를 업로드한다. - You are uploading a video now.

1836. 그는 내일 문서를 웹사이트에 업로드할 것이다. - He will upload the document to the website tomorrow.

1837. 지금 올릴까요? - Do you want to upload it now?

1838. 네, 올려주세요. - Yes, please upload it.

1839. 설치하다 - Install

1840. 나는 프로그램을 설치했다. - I installed the program.

1841. 너는 지금 게임을 설치한다. - You install the game now.

1842. 그녀는 내일 앱을 설치할 것이다. - She will install the app tomorrow.

1843. 설치 도와드릴까요? - Can I help you install it?

1844. 네, 부탁드려요. - Yes, please.

1845. 제거하다 - Remove

1846. 나는 바이러스를 제거했다. - I removed the virus.

1847. 너는 지금 악성 소프트웨어를 제거한다. - You remove the malicious software now.

1848. 그들은 내일 오류를 제거할 것이다. - They will remove the error tomorrow.

1849. 제거 시작할까요? - Shall we start the removal?

1850. 네, 시작해주세요. - Yes, please start.

1851. 20. 명사 단어들 외우기, 필수 10개 동사의 단어들을 가지고 50문장 연습하기 - 20. memorize noun words, practice 50 sentences with the words of the 10 essential verbs

1852. 시스템 - system

1853. 소프트웨어 - software

1854. 앱 - app

1855. 휴대폰 - cell phone

1856. 노트북 - laptop

1857. 전기차 - electric car

1858. 배터리 - battery

1859. 기기 - device

1860. 시계 - clock

1861. 타이어 - tire

1862. 필터 - filter

1863. 창문 - window

1864. 문서 - document

1865. 오류 - error

1866. 계획 - plan

1867. 보고서 - report

1868. 아이디어 - idea

1869. 작업 환경 - work environment

1870. 프로세스 - process

1871. 제품 - product

1872. 데이터 - data

1873. 파일 - file

1874. 건강 - health

1875. 체력 - health

1876. 신뢰 - trust

1877. 상처 - wound

1878. 마음 - mind

1879. 관계 - relationship

1880. 업데이트하다 - update

1881. 나는 시스템을 업데이트했다. - I updated the system.

1882. 너는 지금 소프트웨어를 업데이트한다. - You update the software now.

1883. 그는 내일 앱을 업데이트할 것이다. - He will update the app tomorrow.

1884. 지금 업데이트해야 하나요? - Should I update it now?

1885. 네, 해야 해요. - Yes, you should.

1886. 충전하다 - to charge

1887. 나는 휴대폰을 충전했다. - I charged my cell phone.

1888. 너는 노트북을 충전한다. - You charge your laptop.

1889. 그는 전기차를 충전할 것이다. - He will charge his electric car.

1890. 충전할까? - Shall I charge it?

1891. 네, 해. - Yes, let's do it.

1892. 방전하다 - Discharge

1893. 나는 배터리가 방전됐다. - I have a dead battery.

1894. 너는 기기가 방전된다. - You will discharge your device.

1895. 그녀는 시계가 방전될 것이다. - She will discharge her watch.

1896. 방전됐어? - Is it discharged?

1897. 네, 됐어. - Yes, it's dead.

1898. 교체하다 - replace

1899. 나는 타이어를 교체했다. - I changed the tire.

1900. 너는 필터를 교체한다. - You change the filter.

1901. 그들은 창문을 교체할 것이다. - They're going to replace the windows.

1902. 교체할까? - Shall we replace it?

1903. 네, 교체해. - Yes, replace it.

1904. 수정하다 - Correct

1905. 나는 문서를 수정했다. - I corrected the document.

1906. 너는 오류를 수정한다. - You correct the error.

1907. 그녀는 계획을 수정할 것이다. - She will revise the plan.

1908. 수정할까? - Shall I correct it?

1909. 네, 수정해. - Yes, correct it.

1910. 보완하다 - to supplement

1911. 나는 보고서를 보완했다. - I complemented the report.

1912. 너는 아이디어를 보완한다. - You complement the idea.

1913. 그는 시스템을 보완할 것이다. - He will complement the system.

1914. 보완할까? - Shall we complement?

1915. 네, 보완해. - Yes, complement it.

1916. 개선하다 - To improve

1917. 나는 작업 환경을 개선했다. - I improved the working environment.

1918. 너는 프로세스를 개선한다. - You will improve the process.

1919. 그녀는 제품을 개선할 것이다. - She will improve the product.

1920. 개선할까? - Shall we improve?

1921. 네, 개선해. - Yes, improve it.

1922. 복구하다 - Recover

1923. 나는 데이터를 복구했다. - I recovered the data.

1924. 너는 시스템을 복구한다. - You recover the system.

1925. 그들은 파일을 복구할 것이다. - They will recover the files.

1926. 복구할까? - Shall we recover?

1927. 네, 복구해. - Yes, recover.

1928. 회복하다 - to recover

1929. 나는 건강을 회복했다. - I recovered my health.

1930. 너는 체력을 회복한다. - You recover physical strength.

1931. 그는 신뢰를 회복할 것이다. - He will regain his trust.

1932. 회복할까? - Shall we recover?

1933. 네, 회복해. - Yes, recover.

1934. 치유하다 - To heal

1935. 나는 상처를 치유했다. - I healed the wound.

1936. 너는 마음을 치유한다. - You heal the heart.

1937. 그녀는 관계를 치유할 것이다. - She will heal the relationship.

1938. 치유할까? - Shall we heal?

1939. 네, 치유해. - Yes, heal.

1940. 21. 명사 단어들 외우기, 필수 10개 동사의 단어들을 가지고 50문장 연습하기 - 21. Memorize noun words, practice 50 sentences with the 10 essential verb words

1941. 운동 - Exercises

1942. 프로그램 - program

1943. 치료 - therapy

1944. 재료 - ingredient

1945. 색깔 - Color

1946. 소스 - sauce

1947. 빵 - bread

1948. 고기 - meat

1949. 케이크 - cake

1950. 야채 - vegetable

1951. 면 - noodle

1952. 쌀 - rice

1953. 계란 - egg

1954. 감자 - potato

1955. 브로콜리 - broccoli

1956. 떡 - rice cake

1957. 생선 - fish

1958. 만두 - dumpling

1959. 유리 - glass

1960. 기록 - record

1961. 치킨 - chicken

1962. 수프 - Soup

1963. 물 - water

1964. 밥 - rice

1965. 차 - car

1966. 국 - soup

1967. 음료 - beverage

1968. 재활하다 - rehabilitate

1969. 나는 운동으로 재활했다. - I rehabilitated with exercise.

1970. 너는 프로그램으로 재활한다. - You rehabilitate with a program.

1971. 그는 치료로 재활할 것이다. - He will rehabilitate with therapy.

1972. 재활할까? - Shall we rehabilitate?

1973. 네, 재활해. - Yes, rehabilitate.

1974. 섞다 - to mix

1975. 나는 재료를 섞었다. - I mixed the ingredients.

1976. 너는 색깔을 섞는다. - You mix the colors.

1977. 그녀는 소스를 섞을 것이다. - She will mix the sauce.

1978. 섞을까? - Shall we mix?

1979. 네, 섞어. - Yes, mix.

1980. 굽다 - to bake

1981. 나는 빵을 구웠다. - I baked the bread.

1982. 너는 고기를 굽는다. - You bake the meat.

1983. 그들은 케이크를 구울 것이다. - They will bake a cake.

1984. 구울까? - Shall we bake?

1985. 네, 굽자. - Yes, let's bake.

1986. 볶다 - to stir-fry

1987. 나는 야채를 볶았다. - I sautéed the vegetables.

1988. 너는 면을 볶는다. - You fry noodles.

1989. 그는 쌀을 볶을 것이다. - He will fry the rice.

1990. 볶을까? - Shall we fry?

1991. 네, 볶아. - Yes, stir-fry.

1992. 삶다 - to boil

1993. 나는 계란을 삶았다. - I boiled the eggs.

1994. 너는 감자를 삶는다. - You will boil the potatoes.

1995. 그녀는 브로콜리를 삶을 것이다. - She will boil the broccoli.

1996. 삶을까? - Shall we boil?

1997. 네, 삶아. - Yes, boil.

1998. 찌다 - to steam

1999. 나는 떡을 찐다. - I will steam the rice cakes.

2000. 너는 생선을 찐다. - You steam the fish.

2001. 그들은 만두를 찔 것이다. - They will steam the dumplings.

2002. 찔까? - Steam?

2003. 네, 찌자. - Yes, let's steam them.

2004. 깨다 - to break

2005. 나는 유리를 깼다. - I broke the glass.

2006. 너는 계란을 깬다. - You break an egg.

2007. 그녀는 기록을 깰 것이다. - She will break the record.

2008. 깰까? - Shall we break?

2009. 네, 깨. - Yes, break.

2010. 튀기다 - to fry

2011. 나는 감자를 튀겼다. - I fried the potatoes.

2012. 너는 치킨을 튀긴다. - You fry the chicken.

2013. 그는 생선을 튀길 것이다. - He will fry the fish.

2014. 튀길까? - Shall we fry?

2015. 네, 튀겨. - Yes, fry.

2016. 데우다 - to warm up

2017. 나는 수프를 데웠다. - I heated the soup.

2018. 너는 물을 데운다. - You heat the water.

2019. 그녀는 밥을 데울 것이다. - She will heat the rice.

2020. 데울까? - Shall I heat it?

2021. 네, 데워. - Yes, heat it.

2022. 식히다 - to cool

2023. 나는 차를 식혔다. - I cooled the tea.

2024. 너는 국을 식힌다. - You cool the soup.

2025. 그들은 음료를 식힐 것이다. - They will chill the drink.

2026. 식힐까? - Shall I cool it?

2027. 네, 식혀줘. - Yes, please cool it.

2028. 22. 명사 단어들 외우기, 필수 10개 동사의 단어들을 가지고 50문장 연습하기 - 22. memorize noun words, practice 50 sentences with the 10 essential verb words

2029. 물 - water

2030. 주스 - juice

2031. 아이스크림 - ice cream

2032. 얼음 - ice

2033. 초콜릿 - chocolate

2034. 버터 - butter

2035. 밀가루 - flour

2036. 반죽 - dough

2037. 소스 - sauce

2038. 떡 - rice cake

2039. 만두 - dumpling

2040. 쿠키 - cookie

2041. 벽 - wall

2042. 그림 - painting

2043. 문 - door

2044. 집 - house

2045. 건물 - building

2046. 사과 - apologize

2047. 옷 - clothes

2048. 선물 - gift

2049. 잡초 - weed

2050. 번호 - number

2051. 당첨자 - winner

2052. 책 - book

2053. USB - USB

2054. 카드 - card

2055. 설탕 - sugar

2056. 소금 - salt

2057. 향신료 - Spice

2058. 얼리다 - freeze

2059. 나는 물을 얼렸다. - I froze water.

2060. 너는 주스를 얼린다. - You freeze juice.

2061. 그는 아이스크림을 얼릴 것이다. - He will freeze ice cream.

2062. 얼릴까? - Shall I freeze it?

2063. 네, 얼려. - Yes, freeze it.

2064. 녹이다 - To melt

2065. 나는 얼음을 녹였다. - I melted the ice.

2066. 너는 초콜릿을 녹인다. - You melt the chocolate.

2067. 그녀는 버터를 녹일 것이다. - She will melt the butter.

2068. 녹일까? - Shall we melt it?

2069. 네, 녹여. - Yes, melt it.

2070. 저미다 - To stir

2071. 나는 밀가루를 저었다. - I stirred the flour.

2072. 너는 반죽을 저민다. - You will stir the dough.

2073. 그는 소스를 저을 것이다. - He will stir the sauce.

2074. 저을까? - Shall we stir?

2075. 네, 저어. - Yes, stir.

2076. 빚다 - to make

2077. 나는 떡을 빚었다. - I made rice cakes.

2078. 너는 만두를 빚는다. - You will make dumplings.

2079. 그녀는 쿠키를 빚을 것이다. - She will bake cookies.

2080. 빚을까? - Shall we bake?

2081. 네, 빚어. - Yes, bake.

2082. 칠하다 - To paint

2083. 나는 벽을 칠했다. - I painted the wall.

2084. 너는 그림을 칠한다. - You paint the picture.

2085. 그들은 문을 칠할 것이다. - They will paint the door.

2086. 칠할까? - Shall we paint?

2087. 네, 칠해. - Yes, paint it.

2088. 철거하다 - To demolish

2089. 나는 오래된 집을 철거했다. - I demolished the old house.

2090. 너는 벽을 철거한다. - You demolish the wall.

2091. 그는 건물을 철거할 것이다. - He will demolish the building.

2092. 철거할까? - Shall we demolish it?

2093. 네, 철거해. - Yes, demolish it.

2094. 고르다 - To pick

2095. 나는 사과를 골랐다. - I picked an apple.

2096. 너는 옷을 고른다. - You pick out the clothes.

2097. 그녀는 선물을 고를 것이다. - She will choose a gift.

2098. 고를까? - Shall we pick?

2099. 네, 골라. - Yes, pick.

2100. 뽑다 - To pluck

2101. 나는 잡초를 뽑았다. - I pulled the weeds.

2102. 너는 번호를 뽑는다. - You draw the numbers.

2103. 그들은 당첨자를 뽑을 것이다. - They will draw the winner.

2104. 뽑을까? - Shall we draw?

2105. 네, 뽑아. - Yes, pluck.

2106. 빼다 - To subtract

2107. 나는 책을 뺐다. - I subtracted the book.

2108. 너는 USB를 뺀다. - You subtract the USB.

2109. 그는 카드를 뺄 것이다. - He will subtract the card.

2110. 뺄까? - Shall I subtract?

2111. 네, 빼. - Yes, subtract.

2112. 추가하다 - To add

2113. 나는 설탕을 추가했다. - I added sugar.

2114. 너는 소금을 추가한다. - You add salt.

2115. 그녀는 향신료를 추가할 것이다. - She will add spices.

2116. 추가할까? - Shall I add it?

2117. 네, 추가해줘. - Yes, please add it.

2118. 23. 명사 단어들 외우기, 필수 10개 동사의 단어들을 가지고 50문장 연습하기 - 23. memorize noun words, practice 50 sentences with the 10 essential verb words

2119. 램프 - lamp

2120. 플래시 - flash

2121. 빛 - light

2122. 목록 - List

2123. 옵션 - option

2124. 장점 - Advantages

2125. 가지 - egg plant

2126. 장단점 - pros and cons

2127. 결과 - result

2128. 자료 - data

2129. 파일 - file

2130. 개 - dog

2131. 요소 - Element

2132. 아이디어 - idea

2133. 기계 - machine

2134. 문제 - problem

2135. 시스템 - system

2136. 의자 - chair

2137. 화면 - screen

2138. 테이블 - table

2139. 옷 - clothes

2140. 종이 - paper

2141. 지도 - map

2142. 매트 - mat

2143. 책 - book

2144. 포스터 - poster

2145. 숨다 - hide

2146. 나는 숨었다. - I hide.

2147. 너는 숨는다. - You hide.

2148. 그들은 숨을 것이다. - They will hide.

2149. 숨을까? - Shall we hide?

2150. 네, 숨어. - Yes, hide.

2151. 비추다 - To illuminate

2152. 나는 램프를 비췄다. - I illuminated the lamp.

2153. 너는 플래시를 비춘다. - You shine the flash.

2154. 그는 빛을 비출 것이다. - He will shine the light.

2155. 비출까? - Shall I shine?

2156. 네, 비춰. - Yes, shine.

2157. 나열하다 - To list

2158. 나는 목록을 나열했다. - I listed the list.

2159. 너는 옵션을 나열한다. - You list the options.

2160. 그녀는 장점을 나열할 것이다. - She will list the advantages.

2161. 나열할까? - Shall we list?

2162. 네, 나열해. - Yes, list it.

2163. 대조하다 - Contrast

2164. 나는 두 가지를 대조했다. - I contrasted two things.

2165. 너는 장단점을 대조한다. - You contrast the pros and cons.

2166. 그는 결과를 대조할 것이다. - He will contrast the results.

2167. 색깔 다른가? - Are the colors different?

2168. 예, 다르다. - Yes, they are different.

2169. 정렬하다 - To sort

2170. 너는 자료를 정렬했다. - You sorted the materials.

2171. 그는 목록을 정렬한다. - He will sort the list.

2172. 그녀는 파일을 정렬할 것이다. - She will sort the files.

2173. 순서 맞나요? - Is it in order?

2174. 네, 맞아요. - Yes, it is.

2175. 결합하다 - To combine

2176. 그는 두 개를 결합했다. - He will combine two things.

2177. 그녀는 요소를 결합한다. - She will combine the elements.

2178. 우리는 아이디어를 결합할 것이다. - We will combine ideas.

2179. 같이 할까요? - Shall we do it together?

2180. 좋아요. - I'm good.

2181. 분해하다 - To disassemble

2182. 그녀는 기계를 분해했다. - She took the machine apart.

2183. 우리는 문제를 분해한다. - We will deconstruct the problem.

2184. 당신들은 시스템을 분해할 것이다. - You're going to take apart the system.

2185. 어렵나요? - Is it hard?

2186. 아니요. - No, it's not.

2187. 회전하다 - To rotate

2188. 우리는 의자를 회전했다. - We rotated the chair.

2189. 당신들은 화면을 회전한다. - You will rotate the screen.

2190. 그들은 테이블을 회전할 것이다. - They will rotate the table.

2191. 돌릴까요? - Shall we rotate?

2192. 그래요. - Yes, we will.

2193. 접다 - To fold

2194. 당신들은 옷을 접었다. - You fold clothes.

2195. 그들은 종이를 접는다. - They fold the paper.

2196. 나는 지도를 접을 것이다. - I'm going to fold a map.

2197. 이걸 접어요? - Are you folding this?

2198. 네, 접어요. - Yes, I fold it.

2199. 펼치다 - To unfold

2200. 그들은 매트를 펼쳤다. - They unfolded the mat.

2201. 나는 책을 펼친다. - I unfold a book.

2202. 너는 포스터를 펼칠 것이다. - You would unfold a poster.

2203. 여기에 놓을까요? - Shall I put it here?

2204. 네, 놓아줘 - Yes, put it there.

2205. 24. 명사 단어들 외우기, 필수 10개 동사의 단어들을 가지고 50문장 연습하기 - 24. memorize noun words, practice 50 sentences with the 10 essential verb words

2206. 깃발 - flag

2207. 스카프 - scarf

2208. 카펫 - carpet

2209. 신발끈 - shoelace

2210. 선물 - gift

2211. 머리 - head

2212. 문제 - problem

2213. 노트 - note

2214. 수수께끼 - Riddle

2215. 상자 - Box

2216. 책 - book

2217. 블록 - block

2218. 물 - water

2219. 쌀 - rice

2220. 콩 - bean

2221. 병 - party

2222. 가방 - bag

2223. 그릇 - bowl

2224. 통 - container

2225. 바구니 - basket

2226. 컵 - cup

2227. 씨앗 - seed

2228. 페인트 - Paint

2229. 장애물 - obstacle

2230. 줄넘기 - Jump Rope

2231. 울타리 - fence

2232. 말다 - Roll

2233. 나는 깃발을 말았다. - I rolled a flag

2234. 너는 스카프를 말다. - You roll a scarf.

2235. 그는 카펫을 말 것이다. - He will roll the carpet.

2236. 도와줄까요? - Do you want me to help you?

2237. 네, 부탁해요. - Yes, please.

2238. 묶다 - to tie

2239. 너는 신발끈을 묶었다. - You tie your shoelaces.

2240. 그는 선물을 묶는다. - He will tie the present.

2241. 그녀는 머리를 묶을 것이다. - She will tie her hair.

2242. 더 조여요? - Tighten it tighter?

2243. 예, 조여요. - Yes, tighten it.

2244. 풀다 - to solve

2245. 그는 문제를 풀었다. - He solved the problem.

2246. 그녀는 노트를 푼다. - She will solve her notes.

2247. 우리는 수수께끼를 풀 것이다. - We will solve the riddle.

2248. 어떻게 해요? - How do we do it?

2249. 생각해봐요. - Think about it.

2250. 쌓다 - to stack

2251. 그녀는 상자를 쌓았다. - She stacked the boxes.

2252. 우리는 책을 쌓는다. - We stack books.

2253. 당신들은 블록을 쌓을 것이다. - You will stack blocks.

2254. 높게 쌓을까요? - Shall we stack them high?

2255. 조심해요. - Be careful.

2256. 쏟다 - Pour

2257. 우리는 물을 쏟았다. - We spilled water.

2258. 당신들은 쌀을 쏟는다. - You spill rice.

2259. 그들은 콩을 쏟을 것이다. - They will spill beans.

2260. 다 쏟았어요? - Did you spill it all?

2261. 다 쏟았어요. - I spilled it all.

2262. 채우다 - to fill

2263. 당신들은 병을 채웠다. - You fill the bottle.

2264. 그들은 가방을 채운다. - They fill the bag.

2265. 나는 그릇을 채울 것이다. - I will fill the bowl.

2266. 가득할까요? - Will it be full?

2267. 가득해요. - It's full.

2268. 비우다 - To empty

2269. 그들은 통을 비웠다. - They emptied the barrel.

2270. 나는 바구니를 비운다. - I will empty the basket.

2271. 너는 컵을 비울 것이다. - You will empty the cup.

2272. 이것도 비울까요? - Shall we empty this one too?

2273. 네, 비워요. - Yes, empty it.

2274. 뿌리다 - To sow

2275. 나는 씨앗을 뿌렸다. - I sowed the seeds.

2276. 너는 물을 뿌린다. - You sprinkle water.

2277. 그는 페인트를 뿌릴 것이다. - He will sprinkle paint.

2278. 여기에요? - Here?

2279. 여기에요. - Here.

2280. 건너뛰다 - To skip

2281. 너는 장애물을 건너뛰었다. - You skipped the hurdle.

2282. 그는 줄넘기를 한다. - He will jump rope.

2283. 그녀는 울타리를 건너뛸 것이다. - She will skip the fence.

2284. 저기로 갈까요? - Shall we go there?

2285. 저기로 가요. - Let's go over there.

2286. 기울이다 - To tilt

2287. 나는 병을 기울였다. - I tilted the bottle.

2288. 너는 컵을 기울인다. - You tilt the cup.

2289. 그는 그릇을 기울일 것이다. - He will tilt the bowl.

2290. 컵을 기울여? - Tilt the cup?

2291. 예, 기울여줘. - Yes, tilt it.

2292. 25. 명사 단어들 외우기, 필수 10개 동사의 단어들을 가지고 50문장 연습하기 - 25. memorize noun words, practice 50 sentences with the 10 essential verb words

2293. 버튼 - button

2294. 스위치 - switch

2295. 페달 - pedal

2296. 스티커 - sticker

2297. 라벨 - label

2298. 포스터 - poster

2299. 사진 - picture

2300. 메모 - memo

2301. 공지 - notification

2302. 선 - line

2303. 원 - one

2304. 사각형 - Square

2305. 글자 - letter

2306. 오류 - error

2307. 데이터 - data

2308. 이름 - name

2309. 주소 - address

2310. 번호 - number

2311. 비용 - expense

2312. 합계 - Sum

2313. 예산 - budget

2314. 별 - star

2315. 사과 - apologize

2316. 페이지 - Page

2317. 결과 - result

2318. 날씨 - weather

2319. 승자 - victor

2320. 프로젝트 - project

2321. 누르다 - Press

2322. 나는 버튼을 눌렀다. - I pressed the button.

2323. 너는 스위치를 누른다. - You press the switch.

2324. 그녀는 페달을 누를 것이다. - She will press the pedal.

2325. 스위치 누를까? - Shall I press the switch?

2326. 네, 눌러. - Yes, press it.

2327. 떼다 - Take off

2328. 나는 스티커를 뗐다. - I peeled off the sticker.

2329. 너는 라벨을 뗀다. - You take off the label.

2330. 우리는 포스터를 뗄 것이다. - We'll take down the poster.

2331. 라벨 떼어도 돼? - Can I peel the label?

2332. 그래, 떼. - Yes, peel.

2333. 붙이다 - Paste

2334. 나는 사진을 붙였다. - I glued the picture.

2335. 너는 메모를 붙인다. - You stick notes.

2336. 당신들은 공지를 붙일 것이다. - You will label a notice.

2337. 메모 붙일까? - Shall I paste a note?

2338. 예, 붙여. - Yes, paste.

2339. 굿다 - to draw a line

2340. 나는 선을 그었다. - I drew a line.

2341. 너는 원을 그린다. - You will draw a circle.

2342. 그들은 사각형을 그을 것이다. - They will draw a square.

2343. 선 긋기 좋아? - Do you like drawing lines?

2344. 네, 좋아. - Yes, good.

2345. 지우다 - Erase

2346. 나는 글자를 지웠다. - I erased the letters.

2347. 너는 오류를 지운다. - You erase the error.

2348. 그는 데이터를 지울 것이다. - He will erase the data.

2349. 오류 지울까? - Shall I erase the error?

2350. 그래, 지워. - Yes, erase.

2351. 적다 - To write down

2352. 나는 이름을 적었다. - I write down the name.

2353. 너는 주소를 적는다. - You write down the address.

2354. 그녀는 번호를 적을 것이다. - She will write down the number.

2355. 주소 적어 줄래? - Can you write down the address?

2356. 좋아, 적어. - Okay, write it down.

2357. 계산하다 - to calculate

2358. 나는 비용을 계산했다. - I calculated the cost.

2359. 너는 합계를 계산한다. - You calculate the total.

2360. 우리는 예산을 계산할 것이다. - We will calculate the budget.

2361. 합계 계산할까? - Shall we calculate the total?

2362. 네, 계산해. - Yes, let's calculate.

2363. 세다 - To count

2364. 나는 별을 셌다. - I counted the stars.

2365. 너는 사과를 센다. - You count apples.

2366. 당신들은 페이지를 셀 것이다. - You count pages.

2367. 사과 몇 개야? - How many apples?

2368. 지금 세. - Count now.

2369. 추측하다 - To guess

2370. 나는 결과를 추측했다. - I guessed the outcome.

2371. 너는 날씨를 추측한다. - You guess the weather.

2372. 그들은 승자를 추측할 것이다. - They will guess the winner.

2373. 날씨 어때? - How's the weather?

2374. 비 올까 봐. - I think it's going to rain.

2375. 가정하다 - To assume

2376. 나는 그가 올 것이라고 가정했다. - I assumed he would come.

2377. 너는 그녀가 승리할 것이라고 가정한다. - You assume she will win.

2378. 우리는 프로젝트가 성공할 것이라고 가정할 것이다. - We will assume that the project will be successful.

2379. 그녀가 승리할까? - Will she win?

2380. 아마 그럴것이다. - She probably will.

2381. 26. 명사 단어들 외우기, 필수 10개 동사의 단어들을 가지고 50문장 연습하기 - 26. Memorize noun words, practice 50 sentences with the required 10 verb words

2382. 상황 - situation

2383. 의도 - Intent

2384. 결과 - result

2385. 계획 - plan

2386. 날짜 - date

2387. 장소 - location

2388. 요청 - request

2389. 제안 - proposal

2390. 계약 - contract

2391. 의견 - opinion

2392. 변경사항 - Changes

2393. 조언 - advice

2394. 문제 - problem

2395. 프로젝트 - project

2396. 해결책 - solution

2397. 주제 - subject

2398. 모드 - mode

2399. 파일 - file

2400. 형식 - form

2401. 데이터 - data

2402. 이슈 - issue

2403. 포인트 - point

2404. 질문 - question

2405. 호출 - call

2406. 온도 - temperature

2407. 볼륨 - volume

2408. 속도 - speed

2409. 판단하다 - Judge

2410. 나는 상황을 판단했다. - I judged the situation.

2411. 너는 그의 의도를 판단한다. - You judge his intentions.

2412. 그녀는 결과를 판단할 것이다. - She will judge the result.

2413. 옳은 거야? - Is it right?

2414. 판단해 봐. - Judge.

2415. 확정하다 - To finalize

2416. 나는 계획을 확정했다. - I finalized the plan.

2417. 너는 날짜를 확정한다. - You will finalize the date.

2418. 그들은 장소를 확정할 것이다. - They will confirm the venue.

2419. 날짜 확정됐어? - Is the date finalized?

2420. 예, 됐어. - Yes, we're set.

2421. 승인하다 - Approve

2422. 나는 요청을 승인했다. - I approve the request.

2423. 너는 제안을 승인한다. - You approve the proposal.

2424. 우리는 계약을 승인할 것이다. - We'll approve the contract.

2425. 제안 승인할까? - Shall we approve the proposal?

2426. 네, 승인해. - Yes, approve it.

2427. 반영하다 - Reflect

2428. 나는 의견을 반영했다. - I reflected the comments.

2429. 너는 변경사항을 반영한다. - You will reflect the changes.

2430. 그는 조언을 반영할 것이다. - He will take the advice into account.

2431. 의견 반영됐어? - Did you reflect?

2432. 예, 반영됐어. - Yes, it was reflected.

2433. 접근하다 - Approach

2434. 나는 문제에 접근했다. - I approached the problem.

2435. 너는 프로젝트에 접근한다. - You approach the project.

2436. 그녀는 해결책에 접근할 것이다. - She will approach the solution.

2437. 해결책 찾았어? - Did you find a solution?

2438. 찾는 중이야. - I'm looking for it.

2439. 전환하다 - To switch

2440. 나는 주제를 전환했다. - I switched topics.

2441. 너는 모드를 전환한다. - You switch modes.

2442. 우리는 계획을 전환할 것이다. - We will switch plans.

2443. 모드 바꿀까? - Shall we switch modes?

2444. 네, 바꿔. - Yes, switch.

2445. 변환하다 - Convert

2446. 나는 파일을 변환했다. - I converted the file.

2447. 너는 형식을 변환한다. - You convert a format.

2448. 그들은 데이터를 변환할 것이다. - They will convert the data.

2449. 형식 맞춰줄래? - Can you format it?

2450. 좋아, 맞출게. - Okay, I'll format it.

2451. 조명하다 - Illuminate

2452. 나는 이슈를 조명했다. - I illuminated the issue.

2453. 너는 포인트를 조명한다. - You illuminate a point.

2454. 그녀는 주제를 조명할 것이다. - She will illuminate the topic.

2455. 주제 뭘까? - What's the topic?

2456. 곧 알려줄게. - I'll tell you soon.

2457. 응답하다 - To respond

2458. 나는 질문에 응답했다. - I responded to the question.

2459. 너는 요청에 응답한다. - You respond to the request.

2460. 우리는 호출에 응답할 것이다. - We will respond to the call.

2461. 답변 줄 수 있어? - Can you give me an answer?

2462. 네, 할 수 있어. - Yes, I can.

2463. 조절하다 - to regulate

2464. 나는 온도를 조절했다. - I adjusted the temperature.

2465. 너는 볼륨을 조절한다. - You adjust the volume.

2466. 그들은 속도를 조절할 것이다. - They'll adjust the speed.

2467. 볼륨 낮출까? - Do you want me to turn the volume down?

2468. 네, 낮춰 줘. - Yes, please turn it down.

2469. 27. 명사 단어들 외우기, 필수 10개 동사의 단어들을 가지고 50문장 연습하기 - 27. memorize noun words, practice 50 sentences with the 10 essential verb words

2470. 시스템 - system

2471. 드론 - drone

2472. 로봇 - robot

2473. 프로젝트 - project

2474. 팀 - team

2475. 회사 - company

2476. 가게 - store

2477. 사이트 - site

2478. 카페 - cafe

2479. 주문 - order

2480. 신청 - application

2481. 문제 - problem

2482. 기술 - technology

2483. 능력 - ability

2484. 경험 - experience

2485. 지식 - knowledge

2486. 사업 - business

2487. 영역 - area

2488. 시장 - market

2489. 비용 - expense

2490. 규모 - Scale

2491. 지출 - expenditure

2492. 매출 - sales

2493. 노력 - Effort

2494. 효율 - Efficiency

2495. 제어하다 - Control

2496. 나는 시스템을 제어했다. - I controlled the system.

2497. 너는 드론을 제어한다. - You control the drone.

2498. 우리는 로봇을 제어할 것이다. - We will control the robot.

2499. 드론 조종해 봤어? - Have you ever flown a drone?

2500. 아니, 안 해봤어. - No, I haven't.

2501. 관리하다 - Manage

2502. 나는 프로젝트를 관리했다. - I managed the project.

2503. 너는 팀을 관리한다. - You manage the team.

2504. 그는 회사를 관리할 것이다. - He will manage the company.

2505. 팀 잘 돼가? - How's the team?

2506. 네, 잘 돼. - Yes, it's going well.

2507. 운영하다 - To run

2508. 나는 가게를 운영했다. - I ran the store.

2509. 너는 사이트를 운영한다. - You run the site.

2510. 그녀는 카페를 운영할 것이다. - She will run the cafe.

2511. 사이트 잘 운영돼? - Is the site running well?

2512. 예, 잘 돼. - Yes, it's going well.

2513. 처리하다 - to process

2514. 나는 주문을 처리했다. - I processed the order.

2515. 너는 신청을 처리한다. - You process the application.

2516. 우리는 문제를 처리할 것이다. - We will take care of the problem.

2517. 신청 처리됐어? - Did you process the application?

2518. 네, 처리됐어. - Yes, it's processed.

2519. 처리하다 - process

2520. 나는 주문을 처리했다. - I processed the order.

2521. 너는 신청을 처리한다. - You process the application.

2522. 그는 문제를 처리할 것이다. - He will take care of the problem.

2523. 신청 처리됐어? - Did you process the application?

2524. 됐어. - It's done.

2525. 발전하다 - To advance

2526. 그녀는 기술을 발전시켰다. - She developed her skills.

2527. 우리는 능력을 발전시킨다. - We develop our abilities.

2528. 당신들은 시스템을 발전시킬 것이다. - You will advance the system.

2529. 기술 좋아졌니? - Did you improve your skills?

2530. 네, 좋아. - Yes, it's good.

2531. 성장하다 - grow

2532. 그들은 빠르게 성장했다. - They grew fast.

2533. 나는 경험을 성장시킨다. - I grow experience.

2534. 너는 지식을 성장시킬 것이다. - You will grow in knowledge.

2535. 경험 많아졌어? - Did you grow in experience?

2536. 많아. - I have a lot.

2537. 확장하다 - to expand

2538. 나는 사업을 확장했다. - I expanded my business.

2539. 너는 영역을 확장한다. - You will expand your territory.

2540. 그는 시장을 확장할 것이다. - He will expand the market.

2541. 시장 크니? - Is the market big?

2542. 네, 크다. - Yes, it's big.

2543. 축소하다 - To shrink

2544. 그녀는 비용을 축소했다. - She scaled down her costs.

2545. 우리는 규모를 축소한다. - We are downsizing.

2546. 당신들은 지출을 축소할 것이다. - You will downsize your spending.

2547. 비용 줄었어? - Did you cut costs?

2548. 네, 줄었어. - Yes, they have decreased.

2549. 증가하다 - Increase

2550. 그들은 매출을 증가시켰다. - They increased sales.

2551. 나는 노력을 증가시킨다. - I increase effort.

2552. 너는 효율을 증가시킬 것이다. - You will increase efficiency.

2553. 매출 올랐어? - Did sales go up?

2554. 네, 올랐어. - Yes, they are up.

2555. 28. 명사 단어들 외우기, 필수 10개 동사의 단어들을 가지고 50문장 연습하기 - 28. memorize noun words, practice 50 sentences with the 10 essential verb words

2556. 오류 - error

2557. 리스크 - risk

2558. 부채 - fan

2559. 앱 - app

2560. 소프트웨어 - software

2561. 기술 - technology

2562. 기계 - machine

2563. 아이디어 - idea

2564. 제품 - product

2565. 예술작품 - art piece

2566. 콘텐츠 - contents

2567. 비전 - vision

2568. 해결책 - solution

2569. 정보 - information

2570. 답 - answer

2571. 우주 - universe

2572. 신세계 - new world

2573. 바다 - ocean

2574. 시장 - market

2575. 사건 - Event

2576. 현상 - phenomenon

2577. 도움 - help

2578. 지원 - support

2579. 협력 - Cooperation

2580. 계획 - plan

2581. 전략 - strategy

2582. 제안 - proposal

2583. 조건 - condition

2584. 요청 - request

2585. 감소하다 - Reduce

2586. 나는 오류를 감소시켰다. - I reduced errors.

2587. 너는 리스크를 감소시킨다. - You reduce the risk.

2588. 그는 부채를 감소시킬 것이다. - He will reduce the debt.

2589. 리스크 적어졌어? - Less risk?

2590. 적어. - Less.

2591. 개발하다 - To develop

2592. 그녀는 앱을 개발했다. - She developed an app.

2593. 우리는 소프트웨어를 개발한다. - We develop software.

2594. 당신들은 기술을 개발할 것이다. - You guys will develop technology.

2595. 앱 나왔어? - Is the app out?

2596. 나왔어. - It's out.

2597. 발명하다 - To invent

2598. 그들은 기계를 발명했다. - They invented a machine.

2599. 나는 아이디어를 발명한다. - I invent an idea.

2600. 너는 제품을 발명할 것이다. - You will invent a product.

2601. 기계 새로운 거야? - Is the machine new?

2602. 새로워. - New.

2603. 창조하다 - To create

2604. 나는 예술작품을 창조했다. - I create a work of art.

2605. 너는 콘텐츠를 창조한다. - You will create content.

2606. 그는 비전을 창조할 것이다. - He will create a vision.

2607. 콘텐츠 재밌어? - Is the content funny?

2608. 재밌어. - It's fun.

2609. 찾아내다 - to find out

2610. 그녀는 해결책을 찾아냈다. - She found a solution.

2611. 우리는 정보를 찾아낸다. - We find information.

2612. 당신들은 답을 찾아낼 것이다. - You will find the answer.

2613. 정보 찾았어? - Did you find the information?

2614. 찾았어. - I found it.

2615. 탐사하다 - to explore

2616. 그들은 우주를 탐사했다. - They explored the universe.

2617. 나는 신세계를 탐사한다. - I explore new worlds.

2618. 너는 바다를 탐사할 것이다. - You will explore the ocean.

2619. 우주 멋져? - Is space cool?

2620. 멋져. - It's cool.

2621. 조사하다 - to investigate

2622. 나는 시장을 조사했다. - I investigated the market.

2623. 너는 사건을 조사한다. - You will investigate the case.

2624. 그는 현상을 조사할 것이다. - He will investigate the phenomenon.

2625. 사건 해결됐어? - Is the case solved?

2626. 해결돼. - It's solved.

2627. 청하다 - To ask for

2628. 그녀는 도움을 청했다. - She asked for help.

2629. 우리는 지원을 청한다. - We are asking for help.

2630. 당신들은 협력을 청할 것이다. - You will be asked to cooperate.

2631. 도움 필요해? - Do you need help?

2632. 필요해. - I need it.

2633. 제안하다 - To propose

2634. 그들은 계획을 제안했다. - They proposed a plan.

2635. 나는 아이디어를 제안한다. - I propose an idea.

2636. 너는 전략을 제안할 것이다. - You will propose a strategy.

2637. 아이디어 있어? - Do you have an idea?

2638. 있어. - I have.

2639. 승낙하다 - To accept

2640. 나는 제안을 승낙했다. - I accept the proposal.

2641. 너는 조건을 승낙한다. - You accept the conditions.

2642. 그는 요청을 승낙할 것이다. - He will accept the request.

2643. 조건 괜찮아? - Are the conditions okay?

2644. 괜찮아. - I'm fine.

2645. 29. 명사 단어들 외우기, 필수 10개 동사의 단어들을 가지고 50문장 연습하기 - 29. Memorize noun words, practice 50 sentences with the required 10 verb words

2646. 문제 - problem

2647. 주제 - subject

2648. 해결책 - solution

2649. 의견 - opinion

2650. 친구 - friend

2651. 여행 - travel

2652. 부모님 - parents

2653. 조언 - advice

2654. 위험 - danger

2655. 소식 - News

2656. 정보 - information

2657. 변화 - change

2658. 사랑 - love

2659. 마음 - mind

2660. 진심 - Sincerity

2661. 문서 - document

2662. 이미지 - image

2663. 자료 - data

2664. 표 - graph

2665. 보고서 - report

2666. 그래프 - graph

2667. 부분 - part time job

2668. 문장 - sentence

2669. 영상 - video

2670. 장면 - scene

2671. 답 - answer

2672. 장소 - location

2673. 주소 - address

2674. 토론하다 - discuss

2675. 그는 어제 문제에 대해 토론했다. - He discussed the problem yesterday.

2676. 그녀는 지금 중요한 주제를 토론한다. - She discusses important topics now.

2677. 우리는 내일 해결책을 토론할 것이다. - We will discuss the solution tomorrow.

2678. 의견 있어? - Do you have an opinion?

2679. 네, 있어. - Yes, I have.

2680. 설득하다 - to persuade

2681. 그녀는 친구를 여행 가기로 설득했다. - She convinced her friend to go on the trip.

2682. 나는 지금 부모님을 설득한다. - I am persuading my parents now.

2683. 너는 내일 그들을 설득할 것이다. - You will persuade them tomorrow.

2684. 설득됐어? - Convinced?

2685. 응, 됐어. - Yes, I'm convinced.

2686. 조언하다 - to advise

2687. 그들은 나에게 좋은 조언을 해주었다. - They gave me good advice.

2688. 나는 지금 친구에게 조언한다. - I advise my friend now.

2689. 너는 내일 조언을 할 것이다. - You will give advice tomorrow.

2690. 조언 필요해? - Do you need advice?

2691. 필요해, 고마워. - I need it, thanks.

2692. 경고하다 - to warn

2693. 그녀는 위험에 대해 경고했다. - She warned him about the danger.

2694. 우리는 지금 위험을 경고한다. - We warn of the danger now.

2695. 당신들은 내일 그들을 경고할 것이다. - You will warn them tomorrow.

2696. 경고 들었어? - Did you hear the warning?

2697. 네, 들었어. - Yes, I heard.

2698. 알리다 - to inform

2699. 그는 어제 소식을 알렸다. - He made the news known yesterday.

2700. 그녀는 지금 정보를 알린다. - She informs the information now.

2701. 우리는 내일 변화를 알릴 것이다. - We will announce the change tomorrow.

2702. 소식 알아? - Do you know the news?

2703. 아니, 몰라. - No, I don't know.

2704. 고백하다 - to confess

2705. 그녀는 그에게 사랑을 고백했다. - She confessed her love to him.

2706. 나는 지금 마음을 고백한다. - I confess my heart now.

2707. 너는 내일 진심을 고백할 것이다. - You will confess your heart tomorrow.

2708. 고백할 거야? - Are you going to confess?

2709. 응, 할 거야. - Yes, I will.

2710. 붙여넣다 - Paste

2711. 그는 문서에 이미지를 붙여넣었다. - He pasted the image into the document.

2712. 그녀는 지금 자료에 표를 붙여넣는다. - She is pasting a table into the document now.

2713. 우리는 내일 보고서에 그래프를 붙여넣을 것이다. - We'll paste the graph into the report tomorrow.

2714. 완성됐어? - Are you done?

2715. 거의 다 됐어. - Almost done.

2716. 잘라내다 - cut out

2717. 그들은 불필요한 부분을 잘라냈다. - They cut out the unnecessary parts.

2718. 나는 지금 문서에서 문장을 잘라낸다. - I'm cutting out sentences from the document now.

2719. 너는 내일 영상에서 장면을 잘라낼 것이다. - You will cut scenes from the video tomorrow.

2720. 줄일 필요 있어? - Do you need to cut anything?

2721. 응, 있어. - Yes, I do.

2722. 검색하다 - To search

2723. 그녀는 정보를 검색했다. - She searched for information.

2724. 나는 지금 자료를 검색한다. - I'm searching for material now.

2725. 너는 내일 답을 검색할 것이다. - You will search for answers tomorrow.

2726. 정보 찾고 있어? - Are you searching for information?

2727. 찾고 있어. - I'm looking for it.

2728. 찾아보다 - To look for

2729. 그는 옛 친구를 찾아보았다. - He looked up his old friend.

2730. 그녀는 지금 문서를 찾아본다. - She is looking for the document now.

2731. 우리는 내일 그 장소를 찾아볼 것이다. - We will look for the place tomorrow.

2732. 주소 찾았어? - Did you find the address?

2733. 아직 못 찾았어. - No, I haven't found it yet.

2734. 30. 명사 단어들 외우기, 필수 10개 동사의 단어들을 가지고 50문장 연습하기 - 30. memorize noun words, practice 50 sentences with the 10 essential verb words

2735. 리더 - leader

2736. 메뉴 - menu

2737. 색상 - color

2738. 프로젝트 - project

2739. 계획 - plan

2740. 아이디어 - idea

2741. 스케줄 - schedule

2742. 예약 - reservation

2743. 보안 - security

2744. 비밀번호 - password

2745. 규칙 - rule

2746. 입장 - Entrance

2747. 영향력 - Influence

2748. 제한 - limit

2749. 프로세스 - process

2750. 시스템 - system

2751. 웹사이트 - Website

2752. 기능 - function

2753. 계정 - account

2754. 서비스 - service

2755. 알림 - alarm

2756. 옵션 - option

2757. 컴퓨터 - computer

2758. 인터넷 - Internet

2759. 기기 - device

2760. 부분 - part time job

2761. 요소 - Element

2762. 구성 - composition

2763. 선택하다 - Choose

2764. 그들은 새 리더를 선택했다. - They chose a new reader.

2765. 나는 지금 메뉴를 선택한다. - I choose the menu now.

2766. 너는 내일 색상을 선택할 것이다. - You will choose a color tomorrow.

2767. 쉽게 고를 수 있어? - Is it easy to pick?

2768. 네, 쉬워. - Yes, it's easy.

2769. 구상하다 - to envision

2770. 그녀는 새 프로젝트를 구상했다. - She conceived a new project.

2771. 나는 지금 계획을 구상한다. - I conceive a plan now.

2772. 우리는 내일 아이디어를 구상할 것이다. - We will ideate tomorrow.

2773. 아이디어 있어? - Do you have any ideas?

2774. 응, 많아. - Yes, I have many.

2775. 변경하다 - to change

2776. 그는 계획을 변경했다. - He changed his plans.

2777. 그녀는 지금 스케줄을 변경한다. - She changes her schedule now.

2778. 당신들은 내일 예약을 변경할 것이다. - You guys will reschedule tomorrow.

2779. 날짜 바꿀래? - Do you want to change the date?

2780. 그래, 바꿀래. - Yes, I'll change it.

2781. 강화하다 - To tighten up

2782. 그들은 보안을 강화했다. - They have increased security.

2783. 나는 지금 비밀번호를 강화한다. - I'm strengthening my password

now.

2784. 너는 내일 규칙을 강화할 것이다. - You will tighten the rules tomorrow.

2785. 보안 더 필요해? - Do you need more security?

2786. 네, 필요해. - Yes, I need it.

2787. 약화하다 - to weaken

2788. 그녀는 입장을 약화시켰다. - She weakened her position.

2789. 우리는 지금 영향력을 약화시킨다. - We weaken our influence now.

2790. 당신들은 내일 제한을 약화시킬 것이다. - You will weaken the restrictions tomorrow.

2791. 영향 줄어들었어? - Less influence?

2792. 응, 줄었어. - Yes, it has decreased.

2793. 최적화하다 - Optimize

2794. 그는 프로세스를 최적화했다. - He optimized the process.

2795. 그녀는 지금 시스템을 최적화한다. - She optimizes the system now.

2796. 우리는 내일 웹사이트를 최적화할 것이다. - We will optimize the website tomorrow.

2797. 성능 좋아졌어? - Is the performance better?

2798. 많이 좋아졌어. - It's much better.

2799. 활성화하다 - to activate

2800. 그들은 기능을 활성화했다. - They activated the feature.

2801. 나는 지금 계정을 활성화한다. - I'm activating the account now.

2802. 너는 내일 서비스를 활성화할 것이다. - You will activate the service tomorrow.

2803. 작동하나요? - Does it work?

2804. 응, 잘 돼. - Yes, it works.

2805. 비활성화하다 - Disable

2806. 그녀는 알림을 비활성화했다. - She deactivated the notifications.

2807. 우리는 지금 옵션을 비활성화한다. - We deactivate the option now.

2808. 당신들은 내일 기능을 비활성화할 것이다. - You guys will disable the feature tomorrow.

2809. 더 이상 안 나와? - It won't come out anymore?

2810. 아니, 안 나와. - No, it won't.

2811. 연결하다 - Connect

2812. 나는 컴퓨터를 연결했다. - I connected my computer.

2813. 너는 인터넷을 연결한다. - You connect the Internet.

2814. 그는 기기를 연결할 것이다. - He will connect the device.

2815. 연결 됐어? - Are you connected?

2816. 됐어. - Done.

2817. 분리하다 - To separate

2818. 그녀는 두 부분을 분리했다. - She separated the two parts.

2819. 우리는 요소들을 분리한다. - We separate the elements.

2820. 당신들은 구성을 분리할 것이다. - You will separate the composition.

2821. 분리해야 해? - Do we have to separate?

2822. 해야 해. - You should.

2823. 31. 명사 단어들 외우기, 필수 10개 동사의 단어들을 가지고 50문장 연습하기 - 31. memorize noun words, practice 50 sentences with the 10 essential verb words

2824. 가구 - furniture

2825. 모델 - Model

2826. 장난감 - toy

2827. 기계 - machine

2828. 구조 - structure

2829. 시스템 - system

2830. 선물 - gift

2831. 상품 - Goods

2832. 박스 - box

2833. 편지 - letter

2834. 패키지 - package

2835. 상자 - Box

2836. 볼륨 - volume

2837. 뚜껑 - Lid

2838. 핸들 - handle

2839. 페이지 - Page

2840. 채널 - channel

2841. 장 - page

2842. 종이 - paper

2843. 천 - cloth

2844. 나무 - tree

2845. 국물 - soup

2846. 음료 - beverage

2847. 소스 - sauce

2848. 요리 - cooking

2849. 스무디 - smoothie

2850. 케이크 - cake

2851. 목욕 - bath

2852. 온천 - Spa

2853. 조립하다 - Assemble

2854. 그들은 가구를 조립했다. - They assembled the furniture.

2855. 나는 모델을 조립한다. - I assemble the model.

2856. 너는 장난감을 조립할 것이다. - You will assemble the toy.

2857. 도와줄까? - Do you want me to help you?

2858. 좋아. - Okay.

2859. 해체하다 - To dismantle

2860. 그녀는 기계를 해체했다. - She dismantled the machine.

2861. 우리는 구조를 해체한다. - We dismantle the structure.

2862. 당신들은 시스템을 해체할 것이다. - You will dismantle the system.

2863. 해체 필요해? - Do you need to dismantle?

2864. 필요해. - I need it.

2865. 포장하다 - To wrap

2866. 나는 선물을 포장했다. - I wrapped the gift.

2867. 너는 상품을 포장한다. - You will pack the goods.

2868. 그는 박스를 포장할 것이다. - He will pack the boxes.

2869. 끝났어? - Are you done?

2870. 아직. - Not yet.

2871. 개봉하다 - To open

2872. 그녀는 편지를 개봉했다. - She opened the letter.

2873. 우리는 패키지를 개봉한다. - We unpack the package.

2874. 당신들은 상자를 개봉할 것이다. - You will open the box.

2875. 열어볼까? - Shall we open it?

2876. 열어봐. - Open it.

2877. 돌리다 - to turn

2878. 그들은 볼륨을 돌렸다. - They turned the volume.

2879. 나는 뚜껑을 돌린다. - I turn the lid.

2880. 너는 핸들을 돌릴 것이다. - You will turn the handle.

2881. 돌려야 돼? - Do I have to turn it?

2882. 응, 돼. - Yes, you can.

2883. 넘기다 - to turn over

2884. 그녀는 페이지를 넘겼다. - She turned the page.

2885. 우리는 채널을 넘긴다. - We turn the channel.

2886. 당신들은 장을 넘길 것이다. - You will turn the chapter.

2887. 넘길까? - Shall we turn it over?

2888. 넘겨. - Turn over.

2889. 자르다 - To cut

2890. 나는 종이를 자르다. - I cut the paper.

2891. 너는 천을 자른다. - You cut the cloth.

2892. 그는 나무를 자를 것이다. - He will cut wood.

2893. 자를까? - Shall we cut?

2894. 자르자. - Let's cut.

2895. 젓다 - To stir

2896. 그녀는 국물을 저었다. - She stirred the broth.

2897. 우리는 음료를 젓는다. - We stir the drink.

2898. 당신들은 소스를 저을 것이다. - You guys will stir the sauce.

2899. 더 저을까? - Shall we stir some more?

2900. 응, 저어. - Yes, stir.

2901. 맛보다 - To taste

2902. 그들은 새 요리를 맛보았다. - They tasted the new dish.

2903. 나는 스무디를 맛본다. - I taste the smoothie.

2904. 너는 케이크를 맛볼 것이다. - You will taste the cake.

2905. 맛있어? - Is it delicious?

2906. 맛있어. - It's delicious.

2907. 목욕하다 - to bathe

2908. 그녀는 긴 목욕을 했다. - She took a long bath.

2909. 우리는 온천에서 목욕한다. - We bathe in the hot springs.

2910. 당신들은 집에서 목욕할 것이다. - You will bathe at home.

2911. 뜨거워? - Is it hot?

2912. 적당해. - It's just right.

2913. 32. 명사 단어들 외우기, 필수 10개 동사의 단어들을 가지고 50문장 연습하기 - 32. memorize noun words, practice 50 sentences with the words of the 10 essential verbs

2914. 샤워 - shower

2915. 드레스 - dress

2916. 유니폼 - uniform

2917. 옷 - clothes

2918. 잠옷 - Pajamas

2919. 신발 - shoes

2920. 코트 - coat

2921. 파티복 - party clothes

2922. 운동복 - Sportswear

2923. 머리 - head

2924. 고양이 - cat

2925. 말 - word

2926. 방 - room

2927. 트리 - tree

2928. 집 - house

2929. 문서 - document

2930. 보고서 - report

2931. 이메일 - email

2932. 그림 - painting

2933. 스케치 - sketch

2934. 만화 - comic book

2935. 길 - road

2936. 눈길 - line of vision

2937. 정글 - jungle

2938. 샤워하다 - take a shower

2939. 나는 아침에 샤워했다. - I took a shower in the morning.

2940. 너는 지금 샤워한다. - You shower now.

2941. 그는 저녁에 샤워할 것이다. - He will shower in the evening.

2942. 빨리 할까? - Shall we do it quickly?

2943. 빨리 해. - Do it quickly.

2944. 입다 - To put on

2945. 그녀는 드레스를 입었다. - She put on the dress.

2946. 우리는 유니폼을 입는다. - We wear uniforms.

2947. 당신들은 새 옷을 입을 것이다. - You guys are going to wear new clothes.

2948. 예뻐? - Is it pretty?

2949. 예뻐. - It's pretty.

2950. 벗다 - to take off

2951. 그들은 잠옷을 벗었다. - They took off their pajamas.

2952. 나는 신발을 벗는다. - I take off my shoes.

2953. 너는 코트를 벗을 것이다. - You will take off your coat.

2954. 춥지 않아? - Aren't you cold?

2955. 괜찮아. - I'm fine.

2956. 갈아입다 - to change

2957. 그녀는 파티복으로 갈아입었다. - She changed into her party clothes.

2958. 우리는 운동복으로 갈아입는다. - We will change into our sports clothes.

2959. 당신들은 편안한 옷으로 갈아입을 것이다. - You will change into comfortable clothes.

2960. 빨리 할 수 있어? - Can you do it quickly?

2961. 할 수 있어. - I can do it.

2962. 빗다 - to comb

2963. 나는 머리를 빗었다. - I combed my hair.

2964. 너는 고양이를 빗는다. - You brush the cat.

2965. 그는 말을 빗을 것이다. - He will comb the horse.

2966. 도와줄까? - Do you want me to help you?

2967. 좋아. - Okay.

2968. 꾸미다 - To decorate

2969. 그녀는 방을 꾸몄다. - She decorated her room.

2970. 우리는 트리를 꾸민다. - We decorate the tree.

2971. 당신들은 집을 꾸밀 것이다. - You will decorate the house.

2972. 예쁘게 할까? - Shall we make it pretty?

2973. 그래, 예쁘게. - Yes, prettify.

2974. 단장하다 - to dress up

2975. 그들은 축제에 맞춰 단장했다. - They dressed up for the festival.

2976. 나는 면접에 맞춰 단장한다. - I am dressing up for a job interview.

2977. 너는 결혼식에 맞춰 단장할 것이다. - You will get dressed up for the wedding.

2978. 준비 됐어? - Are you ready?

2979. 됐어. - I'm ready.

2980. 교정하다 - to proofread

2981. 그녀는 문서를 교정했다. - She proofread the document.

2982. 우리는 보고서를 교정한다. - We proofread the report.

2983. 당신들은 이메일을 교정할 것이다. - You guys will proofread the email.

2984. 오류 있어? - Any errors?

2985. 없어. - No.

2986. 채색하다 - To color

2987. 나는 그림에 채색했다. - I colored the picture.

2988. 너는 스케치를 채색한다. - You will color the sketch.

2989. 그는 만화를 채색할 것이다. - He will color the cartoon.

2990. 끝났어? - Are you done?

2991. 거의. - Almost.

2992. 헤치다 - to hedge

2993. 그녀는 길을 헤쳤다. - She hedged her way.

2994. 우리는 눈길을 헤친다. - We plow through the snow.

2995. 당신들은 정글을 헤칠 것이다. - You will make it through the jungle.

2996. 힘들어? - Tough?

2997. 좀 힘들어. - It's a little hard.

2998. 33. 명사 단어들 외우기, 필수 10개 동사의 단어들을 가지고 50문장 연습하기 - 33. Memorize noun words, practice 50 sentences with the words of the 10 essential verbs

2999. 팬케이크 - pancake

3000. 책장 - bookshelf

3001. 매트 - mat

3002. 공원 - park

3003. 해변 - Beach

3004. 산길 - mountain path

3005. 줄넘기 - Jump Rope

3006. 장애물 - obstacle

3007. 역사 - history

3008. 수학 - math

3009. 과학 - science

3010. 기술 - technology

3011. 레시피 - recipe

3012. 노래 - sing

3013. 시 - city

3014. 공식 - official

3015. 단어 - word

3016. 시장 - market

3017. 문화 - culture

3018. 생태계 - ecosystem

3019. 우주 - universe

3020. 인간 마음 - human mind

3021. 심해 - deep sea

3022. 방법 - method

3023. 화학 반응 - chemical reaction

3024. 생물학적 실험 - biological experiment

3025. 제품 - product

3026. 능력 - ability

3027. 뒤집다 - flip

3028. 그들은 팬케이크를 뒤집었다. - They flipped the pancakes.

3029. 나는 책장을 뒤집는다. - I flip the bookshelf.

3030. 너는 매트를 뒤집을 것이다. - You will flip the mat.

3031. 잘 됐어? - Did it go well?

3032. 잘 됐어. - It went well.

3033. 뛰다 - to run

3034. 그녀는 공원을 뛰었다. - She ran through the park.

3035. 우리는 해변을 뛴다. - We ran on the beach.

3036. 당신들은 산길을 뛸 것이다. - You guys will run on the mountain trails.

3037. 피곤해? - Are you tired?

3038. 아니, 괜찮아. - No, I'm fine.

3039. 점프하다 - To jump

3040. 나는 높이 점프했다. - I jumped high.

3041. 너는 줄넘기를 점프한다. - You will jump rope.

3042. 그는 장애물을 점프할 것이다. - He will jump the hurdle.

3043. 할 수 있어? - Can you do it?

3044. 할 수 있어. - I can do it.

3045. 공부하다 - to study

3046. 그녀는 역사를 공부했다. - She studied history.

3047. 우리는 수학을 공부한다. - We study math.

3048. 당신들은 과학을 공부할 것이다. - You guys will study science.

3049. 어려워? - Is it difficult?

3050. 조금 어려워. - A little difficult.

3051. 익히다 - to master

3052. 그들은 새로운 기술을 익혔다. - They mastered a new skill.

3053. 나는 레시피를 익힌다. - I master a recipe.

3054. 너는 노래를 익힐 것이다. - You will master the song.

3055. 쉬워? - Is it easy?

3056. 쉬워. - It's easy.

3057. 암기하다 - To memorize

3058. 그녀는 시를 암기했다. - She memorized the poem.

3059. 우리는 공식을 암기한다. - We memorize formulas.

3060. 당신들은 단어를 암기할 것이다. - You will memorize the words.

3061. 외웠어? - Did you memorize it?

3062. 외웠어. - I memorized it.

3063. 연구하다 - to study

3064. 나는 시장을 연구했다. - I studied the market.

3065. 너는 문화를 연구한다. - You study the culture.

3066. 그는 생태계를 연구할 것이다. - He will study the ecosystem.

3067. 발견했어? - Did you find it?

3068. 발견했어. - I found it.

3069. 탐구하다 - to explore

3070. 그녀는 우주를 탐구했다. - She explored the universe.

3071. 우리는 인간 마음을 탐구한다. - We explore the human mind.

3072. 당신들은 심해를 탐구할 것이다. - You will explore the deep sea.

3073. 무엇을 탐구해? - Explore what?

3074. 심해를 탐구해. - Explore the deep sea.

3075. 실험하다 - to experiment

3076. 나는 새로운 방법을 실험했다. - I experimented with a new method.

3077. 너는 화학 반응을 실험한다. - You will experiment with chemical reactions.

3078. 그는 생물학적 실험을 할 것이다. - He will do a biological experiment.

3079. 성공했어? - Did you succeed?

3080. 네, 성공했어. - Yes, it was successful.

3081. 시험하다 - to test

3082. 그들은 제품을 시험했다. - They tested the product.

3083. 나는 내 능력을 시험한다. - I test my abilities.

3084. 너는 새 기술을 시험할 것이다. - You will test your new skills.

3085. 어때? - How's it going?

3086. 잘 작동해. - It works well.

3087. 34. 명사 단어들 외우기, 필수 10개 동사의 단어들을 가지고 50문장 연습하기 - 34. memorize noun words, practice 50 sentences with the 10 essential verb words

3088. 친구 - friend

3089. 대화 - conversation

3090. 주제 - subject

3091. 세계 평화 - world peace

3092. 팀 - team

3093. 가족 - family

3094. 다국어 - multilingual

3095. 질문 - question

3096. 퀴즈 - Quiz

3097. 인터뷰 질문 - interview questions

3098. 사건 - Event

3099. 독립 기념일 - fourth

3100. 업적 - Achievements

3101. 졸업 - graduate

3102. 승진 - promotion

3103. 생일 - birthday

3104. 영웅 - hero

3105. 역사적 사건 - historical incident

3106. 인물 - Character

3107. 사람 - person

3108. 학생 - student

3109. 노력 - effort

3110. 성취 - achievement

3111. 성공 - success

3112. 실수 - mistake

3113. 부정적 행동 - negative behavior

3114. 불공정 - unfair

3115. 대화하다 - Converse

3116. 그녀는 친구와 깊은 대화를 했다. - She had a deep conversation with her friend.

3117. 우리는 중요한 주제에 대해 대화한다. - We talk about important topics.

3118. 당신들은 세계 평화에 대해 대화할 것이다. - You will talk about world peace.

3119. 흥미로워? - Interesting?

3120. 매우 흥미로워. - Very interesting.

3121. 소통하다 - Communicate

3122. 나는 팀과 효과적으로 소통했다. - I communicated effectively with my team.

3123. 너는 가족과 소통한다. - You communicate with your family.

3124. 그는 다국어로 소통할 것이다. - He will communicate in multiple languages.

3125. 쉬워? - Is it easy?

3126. 노력이 필요해. - It takes effort.

3127. 답하다 - Answer

3128. 그들은 내 질문에 답했다. - They answered my question.

3129. 나는 퀴즈에 답한다. - I answer the quiz.

3130. 너는 인터뷰 질문에 답할 것이다. - You will answer interview questions.

3131. 준비됐어? - Are you ready?

3132. 예, 준비됐어. - Yes, I'm ready.

3133. 기념하다 - to commemorate

3134. 그녀는 중요한 사건을 기념했다. - She commemorated an important event.

3135. 우리는 독립 기념일을 기념한다. - We celebrate Independence Day.

3136. 당신들은 업적을 기념할 것이다. - You will celebrate an achievement.

3137. 언제야? - When is it?

3138. 내일이야. - Tomorrow.

3139. 경축하다 - to celebrate

3140. 나는 졸업을 경축했다. - I celebrated my graduation.

3141. 너는 승진을 경축한다. - You will celebrate your promotion.

3142. 그는 생일을 경축할 것이다. - He will celebrate his birthday.

3143. 파티 할 거야? - Are you going to party?

3144. 그래, 파티할 거야. - Yes, we are going to party.

3145. 추모하다 - To memorialize

3146. 그녀는 영웅을 추모했다. - She memorialized the hero.

3147. 우리는 역사적 사건을 추모한다. - We memorialize historical events.

3148. 당신들은 위대한 인물을 추모할 것이다. - You will memorialize a great person.

3149. 슬픈 날이야? - Is it a sad day?

3150. 네, 매우 슬퍼. - Yes, very sad.

3151. 위로하다 - to console

3152. 나는 친구를 위로했다. - I comforted my friend.

3153. 너는 슬픈 이를 위로한다. - You comfort the sad person.

3154. 그는 가족을 위로할 것이다. - He will comfort his family.

3155. 괜찮아졌어? - Are you feeling better?

3156. 조금 나아졌어. - I'm feeling a little better.

3157. 격려하다 - Encourage

3158. 그들은 서로를 격려했다. - They encouraged each other.

3159. 나는 너를 격려한다. - I encourage you.

3160. 너는 팀을 격려할 것이다. - You will encourage the team.

3161. 힘낼래? - Will you cheer up?

3162. 네, 힘낼게! - Yes, I'll cheer you up!

3163. 칭찬하다 - To praise

3164. 그녀는 학생의 노력을 칭찬했다. - She praised the student's effort.

3165. 우리는 성취를 칭찬한다. - We praise accomplishments.

3166. 당신들은 성공을 칭찬할 것이다. - You will praise your success.

3167. 잘했어? - Did you do well?

3168. 너무 잘했어! - You did so well!

3169. 비난하다 - To criticize

3170. 나는 실수를 비난했다. - I blamed the mistake.

3171. 너는 부정적 행동을 비난한다. - You will condemn negative behavior.

3172. 그는 불공정을 비난할 것이다. - He will condemn the injustice.

3173. 그게 맞아? - Is that right?

3174. 아니, 잘못됐어. - No, it's wrong.

3175. 35. 명사 단어들 외우기, 필수 10개 동사의 단어들을 가지고 50문장 연습하기 - 35. memorize noun words, practice 50 sentences with the 10 essential verb words

3176. 정책 - Policy

3177. 아이디어 - idea

3178. 계획 - plan

3179. 동료 - colleague

3180. 리더 - leader

3181. 파트너 - partner

3182. 경고 - warning

3183. 조언 - advice

3184. 위험 - danger

3185. 변경사항 - Changes

3186. 결정 - decision

3187. 결과 - result

3188. 회의 일정 - meeting schedule

3189. 이벤트 - event

3190. 변경 - change

3191. 데이터 - data

3192. 시스템 - system

3193. 기계 - machine

3194. 스케줄 - schedule

3195. 전략 - strategy

3196. 규칙 - rule

3197. 방침 - policy

3198. 기회 - opportunity

3199. 자원 - resource

3200. 정보 - information

3201. 계약 - contract

3202. 멤버십 - Membership

3203. 라이선스 - Licenses

3204. 비판하다 - Criticize

3205. 그들은 정책을 비판했다. - They criticized the policy.

3206. 나는 아이디어를 비판한다. - I criticize the idea.

3207. 너는 계획을 비판할 것이다. - You will criticize the plan.

3208. 개선 필요해? - Need improvement?

3209. 네, 필요해. - Yes, it needs it.

3210. 신뢰하다 - To trust

3211. 그녀는 동료를 신뢰했다. - She trusted her coworker.

3212. 우리는 리더를 신뢰한다. - We trust our leaders.

3213. 당신들은 파트너를 신뢰할 것이다. - You will trust your partner.

3214. 믿을 수 있어? - Can you trust them?

3215. 물론이야. - Of course.

3216. 주의하다 - To heed

3217. 나는 경고를 주의했다. - I heeded the warning.

3218. 너는 조언을 주의한다. - You heed the advice.

3219. 그는 위험을 주의할 것이다. - He will beware of the danger.

3220. 조심해야 해? - Should I be careful?

3221. 예, 조심해. - Yes, be careful.

3222. 통보하다 - to notify

3223. 그들은 변경사항을 통보했다. - They notified the change.

3224. 나는 결정을 통보한다. - I will inform the decision.

3225. 너는 결과를 통보할 것이다. - You will inform the result.

3226. 알려줄 거야? - Will you inform me?

3227. 네, 알려줄게. - Yes, I will inform you.

3228. 공지하다 - to announce

3229. 그녀는 회의 일정을 공지했다. - She gave notice of the meeting.

3230. 우리는 이벤트를 공지한다. - We will announce the event.

3231. 당신들은 변경을 공지할 것이다. - You will announce the change.

3232. 언제 시작해? - When does it start?

3233. 내일 시작해. - We'll start tomorrow.

3234. 조작하다 - To manipulate

3235. 나는 데이터를 조작했다. - I manipulated the data.

3236. 너는 시스템을 조작한다. - You manipulate the system.

3237. 그는 기계를 조작할 것이다. - He will operate the machine.

3238. 쉬워? - Is it easy?

3239. 아니, 어려워. - No, it's difficult.

3240. 조정하다 - To coordinate

3241. 그들은 계획을 조정했다. - They coordinated their plans.

3242. 나는 스케줄을 조정한다. - I adjust the schedule.

3243. 너는 전략을 조정할 것이다. - You will adjust your strategy.

3244. 변경됐어? - Has it changed?

3245. 네, 변경됐어. - Yes, it's changed.

3246. 적용하다 - Apply

3247. 그녀는 규칙을 적용했다. - She applied the rule.

3248. 우리는 정책을 적용한다. - We apply the policy.

3249. 당신들은 방침을 적용할 것이다. - You will enforce the policy.

3250. 필요해? - Do you need it?

3251. 네, 필요해. - Yes, I need it.

3252. 활용하다 - To utilize

3253. 나는 기회를 활용했다. - I utilized the opportunity.

3254. 너는 자원을 활용한다. - You will utilize resources.

3255. 그는 정보를 활용할 것이다. - He will utilize the information.

3256. 유용해? - Useful?

3257. 매우 유용해. - It's very useful.

3258. 갱신하다 - to renew

3259. 그들은 계약을 갱신했다. - They renewed the contract.

3260. 나는 멤버십을 갱신한다. - I renew my membership.

3261. 너는 라이선스를 갱신할 것이다. - You will renew your license.

3262. 필요한 거야? - Do you need it?

3263. 예, 필요해. - Yes, I need it.

3264. 36. 명사 단어들 외우기, 필수 10개 동사의 단어들을 가지고 50문장 연습하기 - 36. memorize noun words, practice 50 sentences with the 10 essential verb words

3265. 소프트웨어 - software

3266. 시스템 - system

3267. 하드웨어 - hardware

3268. 파일 - file

3269. 아이콘 - icon

3270. 이미지 - image

3271. 그룹 - group

3272. 경로 - Route

3273. 계획 - plan

3274. 위험 - danger

3275. 루틴(습관) - routine (habit)

3276. 지루함 - boredom

3277. 문제 - problem

3278. 책임 - responsibility

3279. 현장 - site

3280. 도둑 - thief

3281. 꿈 - dream

3282. 목표 - target

3283. 고양이 - cat

3284. 행복 - happiness

3285. 성공 - success

3286. 순간 - Moment

3287. 기회 - opportunity

3288. 장면 - scene

3289. 변화 - change

3290. 상황 - situation

3291. 필요 - necessary

3292. 업그레이드하다 - Upgrade

3293. 그녀는 소프트웨어를 업그레이드했다. - She upgraded her software.

3294. 우리는 시스템을 업그레이드한다. - We upgrade the system.

3295. 당신들은 하드웨어를 업그레이드할 것이다. - You guys are going to upgrade the hardware.

3296. 더 좋아질까? - Will it be better?

3297. 분명히 그래. - I'm sure it will.

3298. 드래그하다 - To drag

3299. 나는 파일을 드래그했다. - I dragged a file.

3300. 너는 아이콘을 드래그한다. - You dragged an icon.

3301. 그는 이미지를 드래그할 것이다. - He'll drag images.

3302. 쉬운 일이야? - Is that easy?

3303. 네, 매우 쉬워. - Yes, very easy.

3304. 이탈하다 - Leave

3305. 그들은 그룹에서 이탈했다. - They deviated from the group.

3306. 나는 경로에서 이탈한다. - I deviate from the path.

3307. 너는 계획에서 이탈할 것이다. - You will deviate from the plan.

3308. 계획 변경해? - Change the plan?

3309. 네, 변경해. - Yes, change it.

3310. 탈출하다 - to escape

3311. 그녀는 위험에서 탈출했다. - She escaped from danger.

3312. 우리는 루틴에서 탈출한다. - We escape from the routine.

3313. 당신들은 지루함에서 탈출할 것이다. - You will escape from boredom.

3314. 벗어날 수 있어? - Can you escape?

3315. 예, 벗어날 수 있어. - Yes, you can escape.

3316. 도망치다 - to run away from

3317. 나는 문제에서 도망쳤다. - I run away from problems.

3318. 너는 책임에서 도망친다. - You run away from responsibility.

3319. 그는 현장에서 도망칠 것이다. - He will run away from the scene.

3320. 두려워? - Are you afraid?

3321. 아니, 두렵지 않아. - No, I'm not afraid.

3322. 추격하다 - To chase

3323. 그들은 도둑을 추격했다. - They chased the thief.

3324. 나는 꿈을 추격한다. - I chase dreams.

3325. 너는 목표를 추격할 것이다. - You will chase your goal.

3326. 따라잡을 수 있어? - Can you catch up?

3327. 네, 할 수 있어. - Yes, I can.

3328. 쫓다 - To chase

3329. 그녀는 고양이를 쫓았다. - She chased the cat.

3330. 우리는 행복을 쫓는다. - We chase happiness.

3331. 당신들은 성공을 쫓을 것이다. - You will chase success.

3332. 성공할까? - Will you succeed?

3333. 네, 분명히 성공해. - Yes, you will definitely succeed.

3334. 포착하다 - to seize

3335. 나는 순간을 포착했다. - I seized the moment.

3336. 너는 기회를 포착한다. - You seize the opportunity.

3337. 그는 장면을 포착할 것이다. - He will capture the scene.

3338. 멋진 사진이야? - Is that a nice photo?

3339. 네, 정말 멋져. - Yes, it's really nice.

3340. 감지하다 - To sense

3341. 나는 변화를 감지했다. - I sensed a change.

3342. 너는 위험을 감지한다. - You sense danger.

3343. 그는 기회를 감지할 것이다. - He will sense an opportunity.

3344. 뭔가 느껴져? - Do you feel something?

3345. 네, 뭔가 느껴져. - Yes, I sense something.

3346. 인지하다 - to perceive

3347. 그녀는 문제를 인지했다. - She perceived a problem.

3348. 우리는 상황을 인지한다. - We perceive a situation.

3349. 당신들은 필요를 인지할 것이다. - You will recognize the need.

3350. 알고 있어? - Do you recognize?

3351. 네, 알고 있어. - Yes, I am aware.

3352. 37. 명사 단어들 외우기, 필수 10개 동사의 단어들을 가지고 50문장 연습하기 - 37. Memorize noun words, practice 50 sentences with the 10 essential verb words

3353. 핵심 - core

3354. 진실 - truth

3355. 해결책 - solution

3356. 발표 - presentation

3357. 기타 - etc

3358. 스피치(말) - speech (words)

3359. 영어 - english

3360. 코딩 - coding

3361. 요리 - cooking

3362. 게임 - game

3363. 악기 - instrument

3364. 기술 - technology

3365. 환경 - environment

3366. 변화 - change

3367. 도전 - challenge

3368. 규칙 - rule

3369. 조건 - condition

3370. 기준 - standard

3371. 칼 - knife

3372. 배트 - bat

3373. 막대기 - bar

3374. 공 - ball

3375. 종이비행기 - paper airplane

3376. 주사위 - dice

3377. 손 - hand

3378. 기회 - opportunity

3379. 아기 - baby

3380. 강아지 - puppy

3381. 책 - book

3382. 파악하다 - grasp

3383. 우리는 핵심을 파악했다. - We grasp the core.

3384. 당신들은 진실을 파악한다. - You guys grasp the truth.

3385. 그들은 해결책을 파악할 것이다. - They'll figure out the solution.

3386. 이해했어? - Do you understand?

3387. 네, 이해했어. - Yes, I understand.

3388. 연습하다 - Practice

3389. 나는 발표를 연습했다. - I practiced my presentation.

3390. 너는 기타를 연습한다. - You practice the guitar.

3391. 그는 스피치를 연습할 것이다. - He will practice his speech.

3392. 열심히 하고 있니? - Are you practicing hard?

3393. 응, 열심히 해. - Yes, I'm practicing hard.

3394. 숙달하다 - to master

3395. 그녀는 영어를 숙달했다. - She has mastered English.

3396. 우리는 코딩을 숙달한다. - We master coding.

3397. 당신들은 요리를 숙달할 것이다. - You guys will master cooking.

3398. 잘하게 됐어? - Did you get good at it?

3399. 네, 잘하게 됐어. - Yes, I've mastered it.

3400. 마스터하다 - to master

3401. 우리는 게임을 마스터했다. - We mastered the game.

3402. 당신들은 악기를 마스터한다. - You master an instrument.

3403. 그들은 기술을 마스터할 것이다. - They will master a skill.

3404. 전문가야? - Are you an expert?

3405. 네, 전문가야. - Yes, they're experts.

3406. 적응하다 - Adapt

3407. 나는 새 환경에 적응했다. - I adapted to the new environment.

3408. 너는 변화에 적응한다. - You adapt to change.

3409. 그는 도전에 적응할 것이다. - He will adapt to the challenge.

3410. 괜찮아지고 있어? - Are you getting better?

3411. 네, 괜찮아지고 있어. - Yes, I'm getting better.

3412. 순응하다 - to conform

3413. 그녀는 규칙에 순응했다. - She conformed to the rules.

3414. 우리는 조건에 순응한다. - We conform to the conditions.

3415. 당신들은 기준에 순응할 것이다. - You will conform to the standards.

3416. 쉽게 따라가? - You follow easily?

3417. 응, 쉽게 따라가. - Yes, I follow easily.

3418. 휘두르다 - to wield

3419. 나는 칼을 휘둘렀다. - I wielded a sword.

3420. 너는 배트를 휘두른다. - You swing the bat.

3421. 그는 막대기를 휘두를 것이다. - He will swing a stick.

3422. 잘 할 수 있어? - Can you do it well?

3423. 네, 잘 할 수 있어. - Yes, I can do it well.

3424. 던지다 - to throw

3425. 그녀는 공을 던졌다. - She threw the ball.

3426. 우리는 종이비행기를 던진다. - We throw paper airplanes.

3427. 당신들은 주사위를 던질 것이다. - You will throw the dice.

3428. 멀리 갈까? - Will it go far?

3429. 응, 멀리 갈 거야. - Yes, it will go far.

3430. 잡다 - to catch

3431. 그는 공을 잡았다. - He caught the ball.

3432. 너는 손을 잡는다. - You hold hands.

3433. 그녀는 기회를 잡을 것이다. - She will take a chance.

3434. 공 잡을래? - Will you catch the ball?

3435. 네, 잡을게. - Yes, I'll catch it.

3436. 눕히다 - to lay down

3437. 나는 아기를 눕혔다. - I put the baby down.

3438. 우리는 강아지를 눕힌다. - We put the puppy down.

3439. 당신들은 책을 눕힐 것이다. - You will put the book down.

3440. 아기 재울래? - Do you want to put the baby to bed?

3441. 네, 지금 할게. - Yes, I'll do it now.

3442. 38. 명사 단어들 외우기, 필수 10개 동사의 단어들을 가지고 50문장 연습하기 - 38. memorize noun words, practice 50 sentences with the 10 essential verb words

3443. 인형 - doll

3444. 모형 - model

3445. 자전거 - bicycle

3446. 음식 - food

3447. 책 - book

3448. 차 - car

3449. 창문 - window

3450. 문 - door

3451. 상자 - Box

3452. 가방 - bag

3453. 불 - fire

3454. 컴퓨터 - computer

3455. 텔레비전 - television

3456. 라디오 - radio

3457. 등 - etc.

3458. 엔진 - engine

3459. 방 - room

3460. 길 - road

3461. 화면 - screen

3462. 눈 - eye

3463. 그림 - painting

3464. 감정 - emotion

3465. 실력 - skill

3466. 성과 - result

3467. 세우다 - set up

3468. 그녀는 인형을 세웠다. - She set up the doll.

3469. 그들은 모형을 세운다. - They set up a model.

3470. 나는 자전거를 세울 것이다. - I will set up a bicycle.

3471. 모형 세울까? - Shall we set up a model?

3472. 좋아, 세우자. - Okay, let's set it up.

3473. 덮다 - to cover

3474. 우리는 음식을 덮었다. - We covered the food.

3475. 당신은 책을 덮는다. - You cover the book.

3476. 그들은 차를 덮을 것이다. - They will cover the car.

3477. 이불 덮을래? - Do you want to cover the quilt?

3478. 아니, 괜찮아. - No, it's fine.

3479. 열다 - to open

3480. 그녀는 창문을 열었다. - She opened the window.

3481. 나는 문을 연다. - I open the door.

3482. 우리는 상자를 열 것이다. - We will open the box.

3483. 문 열까? - Shall I open the door?

3484. 네, 열어줘. - Yes, open it for me.

3485. 닫다 - To close

3486. 그는 책을 닫았다. - He closed the book.

3487. 그녀는 상자를 닫는다. - She closes the box.

3488. 너는 가방을 닫을 것이다. - You will close the bag.

3489. 창문 닫을래? - Will you close the window?

3490. 네, 닫을게. - Yes, I'll close it.

3491. 켜다 - To turn on

3492. 우리는 불을 켰다. - We turned on the light.

3493. 당신들은 컴퓨터를 켠다. - You guys turn on the computer.

3494. 그들은 텔레비전을 켤 것이다. - They'll turn on the television.

3495. 불 켤까? - Shall we turn on the light?

3496. 좋아, 켜자. - Okay, let's turn it on.

3497. 끄다 - turn off

3498. 나는 라디오를 껐다. - I turned off the radio.

3499. 그녀는 등을 끈다. - She turned off the lights.

3500. 그는 차의 엔진을 끌 것이다. - He will turn off the car's engine.

3501. 등 끌래? - Do you want to turn off the light?

3502. 네, 끌게. - Yes, I'll turn it off.

3503. 밝히다 - to light up

3504. 그녀는 방을 밝혔다. - She lit up the room.

3505. 우리는 등을 밝힌다. - We light the lights.

3506. 당신들은 길을 밝힐 것이다. - You will light the way.

3507. 더 밝게 할까? - Shall we make it brighter?

3508. 그래, 좋아. - Yes, okay.

3509. 어둡게 하다 - To darken

3510. 그는 화면을 어둡게 했다. - He darkened the screen.

3511. 너는 방을 어둡게 한다. - You darken the room.

3512. 그녀는 불빛을 어둡게 할 것이다. - She will dim the lights.

3513. 조명 낮출까? - Do you want me to dim the lights?

3514. 네, 부탁해. - Yes, please.

3515. 가리다 - to cover

3516. 나는 눈을 가렸다. - I covered my eyes.

3517. 우리는 창문을 가린다. - We cover the windows.

3518. 그들은 그림을 가릴 것이다. - They will cover the painting.

3519. 이걸로 가릴까? - Shall we cover it with this?

3520. 좋아, 그게 좋겠어. - Okay, that would be good.

3521. 보이다 - Show

3522. 그녀는 감정을 보였다. - She showed emotion.

3523. 그는 실력을 보인다. - He shows skill.

3524. 너는 성과를 보일 것이다. - You will show performance.

3525. 잘 보였어? - Did I look good?

3526. 응, 완벽해. - Yes, it's perfect.

3527. 39. 명사 단어들 외우기, 필수 10개 동사의 단어들을 가지고 50문장 연습

하기 - 39. memorize noun words, practice 50 sentences with the words of the 10 essential verbs

3528. 요리 - cooking

3529. 음료 - beverage

3530. 디저트 - dessert

3531. 천 - cloth

3532. 표면 - surface

3533. 소재 - Material

3534. 마음 - mind

3535. 주제 - subject

3536. 문제 - problem

3537. 피아노 - piano

3538. 드럼 - drum

3539. 기타 - etc

3540. 문 - door

3541. 탁자 - table

3542. 어깨 - shoulder

3543. 벌레 - bug

3544. 머리 - head

3545. 등 - etc.

3546. 눈 - eye

3547. 손 - hand

3548. 팔 - eight

3549. 창문 - window

3550. 거울 - mirror

3551. 바닥 - floor

3552. 마당 - yard

3553. 길 - road

3554. 침대 - bed

3555. 소파 - Sofa

3556. 해먹 - hammock

3557. 맛보다 - Taste

3558. 우리는 새로운 요리를 맛보았다. - We tasted a new dish.

3559. 당신들은 음료를 맛본다. - You taste a drink.

3560. 그들은 디저트를 맛볼 것이다. - They will taste the dessert.

3561. 맛 좀 볼래? - Would you like a taste?

3562. 네, 감사해. - Yes, thank you.

3563. 만지다 - to touch

3564. 그는 부드러운 천을 만졌다. - He touched the soft cloth.

3565. 그녀는 표면을 만진다. - She touches the surface.

3566. 나는 새로운 소재를 만질 것이다. - I'm going to touch a new material.

3567. 이거 만져도 돼? - Can I touch this?

3568. 네, 괜찮아. - Yes, it's okay.

3569. 건드리다 - to touch

3570. 나는 그의 마음을 건드렸다. - I touched his heart.

3571. 우리는 주제를 건드린다. - We touch on a topic.

3572. 당신들은 문제를 건드릴 것이다. - You will touch on the issue.

3573. 이걸 건드려도 될까? - Can I touch this?

3574. 아니, 말아줘. - No, please don't.

3575. 치다 - to strike

3576. 그녀는 피아노를 쳤다. - She played the piano.

3577. 그는 드럼을 친다. - He plays the drums.

3578. 너는 기타를 칠 것이다. - You will play the guitar.

3579. 음악 칠까? - Shall we play music?

3580. 좋아, 시작해. - Okay, go ahead.

3581. 두드리다 - To knock

3582. 그녀는 문을 두드렸다. - She knocked on the door.

3583. 우리는 탁자를 두드린다. - We knock on the table.

3584. 그들은 어깨를 두드릴 것이다. - They will tap you on the shoulder.

3585. 더 두드려 볼까? - Shall we knock some more?

3586. 아니, 됐어. - No, thanks.

3587. 긁다 - Scratch

3588. 나는 벌레 물린 곳을 긁었다. - I scratched the insect bite.

3589. 그는 머리를 긁는다. - He scratches his head.

3590. 그녀는 등을 긁을 것이다. - She will scratch her back.

3591. 여기 긁어줄까? - Do you want me to scratch here?

3592. 네, 부탁해. - Yes, please.

3593. 문지르다 - to rub

3594. 그녀는 눈을 문질렀다. - She rubbed her eyes.

3595. 우리는 손을 문지른다. - We rub hands.

3596. 너는 팔을 문지를 것이다. - You will rub your arm.

3597. 더 문지를까? - Shall we rub some more?

3598. 아니, 괜찮아. - No, it's okay.

3599. 닦다 - to wipe

3600. 그는 창문을 닦았다. - He wiped the window.

3601. 그녀는 거울을 닦는다. - She wipes the mirror.

3602. 우리는 바닥을 닦을 것이다. - We will mop the floor.

3603. 이제 닦을까? - Shall we mop now?

3604. 좋아, 해줘. - Okay, do it.

3605. 쓸다 - To sweep

3606. 나는 바닥을 쓸었다. - I swept the floor.

3607. 당신들은 마당을 쓴다. - You guys sweep the yard.

3608. 그들은 길을 쓸 것이다. - They will sweep the path.

3609. 계속 쓸까? - Shall I keep sweeping?

3610. 네, 계속해. - Yes, keep going.

3611. 눕다 - to lie down

3612. 그녀는 침대에 누웠다. - She lay down on the bed.

3613. 너는 소파에 눕는다. - You lie down on the couch.

3614. 그는 해먹에 누울 것이다. - He will lie down in the hammock.

3615. 이제 누울까? - Shall we lie down now?

3616. 응, 편해. - Yes, I'm comfortable.

3617. 40. 명사 단어들 외우기, 필수 10개 동사의 단어들을 가지고 50문장 연습하기 - 40. memorize noun words, practice 50 sentences with the words of the 10 essential verbs

3618. 새벽 - dawn

3619. 잠 - sleep

3620. 꿈 - dream

3621. 손 - hand

3622. 얼굴 - face

3623. 발 - foot

3624. 물 - water

3625. 샤워 - shower

3626. 아이 - kid

3627. 친구 - friend

3628. 사람 - person

3629. 기금 - fund

3630. 옷 - clothes

3631. 돈 - money

3632. 책 - book

3633. 장난감 - toy

3634. 컴퓨터 - computer

3635. 프로젝트 - project

3636. 학생 - student

3637. 이벤트 - event

3638. 깨다 - Wake up

3639. 우리는 새벽에 깼다. - We woke up at dawn.

3640. 그는 잠에서 깬다. - He wakes up from sleep.

3641. 그녀는 꿈에서 깰 것이다. - She will wake up from her dream.

3642. 벌써 깼어? - Are you awake already?

3643. 아니, 아직이야. - No, not yet.

3644. 잠들다 - To fall asleep

3645. 그는 빠르게 잠들었다. - He fell asleep quickly.

3646. 그녀는 조용히 잠든다. - She falls asleep quietly.

3647. 우리는 일찍 잠들 것이다. - We will go to sleep early.

3648. 잘 수 있을까? - Can you sleep?

3649. 응, 잘 수 있어. - Yes, I can sleep.

3650. 씻다 - to wash

3651. 나는 얼굴을 씻었다. - I washed my face.

3652. 당신들은 손을 씻는다. - You wash your hands.

3653. 그들은 발을 씻을 것이다. - They will wash their feet.

3654. 손 씻었어? - Did you wash your hands?

3655. 네, 씻었어. - Yes, I washed them.

3656. 목욕하다 - to bathe

3657. 그녀는 긴 목욕을 했다. - She took a long bath.

3658. 우리는 따뜻한 물에 목욕한다. - We bathe in warm water.

3659. 너는 편안하게 목욕할 것이다. - You will have a relaxing bath.

3660. 목욕할 시간이야? - Is it time for a bath?

3661. 그래, 지금이야. - Yes, it is now.

3662. 샤워하다 - to take a shower

3663. 그는 아침에 샤워했다. - He took a shower in the morning.

3664. 그녀는 빠르게 샤워한다. - She takes a quick shower.

3665. 우리는 저녁에 샤워할 것이다. - We will shower in the evening.

3666. 샤워 해야 하나? - Should I take a shower?

3667. 응, 해야 해. - Yes, I have to.

3668. 달래다 - to soothe

3669. 나는 울고 있는 아이를 달랬다. - I soothed the crying child.

3670. 그는 친구를 달랜다. - He will comfort his friend.

3671. 그녀는 슬픈 사람을 달랠 것이다. - She will comfort the sad person.

3672. 조금 달랠까? - Shall I soothe her?

3673. 네, 부탁해. - Yes, please.

3674. 미소짓다 - to smile

3675. 그녀는 따뜻하게 미소지었다. - She smiled warmly.

3676. 우리는 서로에게 미소짓는다. - We smile at each other.

3677. 너는 행복을 느끼며 미소질 것이다. - You smile with happiness.

3678. 미소질래? - Will you smile?

3679. 응, 물론이지. - Yes, of course.

3680. 기부하다 - to donate

3681. 그녀는 기금을 기부했다. - She donated the funds.

3682. 우리는 옷을 기부한다. - We donate clothes.

3683. 당신들은 돈을 기부할 것이다. - You guys will donate money.

3684. 기부 할래? - Do you want to donate?

3685. 네, 할래. - Yes, I'll do it.

3686. 기증하다 - to donate

3687. 나는 책을 기증했다. - I donated the books.

3688. 너는 장난감을 기증한다. - You will donate a toy.

3689. 그는 컴퓨터를 기증할 것이다. - He will donate his computer.

3690. 책 줄까? - Shall I give him the book?

3691. 네, 줘. - Yes, give it.

3692. 후원하다 - To sponsor

3693. 그들은 프로젝트를 후원했다. - They sponsored the project.

3694. 나는 학생을 후원한다. - I sponsor a student.

3695. 너는 이벤트를 후원할 것이다. - You will sponsor an event.

3696. 후원할래? - Do you want to sponsor?

3697. 네, 할래. - Yes, I will.

3698. 41. 명사 단어들 외우기, 필수 10개 동사의 단어들을 가지고 50문장 연습하기 - 41. memorize noun words, practice 50 sentences with the 10 essential verb words

3699. 친구 - friend

3700. 팀 - team

3701. 프로그램 - program

3702. 동료 - colleague

3703. 파트너 - partner

3704. 조직 - group

3705. 목표 - target

3706. 커뮤니티 - community

3707. 회의 - meeting

3708. 워크숍(공동 연수) - Workshop (joint training)

3709. 세미나 - seminar

3710. 파티 - party

3711. 모임 - class

3712. 이벤트 - event

3713. 프로젝트 - project

3714. 논의 - Argument

3715. 결정 - decision

3716. 분쟁 - dispute

3717. 협상 - Negotiation

3718. 문제해결 - problem solving

3719. 대화 - conversation

3720. 논쟁 - arguement

3721. 계획 - plan

3722. 작업 - work

3723. 집중 - Concentration

3724. 싸움 - fight

3725. 오해 - misunderstanding

3726. 지원하다 - Support

3727. 그녀는 친구를 지원했다. - She supported her friend.

3728. 우리는 팀을 지원한다. - We support the team.

3729. 당신들은 프로그램을 지원할 것이다. - You will support the program.

3730. 도울까? - Do you want to help?

3731. 네, 도와줘. - Yes, help me.

3732. 협력하다 - To cooperate

3733. 나는 동료와 협력했다. - I collaborated with a coworker.

3734. 너는 파트너와 협력한다. - You cooperate with your partner.

3735. 그는 조직과 협력할 것이다. - He will cooperate with the organization.

3736. 같이 할래? - Do you want to join us?

3737. 네, 할래. - Yes, I'll do it.

3738. 협동하다 - To cooperate

3739. 그들은 공동의 목표를 위해 협동했다. - They cooperated for a common goal.

3740. 나는 팀과 협동한다. - I collaborate with the team.

3741. 너는 커뮤니티와 협동할 것이다. - You will collaborate with the community.

3742. 협력할까? - Shall we cooperate?

3743. 네, 해. - Yes, I will.

3744. 참석하다 - to attend

3745. 그녀는 회의에 참석했다. - She attended the meeting.

3746. 우리는 워크숍에 참석한다. - We will attend the workshop.

3747. 당신들은 세미나에 참석할 것이다. - You will attend the seminar.

3748. 갈까? - Shall we go?

3749. 네, 가자. - Yes, let's go.

3750. 불참하다 - To be absent

3751. 나는 파티에 불참했다. - I didn't attend the party.

3752. 너는 모임에 불참한다. - You will miss the meeting.

3753. 그는 이벤트에 불참할 것이다. - He will be absent from the event.

3754. 안 갈래? - Don't you want to go?

3755. 네, 안 갈래. - No, I'm not going.

3756. 관여하다 - To be involved in

3757. 그들은 프로젝트에 관여했다. - They were involved in the project.

3758. 나는 논의에 관여한다. - I am involved in the discussion.

3759. 너는 결정에 관여할 것이다. - You will be involved in the decision.

3760. 참여할래? - Will you be involved?

3761. 네, 할래. - Yes, I'll do it.

3762. 개입하다 - to intervene

3763. 그녀는 분쟁에 개입했다. - She intervened in the dispute.

3764. 우리는 협상에 개입한다. - We intervene in the negotiation.

3765. 당신들은 문제해결에 개입할 것이다. - You will intervene in the problem.

3766. 도울까? - Shall I help?

3767. 네, 도와줘. - Yes, help me.

3768. 참견하다 - to intervene

3769. 나는 그들의 대화에 참견했다. - I interjected into their conversation.

3770. 너는 논쟁에 참견한다. - You meddle in the argument.

3771. 그는 계획에 참견할 것이다. - He will meddle in the plan.

3772. 끼어들까? - Shall I interrupt?

3773. 아니, 말아줘. - No, please don't.

3774. 방해하다 - to interrupt

3775. 그들은 작업을 방해했다. - They interrupted the work.

3776. 나는 집중을 방해한다. - I am a distraction.

3777. 너는 회의를 방해할 것이다. - You will disrupt the meeting.

3778. 멈출까? - Shall we stop?

3779. 네, 멈춰. - Yes, stop.

3780. 저지하다 - to thwart

3781. 그녀는 계획을 저지했다. - She thwarted the plan.

3782. 우리는 싸움을 저지한다. - We will stop the fight.

3783. 당신들은 오해를 저지할 것이다. - You will stop the misunderstanding.

3784. 막을까? - Stop?

3785. 네, 막아. - Yes, stop.

3786. 42. 명사 단어들 외우기, 필수 10개 동사의 단어들을 가지고 50문장 연습하기 - 42. memorize noun words, practice 50 sentences with the 10 essential verb words

3787. 길 - road

3788. 진입 - enter

3789. 문제 - problem

3790. 출구 - exit

3791. 소리 - sound

3792. 소음 - noise

3793. 광고 - advertisement

3794. 속도 - speed

3795. 사용 - use

3796. 접근 - Access

3797. 시간 - hour

3798. 조건 - condition

3799. 선택 - select

3800. 가능성 - Possibility

3801. 규칙 - rule

3802. 행동 - action

3803. 자유 - freedom

3804. 감정 - emotion

3805. 충동 - impulse

3806. 성장 - growth

3807. 정보 - information

3808. 사실 - actually

3809. 증거 - evidence

3810. 패턴 - pattern

3811. 위험 - danger

3812. 기회 - opportunity

3813. 상황 - situation

3814. 개념 - concept

3815. 진실 - truth

3816. 중요성 - importance

3817. 가치 - value

3818. 막다 - Block

3819. 그는 길을 막았다. - He blocked the way.

3820. 그녀는 진입을 막는다. - She blocks the entry.

3821. 우리는 문제를 막을 것이다. - We will stop the problem.

3822. 출구 막혔나요? - Is the exit blocked?

3823. 네, 막혔어요. - Yes, it's blocked.

3824. 차단하다 - To block

3825. 그녀는 소리를 차단했다. - She blocked the sound.

3826. 우리는 소음을 차단한다. - We will block the noise.

3827. 당신들은 광고를 차단할 것이다. - You will block the ads.

3828. 소음 차단 됐나요? - Is the noise blocked?

3829. 네, 됐어요. - Yes, we're good.

3830. 제한하다 - to limit

3831. 그는 속도를 제한했다. - He limited his speed.

3832. 그녀는 사용을 제한한다. - She limits her use.

3833. 우리는 접근을 제한할 것이다. - We will restrict access.

3834. 시간 제한 있나요? - Is there a time limit?

3835. 네, 있어요. - Yes, there is.

3836. 제약하다 - to constrain

3837. 그녀는 조건을 제약했다. - She constrained the conditions.

3838. 우리는 선택을 제약한다. - We constrain the choice.

3839. 당신들은 가능성을 제약할 것이다. - You will constrain the possibilities.

3840. 조건 제약 있나요? - Do you constrain conditions?

3841. 네, 있어요. - Yes, there are.

3842. 구속하다 - to constrain

3843. 그는 규칙을 구속했다. - He constrained the rules.

3844. 그녀는 행동을 구속한다. - She constrains behavior.

3845. 우리는 자유를 구속할 것이다. - We will constrain freedom.

3846. 자유 구속됐나요? - Redeemed freedom?

3847. 네, 됐어요. - Yes, that's it.

3848. 억제하다 - to restrain

3849. 그녀는 감정을 억제했다. - She restrained her emotions.

3850. 우리는 충동을 억제한다. - We will restrain impulses.

3851. 당신들은 성장을 억제할 것이다. - You will inhibit your growth.

3852. 감정 억제되나요? - Do you suppress your emotions?

3853. 네, 되요. - Yes, they are.

3854. 검증하다 - to verify

3855. 그는 정보를 검증했다. - He verified the information.

3856. 그녀는 사실을 검증한다. - She verifies the facts.

3857. 우리는 증거를 검증할 것이다. - We will verify the evidence.

3858. 사실 검증됐나요? - Did you verify the facts?

3859. 네, 됐어요. - Yes, it's okay.

3860. 식별하다 - Identify

3861. 그녀는 패턴을 식별했다. - She identified a pattern.

3862. 우리는 위험을 식별한다. - We identify risks.

3863. 당신들은 기회를 식별할 것이다. - You guys will identify opportunities.

3864. 위험 식별됐나요? - Risk identified?

3865. 네, 됐어요. - Yes, we're good.

3866. 이해하다 - Understand

3867. 그는 문제를 이해했다. - He understands the problem.

3868. 그녀는 상황을 이해한다. - She understands the situation.

3869. 우리는 개념을 이해할 것이다. - We will understand the concept.

3870. 상황 이해돼요? - Do you understand the situation?

3871. 네, 이해돼요. - Yes, I understand.

3872. 깨닫다 - to realize

3873. 그녀는 진실을 깨달았다. - She realized the truth.

3874. 우리는 중요성을 깨닫는다. - We realize the importance.

3875. 당신들은 가치를 깨달을 것이다. - You will realize the value.

3876. 진실 깨달았나요? - Did you realize the truth?

3877. 네, 깨달았어요. - Yes, I realized it.

3878. 43. 명사 단어들 외우기, 필수 10개 동사의 단어들을 가지고 50문장 연습하기 - 43. memorize noun words, practice 50 sentences with the words of the 10 essential verbs

3879. 변화 - change

3880. 실수 - mistake

3881. 기회 - opportunity

3882. 규칙 - rule

3883. 세부사항 - Detail

3884. 절차 - procedure

3885. 기술 - technology

3886. 발표 - presentation

3887. 공연 - show

3888. 언어 - language

3889. 전략 - strategy

3890. 게임 - game

3891. 악기 - instrument

3892. 분야 - Field

3893. 집 - house

3894. 프로젝트 - project

3895. 시스템 - system

3896. 팀 - team

3897. 네트워크 - network

3898. 관계 - relationship

3899. 영상 - video

3900. 콘텐츠 - contents

3901. 제품 - product

3902. 물건 - thing

3903. 아이디어 - idea

3904. 에너지 - energy

3905. 기계 - machine

3906. 시설 - facility

3907. 알아차리다 - notice

3908. 그는 변화를 알아차렸다. - He noticed the change.

3909. 그녀는 실수를 알아차린다. - She notices mistakes.

3910. 우리는 기회를 알아차릴 것이다. - We will recognize the opportunity.

3911. 실수 알아차렸나요? - Did you notice the mistake?

3912. 네, 알아차렸어요. - Yes, I noticed it.

3913. 숙지하다 - To be familiar with

3914. 그녀는 규칙을 숙지했다. - She familiarized herself with the rules.

3915. 우리는 세부사항을 숙지한다. - We familiarize ourselves with the details.

3916. 당신들은 절차를 숙지할 것이다. - You will familiarize yourself with the procedure.

3917. 규칙 숙지됐나요? - Do you know the rules?

3918. 네, 숙지됐어요. - Yes, I have it down.

3919. 연습하다 - to practice

3920. 그는 기술을 연습했다. - He practiced the technique.

3921. 그녀는 발표를 연습한다. - She practiced her presentation.

3922. 우리는 공연을 연습할 것이다. - We will rehearse the performance.

3923. 발표 연습했나요? - Did you practice your presentation?

3924. 네, 연습했어요. - Yes, we practiced.

3925. 숙달하다 - to master

3926. 그녀는 언어를 숙달했다. - She has mastered the language.

3927. 우리는 기술을 숙달한다. - We master a skill.

3928. 당신들은 전략을 숙달할 것이다. - You will master the strategy.

3929. 기술 숙달됐나요? - Have you mastered the skill?

3930. 네, 숙달됐어요. - Yes, I've mastered it.

3931. 마스터하다 - to master

3932. 그는 게임을 마스터했다. - He mastered the game.

3933. 그녀는 악기를 마스터한다. - She masters the instrument.

3934. 우리는 분야를 마스터할 것이다. - We will master the discipline.

3935. 악기 마스터했나요? - Did you master the instrument?

3936. 네, 마스터했어요. - Yes, I mastered it.

3937. 설계하다 - To design

3938. 그녀는 집을 설계했다. - She designed the house.

3939. 우리는 프로젝트를 설계한다. - We will design a project.

3940. 당신들은 시스템을 설계할 것이다. - You will design a system.

3941. 프로젝트 설계됐나요? - Is the project designed?

3942. 네, 설계됐어요. - Yes, it's designed.

3943. 구축하다 - To build

3944. 그는 팀을 구축했다. - He built a team.

3945. 그녀는 네트워크를 구축한다. - She builds a network.

3946. 우리는 관계를 구축할 것이다. - We will build a relationship.

3947. 네트워크 구축됐나요? - Is the network built?

3948. 네, 구축됐어요. - Yes, it's built.

3949. 제작하다 - Produce

3950. 그녀는 영상을 제작했다. - She produced a video.

3951. 우리는 콘텐츠를 제작한다. - We will produce content.

3952. 당신들은 제품을 제작할 것이다. - You guys are going to build a product.

3953. 콘텐츠 제작됐나요? - Is the content built?

3954. 네, 제작됐어요. - Yes, it was produced.

3955. 생산하다 - to produce

3956. 그는 물건을 생산했다. - He produced things.

3957. 그녀는 아이디어를 생산한다. - She produces ideas.

3958. 우리는 에너지를 생산할 것이다. - We will produce energy.

3959. 아이디어 생산되나요? - Are ideas produced?

3960. 네, 생산돼요. - Yes, they are produced.

3961. 보수하다 - To repair

3962. 그녀는 집을 보수했다. - She repaired the house.

3963. 우리는 기계를 보수한다. - We repair machines.

3964. 당신들은 시설을 보수할 것이다. - You will refurbish the facility.

3965. 기계 보수됐나요? - Is the machine repaired?

3966. 네, 보수됐어요. - Yes, it has been repaired.

3967. 44. 명사 단어들 외우기, 필수 10개 동사의 단어들을 가지고 50문장 연습하기 - 44. memorize noun words, practice 50 sentences with the 10 essential verb words

3968. 차 - car

3969. 장비 - equipment

3970. 시스템 - system

3971. 창문 - window

3972. 바닥 - floor

3973. 가구 - furniture

3974. 마당 - yard

3975. 방 - room

3976. 거리 - distance

3977. 테이블 - table

3978. 유리 - glass

3979. 집 - house

3980. 축제 - festival

3981. 풍경 - sight

3982. 아이디어 - idea

3983. 디자인 - design

3984. 옷 - clothes

3985. 웹사이트 - Website

3986. 앱 - app

3987. 나무 - tree

3988. 돌 - rock

3989. 얼음 - ice

3990. 시 - city

3991. 음악 - music

3992. 이야기 - story

3993. 산 - mountain

3994. 계단 - stairs

3995. 봉우리 - peaks

3996. 정비하다 - maintain

3997. 그는 차를 정비했다. - He serviced his car.

3998. 그녀는 장비를 정비한다. - She maintains the equipment.

3999. 우리는 시스템을 정비할 것이다. - We will overhaul the system.

4000. 장비 정비됐나요? - Has the equipment been serviced?

4001. 네, 정비됐어요. - Yes, it's been serviced.

4002. 닦다 - to wipe

4003. 그녀는 창문을 닦았다. - She washed the windows.

4004. 우리는 바닥을 닦는다. - We mop the floor.

4005. 당신들은 가구를 닦을 것이다. - You guys will polish the furniture.

4006. 바닥 닦았나요? - Did you mop the floor?

4007. 네, 닦았어요. - Yes, I mopped it.

4008. 쓸다 - To sweep

4009. 그는 마당을 쓸었다. - He swept the yard.

4010. 그녀는 방을 쓴다. - She sweeps the room.

4011. 우리는 거리를 쓸 것이다. - We will sweep the street.

4012. 방 쓸었나요? - Did you sweep the room?

4013. 네, 쓸었어요. - Yes, I swept it.

4014. 문지르다 - to rub

4015. 그녀는 테이블을 문지렀다. - She scrubbed the table.

4016. 우리는 유리를 문지른다. - We scrubbed the glass.

4017. 당신들은 바닥을 문지를 것이다. - You guys will scrub the floor.

4018. 유리 문지렀나요? - Did you rub the glass?

4019. 네, 문지렀어요. - Yes, I rubbed it.

4020. 장식하다 - to decorate

4021. 그녀는 방을 장식했다. - She decorated the room.

4022. 우리는 집을 장식한다. - We decorate the house.

4023. 당신들은 축제를 장식할 것이다. - You will decorate the festival.

4024. 장식 좋아해? - Do you like decorating?

4025. 네, 좋아해. - Yes, I like it.

4026. 스케치하다 - to sketch

4027. 그는 풍경을 스케치했다. - He sketched the landscape.

4028. 우리는 아이디어를 스케치한다. - We sketch ideas.

4029. 그들은 새로운 디자인을 스케치할 것이다. - They will sketch a new design.

4030. 그림 그리기 좋아해? - Do you like to draw?

4031. 응, 좋아해. - Yes, I like it.

4032. 디자인하다 - to design

4033. 그녀는 옷을 디자인했다. - She designed the clothes.

4034. 우리는 웹사이트를 디자인한다. - We design websites.

4035. 당신들은 새로운 앱을 디자인할 것이다. - You guys are going to design a new app.

4036. 디자인 재밌어? - Is design fun?

4037. 네, 재밌어. - Yes, it's fun.

4038. 조각하다 - to carve

4039. 그는 나무를 조각했다. - He carved wood.

4040. 우리는 돌을 조각한다. - We carve stone.

4041. 그들은 얼음을 조각할 것이다. - They will carve ice.

4042. 조각하기 어려워? - Is it hard to carve?

4043. 아니, 쉬워. - No, it's easy.

4044. 창작하다 - To create

4045. 그녀는 시를 창작했다. - She created a poem.

4046. 우리는 음악을 창작한다. - We create music.

4047. 당신들은 이야기를 창작할 것이다. - You will create a story.

4048. 창작 즐거워? - Do you enjoy creating?

4049. 응, 즐거워. - Yes, I enjoy it.

4050. 오르다 - to climb

4051. 그는 산을 올랐다. - He climbed the mountain.

4052. 우리는 계단을 오른다. - We climb the stairs.

4053. 그들은 높은 봉우리를 오를 것이다. - They will climb a high peak.

4054. 등산 좋아해? - Do you like climbing?

4055. 네, 좋아해. - Yes, I like it.

4056. 45. 명사 단어들 외우기, 필수 10개 동사의 단어들을 가지고 50문장 연습하기 - 45. Memorize noun words, practice 50 sentences with the 10 essential verb words

4057. 영어 실력 - English skill

4058. 기술 - technology

4059. 통신 - communication

4060. 계획 - plan

4061. 방향 - direction

4062. 생각 - thought

4063. 디자인 - design

4064. 구조 - structure

4065. 아이디어 - idea

4066. 부품 - part

4067. 재료 - ingredient

4068. 시스템 - system

4069. 일정 - schedule

4070. 프로젝트 - project

4071. 알람 - alarm

4072. 규칙 - rule

4073. 비밀번호 - password

4074. 기기 - device

4075. 컴퓨터 - computer

4076. 설정 - setting

4077. 데이터 - data

4078. 기계 - machine

4079. 프로그램 - program

4080. 장치 - Device

4081. 앱 - app

4082. 기능 - function

4083. 향상하다 - improve

4084. 그녀는 영어 실력을 향상시켰다. - She improved her English.

4085. 우리는 기술을 향상시킨다. - We improve our skills.

4086. 당신들은 통신을 향상시킬 것이다. - You will improve your communication.

4087. 실력 늘었어? - Did you improve your skills?

4088. 응, 늘었어. - Yes, I improved.

4089. 변화하다 - to change

4090. 나는 계획을 변화했다. - I changed my plans.

4091. 너는 방향을 변화한다. - You will change direction.

4092. 그는 생각을 변화할 것이다. - He will change his mind.

4093. 계획 바꿀래? - Do you want to change your plans?

4094. 네, 바꿀래. - Yes, I want to change.

4095. 변형하다 - to transform

4096. 그녀는 디자인을 변형했다. - She transformed the design.

4097. 우리는 구조를 변형한다. - We will transform the structure.

4098. 당신들은 아이디어를 변형할 것이다. - You will transform the idea.

4099. 디자인 바뀌었어? - Did you change the design?

4100. 네, 바뀌었어. - Yes, it has changed.

4101. 대체하다 - to substitute

4102. 그들은 부품을 대체했다. - They substituted parts.

4103. 나는 재료를 대체한다. - I substitute the material.

4104. 너는 시스템을 대체할 것이다. - You will replace the system.

4105. 부품 바꿀까? - Shall we replace the parts?

4106. 네, 바꿀까. - Yes, I will replace it.

4107. 조율하다 - To coordinate

4108. 그녀는 계획을 조율했다. - She coordinated the plan.

4109. 우리는 일정을 조율한다. - We will coordinate the schedule.

4110. 당신들은 프로젝트를 조율할 것이다. - You will coordinate the project.

4111. 일정 맞출 수 있어? - Can you meet the schedule?

4112. 네, 맞출 수 있어. - Yes, I can make it.

4113. 설정하다 - To set up

4114. 그들은 시스템을 설정했다. - They set up the system.

4115. 나는 알람을 설정한다. - I set the alarm.

4116. 너는 규칙을 설정할 것이다. - You would set the rules.

4117. 알람 켤까? - Shall I turn on the alarm?

4118. 네, 켤까. - Yes, let's turn it on.

4119. 재설정하다 - to reset

4120. 그녀는 비밀번호를 재설정했다. - She reset her password.

4121. 우리는 기기를 재설정한다. - We reset the device.

4122. 당신들은 계획을 재설정할 것이다. - You guys are going to reset the plan.

4123. 다시 시작할까? - Shall we start again?

4124. 네, 시작할까. - Yes, let's start.

4125. 초기화하다 - to initialize

4126. 그들은 컴퓨터를 초기화했다. - They reset the computer.

4127. 나는 설정을 초기화한다. - I will initialize the settings.

4128. 너는 데이터를 초기화할 것이다. - You will initialize your data.

4129. 전부 지울까? - Do you want to erase everything?

4130. 네, 지울까. - Yes, let's erase it.

4131. 가동하다 - to start up

4132. 그녀는 기계를 가동했다. - She started the machine.

4133. 우리는 시스템을 가동한다. - We will start the system.

4134. 당신들은 프로그램을 가동할 것이다. - You will run the program.

4135. 시작할 시간이야? - Is it time to start?

4136. 네, 시작할 시간이야. - Yes, it's time to start.

4137. 작동하다 - to operate

4138. 그들은 장치를 작동했다. - They operated the device.

4139. 나는 앱을 작동한다. - I will operate the app.

4140. 너는 기능을 작동할 것이다. - You will work the feature.

4141. 잘 되고 있어? - How's it going?

4142. 네, 잘 되고 있어. - Yes, it's going well.

4143. 46. 명사 단어들 외우기, 필수 10개 동사의 단어들을 가지고 50문장 연습하기 - 46. memorize noun words, practice 50 sentences with the 10 essential verb words

4144. 공부 - study

4145. 작업 - work

4146. 프로그램 - program

4147. 프로젝트 - project

4148. 회의 - meeting

4149. 시스템 - system

4150. 연습 - practice

4151. 논의 - Argument

4152. 계획 - plan

4153. 대화 - conversation

4154. 이야기 - story

4155. 이벤트 - event

4156. 아이디어 - idea

4157. 전략 - strategy

4158. 꿈 - dream

4159. 목표 - target

4160. 작품 - Work

4161. 보고서 - report

4162. 과제 - assignment

4163. 준비 - Preparation

4164. 과정 - Process

4165. 재개하다 - Resume

4166. 그녀는 공부를 재개했다. - She resumed her studies.

4167. 우리는 작업을 재개한다. - We resume our work.

4168. 당신들은 프로그램을 재개할 것이다. - You will resume the program.

4169. 다시 시작할까? - Shall we resume?

4170. 네, 시작하자. - Yes, let's start.

4171. 재시작하다 - to restart

4172. 그는 프로젝트를 재시작했다. - He restarted the project.

4173. 우리는 회의를 재시작한다. - We are restarting the meeting.

4174. 당신들은 시스템을 재시작할 것이다. - You guys are going to restart the system.

4175. 다시 할 준비 됐어? - Are you ready to do it again?

4176. 네, 준비 됐어. - Yes, I'm ready.

4177. 계속하다 - To continue

4178. 그녀는 연습을 계속했다. - She continued practicing.

4179. 우리는 논의를 계속한다. - We continue the discussion.

4180. 당신들은 계획을 계속할 것이다. - You guys will continue with the plan.

4181. 계속 진행해도 돼? - Can we continue?

4182. 네, 계속해. - Yes, go ahead.

4183. 이어가다 - to continue

4184. 그들은 회의를 이어갔다. - They continued the meeting.

4185. 우리는 프로젝트를 이어간다. - We continue the project.

4186. 당신들은 대화를 이어갈 것이다. - You will continue the conversation.

4187. 더 할 말 있어? - Anything else?

4188. 아니, 괜찮아. - No, thank you.

4189. 진행하다 - to proceed

4190. 그녀는 계획을 진행했다. - She proceeded with the plan.

4191. 우리는 작업을 진행한다. - We will proceed with the task.

4192. 당신들은 프로그램을 진행할 것이다. - You will proceed with the program.

4193. 잘 되고 있어? - How's it going?

4194. 네, 잘 되고 있어. - Yes, it's going well.

4195. 전개하다 - to unfold

4196. 그는 이야기를 전개했다. - He developed the story.

4197. 우리는 계획을 전개한다. - We develop a plan.

4198. 당신들은 이벤트를 전개할 것이다. - You will unfold an event.

4199. 어떻게 될까? - How will it go?

4200. 잘 될 거야. - It will work out.

4201. 구현하다 - To implement

4202. 그녀는 아이디어를 구현했다. - She implemented the idea.

4203. 우리는 전략을 구현한다. - We will implement the strategy.

4204. 당신들은 시스템을 구현할 것이다. - You will implement the system.

4205. 실행 가능해? - Can you do it?

4206. 네, 가능해. - Yes, it is possible.

4207. 실현하다 - To realize

4208. 그들은 꿈을 실현했다. - They realized their dream.

4209. 우리는 목표를 실현한다. - We realize our goals.

4210. 당신들은 계획을 실현할 것이다. - You will realize your plans.

4211. 꿈 이뤄질까? - Will my dreams come true?

4212. 네, 이뤄질 거야. - Yes, they will come true.

4213. 완성하다 - To complete

4214. 그녀는 작품을 완성했다. - She finished her work.

4215. 우리는 보고서를 완성한다. - We will finish the report.

4216. 당신들은 프로젝트를 완성할 것이다. - You will finish the project.

4217. 다 됐어? - Are you done?

4218. 네, 다 됐어. - Yes, I'm done.

4219. 완료하다 - to complete

4220. 그는 과제를 완료했다. - He completed the assignment.

4221. 우리는 준비를 완료한다. - We will complete the preparations.

4222. 당신들은 과정을 완료할 것이다. - You will complete the course.

4223. 끝났어? - Are you done?

4224. 네, 끝났어. - Yes, I'm done.

4225. 47. 명사 단어들 외우기, 필수 10개 동사의 단어들을 가지고 50문장 연습하기 - 47. memorize noun words, practice 50 sentences with the words of the 10 essential verbs

4226. 회의 - meeting

4227. 세션(시간, 기간) - session (time, duration)

4228. 서비스 - service

4229. 프로젝트 - project

4230. 논의 - Argument

4231. 작업 - work

4232. 연구 - research

4233. 프로그램 - program

4234. 기계 - machine

4235. 계획 - plan

4236. 프로세스(처리기) - process (handler)

4237. 활동 - activity

4238. 결정 - decision

4239. 발표 - presentation

4240. 공부 - study

4241. 노래 - sing

4242. 게임 - game

4243. 기록 - record

4244. 사진 - picture

4245. 문서 - document

4246. 경험 - experience

4247. 지식 - knowledge

4248. 자원 - resource

4249. 종료하다 - end(quit)

4250. 그들은 회의를 종료했다. - They ended the meeting.

4251. 우리는 세션을 종료한다. - We are ending the session.

4252. 당신들은 서비스를 종료할 것이다. - You're going to shut down the service.

4253. 이제 끝낼까? - Shall we end it now?

4254. 네, 끝내자. - Yes, let's finish.

4255. 마무리하다 - to finalize

4256. 그녀는 프로젝트를 마무리했다. - She finalized the project.

4257. 우리는 논의를 마무리한다. - We are concluding our discussion.

4258. 당신들은 작업을 마무리할 것이다. - You guys will wrap up your work.

4259. 모두 정리됐어? - Is everything organized?

4260. 네, 정리됐어. - Yes, it's organized.

4261. 개시하다 - Initiate

4262. 그는 연구를 개시했다. - He opened the study.

4263. 우리는 회의를 개시한다. - We are opening the meeting.

4264. 당신들은 프로그램을 개시할 것이다. - You will initiate a program.

4265. 시작해도 괜찮아? - Are we good to go?

4266. 네, 시작해. - Yes, go ahead.

4267. 발동하다 - to activate

4268. 그녀는 기계를 발동했다. - She activated the machine.

4269. 우리는 계획을 발동한다. - We will trigger a plan.

4270. 당신들은 프로세스를 발동할 것이다. - You will trigger the process.

4271. 작동할까? - Will it work?

4272. 네, 작동할 거야. - Yes, it will work.

4273. 정지하다 - To stop

4274. 그들은 작업을 정지했다. - They stopped the task.

4275. 우리는 활동을 정지한다. - We stop an activity.

4276. 당신들은 프로젝트를 정지할 것이다. - You're going to stop the project.

4277. 멈출 시간이야? - Is it time to stop?

4278. 네, 멈출 시간이야. - Yes, it's time to stop.

4279. 보류하다 - To put on hold

4280. 그녀는 결정을 보류했다. - She put her decision on hold.

4281. 우리는 계획을 보류한다. - We put the plan on hold.

4282. 당신들은 발표를 보류할 것이다. - You're going to put the presentation on hold.

4283. 조금 기다릴까? - Shall we wait?

4284. 네, 기다리겠습니다. - Yes, we will wait.

4285. 중단하다 - To interrupt

4286. 나는 공부를 중단했다. - I interrupted my study.

4287. 너는 노래를 중단한다. - You will stop singing.

4288. 그는 게임을 중단할 것이다. - He will stop playing the game.

4289. 멈출까? - Will he stop?

4290. 아니, 안 멈출 거야. - No, I won't stop.

4291. 중지하다 - to stop

4292. 그녀는 작업을 중지했다. - She stopped working.

4293. 우리는 회의를 중지한다. - We are canceling the meeting.

4294. 당신들은 프로젝트를 중지할 것이다. - You guys are going to stop the project.

4295. 중지할까? - Shall we stop?

4296. 아니, 안 할 거야. - No, we won't.

4297. 보관하다 - To keep

4298. 그들은 기록을 보관했다. - They kept records.

4299. 나는 사진을 보관한다. - I keep photos.

4300. 너는 문서를 보관할 것이다. - You will keep documents.

4301. 보관해둘까? - Shall I keep them?

4302. 아니, 안 해도 돼. - No, you don't have to.

4303. 축적하다 - To accumulate

4304. 그녀는 경험을 축적했다. - She accumulated experience.

4305. 우리는 지식을 축적한다. - We accumulate knowledge.

4306. 당신들은 자원을 축적할 것이다. - You will accumulate resources.

4307. 축적할까? - Shall we accumulate?

4308. 아니, 필요 없어. - No, we don't need to.

4309. 48. 명사 단어들 외우기, 필수 10개 동사의 단어들을 가지고 50문장 연습하기 - 48. memorize noun words, practice 50 sentences with the words of the 10 essential verbs

4310. 용기 - courage

4311. 능력 - ability

4312. 진심 - Sincerity

4313. 구덩이 - pit

4314. 정원 - garden

4315. 채널 - channel

4316. 휴식 - rest

4317. 휴가 - vacation

4318. 창문 - window

4319. 장난감 - toy

4320. 장벽 - barrier

4321. 저녁 - dinner

4322. 식사 - meal

4323. 평화 - peace

4324. 변화 - change

4325. 음식 - food

4326. 책 - book

4327. 우산 - umbrella

4328. 기회 - opportunity

4329. 쓰레기 - trash

4330. 선물 - gift

4331. 위험 - danger

4332. 논쟁 - arguement

4333. 책임 - responsibility

4334. 보이다 - show

4335. 나는 용기를 보였다. - I show courage

4336. 너는 능력을 보인다. - You show competence

4337. 그는 진심을 보일 것이다. - He will show sincerity.

4338. 보여줄까? - Shall I show it?

4339. 아니, 괜찮아. - No, it's okay.

4340. 소리치다 - to shout

4341. 그녀는 기쁨을 소리쳤다. - She shouted for joy.

4342. 우리는 승리를 소리친다. - We shout victory.

4343. 당신들은 이름을 소리칠 것이다. - You will shout your name.

4344. 소리쳐도 돼? - Can I shout?

4345. 아니, 조용히 해. - No, be quiet.

4346. 파다 - DIG

4347. 그들은 구덩이를 팠다. - They dug a pit.

4348. 나는 정원을 파낸다. - I dig a garden.

4349. 너는 채널을 파낼 것이다. - You will dig a channel.

4350. 계속 파도 될까? - Shall I keep digging?

4351. 아니, 그만 파. - No, stop digging.

4352. 쉬다 - To rest

4353. 그녀는 잠시 쉬었다. - She rested for a while.

4354. 우리는 휴식을 취한다. - We take a break.

4355. 당신들은 휴가를 취할 것이다. - You guys are going to take a vacation.

4356. 잠깐 쉴까? - Shall we take a break?

4357. 아니, 계속할게. - No, I'll continue.

4358. 부수다 - to break

4359. 그는 창문을 부쉈다. - He broke the window.

4360. 그녀는 장난감을 부수고 있다. - She is smashing her toys.

4361. 우리는 장벽을 부술 것이다. - We will break the barrier.

4362. 부술까요? - Shall we break it?

4363. 그래, 부셔요. - Yes, let's break it.

4364. 요리하다 - to cook

4365. 나는 저녁을 요리했다. - I cooked dinner.

4366. 너는 요리하고 있다. - You are cooking.

4367. 그는 식사를 요리할 것이다. - He will cook the meal.

4368. 뭐 요리할까? - What shall I cook?

4369. 간단한 거로 해. - Something simple.

4370. 원하다 - to want

4371. 그녀는 휴식을 원했다. - She wanted to rest.

4372. 우리는 평화를 원한다. - We want peace.

4373. 당신들은 변화를 원할 것이다. - You want a change.

4374. 무엇을 원해요? - What do you want?

4375. 조용한 시간이요. - Some quiet time.

4376. 가져오다 - Bring

4377. 그들은 음식을 가져왔다. - They brought food.

4378. 나는 책을 가져온다. - I bring a book.

4379. 너는 우산을 가져올 것이다. - You will bring the umbrella.

4380. 가져올까요? - Shall I bring it?

4381. 네, 부탁해요. - Yes, please.

4382. 가져가다 - Take it.

4383. 그녀는 기회를 가져갔다. - She took a chance.

4384. 우리는 쓰레기를 가져간다. - We take the garbage.

4385. 당신들은 선물을 가져갈 것이다. - You will take the gift.

4386. 가져갈게요? - You'll take it?

4387. 좋아요, 가져가세요. - Okay, take it.

4388. 회피하다 - to avoid

4389. 나는 위험을 회피했다. - I avoided the danger.

4390. 너는 논쟁을 회피하고 있다. - You are avoiding the argument.

4391. 그는 책임을 회피할 것이다. - He will dodge responsibility.

4392. 회피해야 하나요? - Should I avoid?

4393. 아니요, 마주해요. - No, face it.

4394. 49. 명사 단어들 외우기, 필수 10개 동사의 단어들을 가지고 50문장 연습하기 - 49. memorize the noun words, practice 50 sentences with the words of the 10 essential verbs

4395. 기쁨 - pleasure

4396. 어려움 - difficulty

4397. 성공 - success

4398. 추위 - cold

4399. 성취감 - Achievement

4400. 도움 - help

4401. 지원 - support

4402. 협력 - Cooperation

4403. 결과 - result

4404. 여행 - travel

4405. 실패 - failure

4406. 어둠 - darkness

4407. 위험 - danger

4408. 문제 - problem

4409. 슬픔 - sadness

4410. 과학 - science

4411. 예술 - art

4412. 취미 - hobby

4413. 주말 - weekend

4414. 선생님 - teacher

4415. 부모님 - parents

4416. 리더 - leader

4417. 상황 - situation

4418. 경험하다 - Experience

4419. 그녀는 기쁨을 경험했다. - She experienced joy.

4420. 우리는 어려움을 경험하고 있다. - We are experiencing difficulties.

4421. 당신들은 성공을 경험할 것이다. - You will experience success.

4422. 경험해 볼래요? - Do you want to experience it?

4423. 예, 해보고 싶어요. - Yes, I'd like to try it.

4424. 느끼다 - to feel

4425. 그는 기쁨을 느꼈다. - He felt joy.

4426. 나는 추위를 느낀다. - I feel cold.

4427. 너는 성취감을 느낄 것이다. - You will feel a sense of accomplishment.

4428. 행복해요? - Are you happy?

4429. 네, 매우 그래요. - Yes, very much so.

4430. 약속하다 - To promise

4431. 그녀는 도움을 약속했다. - She promised to help.

4432. 우리는 지원을 약속한다. - We promise support.

4433. 당신들은 협력을 약속할 것이다. - You promise to cooperate.

4434. 늦지 않겠죠? - You won't be late, will you?

4435. 아니요, 시간 맞출게요. - No, I'll be on time.

4436. 기대하다 - to expect

4437. 그들은 좋은 결과를 기대했다. - They expected a good result.

4438. 나는 여행을 기대한다. - I expect to travel.

4439. 너는 성공을 기대할 것이다. - You would expect success.

4440. 설레나요? - Are you excited?

4441. 네, 정말로요. - Yes, really.

4442. 두려워하다 - To be afraid

4443. 나는 실패를 두려워했다. - I was afraid of failure.

4444. 너는 어둠을 두려워한다. - You are afraid of the dark.

4445. 그는 위험을 두려워할 것이다. - He's afraid of risk.

4446. 겁나나요? - Are you afraid?

4447. 조금요, 괜찮아요. - A little, but it's okay.

4448. 웃어대다 - to laugh it off

4449. 그녀는 문제를 웃어넘겼다. - She laughed off the problem.

4450. 우리는 슬픔을 웃어낸다. - We laugh at our sorrows.

4451. 당신들은 어려움을 웃어넘길 것이다. - You will laugh off your difficulties.

4452. 웃을 수 있어요? - Can you laugh?

4453. 네, 물론이죠. - Yes, of course.

4454. 관심가지다 - to be interested in

4455. 그는 과학에 관심을 가졌다. - He was interested in science.

4456. 나는 예술에 관심을 가진다. - I am interested in art.

4457. 너는 새 취미에 관심을 가질 것이다. - You will be interested in a new hobby.

4458. 관심 있어요? - Are you interested?

4459. 네, 많이요. - Yes, a lot.

4460. 휴식하다 - to relax

4461. 그들은 주말에 휴식했다. - They rested on the weekend.

4462. 나는 지금 휴식한다. - I am resting now.

4463. 너는 여행 후 휴식할 것이다. - You will rest after the trip.

4464. 쉬고 싶어요? - Do you want to rest?

4465. 예, 필요해요. - Yes, I need it.

4466. 존경하다 - to honor

4467. 나는 선생님을 존경했다. - I respected my teacher.

4468. 너는 부모님을 존경한다. - You respect your parents.

4469. 그는 리더를 존경할 것이다. - He will respect the leader.

4470. 존경해요? - Do you respect?

4471. 네, 존경해요. - Yes, I admire them.

4472. 절망하다 - Despair

4473. 그녀는 실패에 절망했다. - She despaired of failure.

4474. 우리는 상황을 절망한다. - We despair of the situation.

4475. 당신들은 결과에 절망할 것이다. - You will despair of the outcome.

4476. 희망이 있어? - Is there hope?

4477. 네, 여전히 있어. - Yes, there is still.

4478. 50. 명사 단어들 외우기, 필수 10개 동사의 단어들을 가지고 50문장 연습하기 - 50. memorize noun words, practice 50 sentences with the 10 essential verb words

4479. 대회 - Competition

4480. 경기 - game

4481. 시합 - match

4482. 도전 - challenge

4483. 시험 - test

4484. 어린 시절 - Childhood

4485. 추억 - memory

4486. 순간 - Moment

4487. 도움 - help

4488. 정보 - information

4489. 지원 - support

4490. 조심 - careful

4491. 성실 - Sincerity

4492. 주의 - caution

4493. 사업 - business

4494. 집 - house

4495. 작업 - work

4496. 자격 - Qualification

4497. 기술 - technology

4498. 능력 - ability

4499. 강좌 - lecture

4500. 프로그램 - program

4501. 관계 - relationship

4502. 건강 - health

4503. 균형 - balance

4504. 전통 - tradition

4505. 환경 - environment

4506. 문화 - culture

4507. 승리하다 - win

4508. 그는 대회에서 승리했다. - He won the competition.

4509. 나는 경기를 승리한다. - I win the match.

4510. 너는 시합을 승리할 것이다. - You will win the match.

4511. 기분 좋아요? - Do you feel good?

4512. 네, 매우 좋아요. - Yes, I feel very good.

4513. 패배하다 - To lose

4514. 그들은 경기에서 패배했다. - They lost the match.

4515. 나는 도전에서 패배한다. - I lose the challenge.

4516. 너는 시험에서 패배할 것이다. - You will lose the test.

4517. 괜찮아요? - Are you okay?

4518. 네, 괜찮아요. - Yes, I'm fine.

4519. 회상하다 - to reminisce

4520. 나는 어린 시절을 회상했다. - I reminisced about my childhood.

4521. 너는 좋은 추억을 회상한다. - You reminisce about good memories.

4522. 그는 행복한 순간을 회상할 것이다. - He will reminisce about happy moments.

4523. 추억 나눌래? - Do you want to reminisce?

4524. 네, 좋아요. - Yes, I'd love to.

4525. 구하다 - to ask for help

4526. 그녀는 도움을 구했다. - She asked for help.

4527. 우리는 정보를 구한다. - We seek information.

4528. 당신들은 지원을 구할 것이다. - You will seek support.

4529. 도와줄까요? - Shall I help you?

4530. 네, 부탁해요. - Yes, please.

4531. 당부하다 - to ask for

4532. 그는 조심을 당부했다. - He asked for caution.

4533. 나는 성실을 당부한다. - I ask for sincerity.

4534. 너는 주의를 당부할 것이다. - You will ask for caution.

4535. 약속해요? - Do you promise?

4536. 네, 약속해요. - Yes, I promise.

4537. 계약하다 - To contract

4538. 그들은 사업에 계약했다. - They contracted the business.

4539. 나는 집을 계약한다. - I contract for a house.

4540. 너는 작업을 계약할 것이다. - You will contract a job.

4541. 성공할까요? - Will it work?

4542. 네, 분명해요. - Yes, I'm sure.

4543. 인증하다 - To certify

4544. 그녀는 자격을 인증했다. - She certified her qualifications.

4545. 우리는 기술을 인증한다. - We certify skills.

4546. 당신들은 능력을 인증할 것이다. - You will certify your skills.

4547. 준비됐나요? - Are you ready?

4548. 네, 완벽해요. - Yes, perfect.

4549. 등록하다 - Register

4550. 나는 강좌에 등록했다. - I'm enrolled in a course.

4551. 너는 대회에 등록한다. - You register for the competition.

4552. 그는 프로그램에 등록할 것이다. - He will sign up for the program.

4553. 참여할래? - Do you want to join?

4554. 네, 신나요. - Yes, I'm excited.

4555. 유지하다 - To maintain

4556. 그들은 관계를 유지했다. - They maintained their relationship.

4557. 나는 건강을 유지한다. - I maintain my health.

4558. 너는 균형을 유지할 것이다. - You will maintain balance.

4559. 쉽나요? - Is it easy?

4560. 네, 쉬어요. - Yes, it's easy.

4561. 보존하다 - to preserve

4562. 그녀는 전통을 보존했다. - She preserved the tradition.

4563. 우리는 환경을 보존한다. - We preserve the environment.

4564. 당신들은 문화를 보존할 것이다. - You will preserve the culture.

4565. 중요하죠? - It's important, right?

4566. 네, 매우 중요해요. - Yes, it's very important.

4567. 51. 명사 단어들 외우기, 필수 10개 동사의 단어들을 가지고 50문장 연습하기 - 51. memorize noun words, practice 50 sentences with the 10 essential verb words

4568. 차 - car

4569. 옷 - clothes

4570. 신발 - shoes

4571. 자동차 - automobile

4572. 방 - room

4573. 집 - house

4574. 제품 - product

4575. 앱 - app

4576. 게임 - game

4577. 계획 - plan

4578. 정보 - information

4579. 사실 - actually

4580. 편지 - letter

4581. 상품 - Goods

4582. 초대장 - invitation

4583. 신호 - signal

4584. 데이터 - data

4585. 메시지 - message

4586. 뉴스 - news

4587. 프로그램 - program

4588. 쇼 - show

4589. 영화 - movie

4590. 음악 - music

4591. 콘서트 - concert

4592. 조건 - condition

4593. 계약 - contract

4594. 가격 - price

4595. 목표 - target

4596. 방침 - policy

4597. 세척하다 - wash

4598. 그는 차를 세척했다. - He washed the car.

4599. 나는 옷을 세척한다. - I wash my clothes.

4600. 너는 신발을 세척할 것이다. - You will wash your shoes.

4601. 깨끗해졌나요? - Are they clean?

4602. 네, 반짝반짝해요. - Yes, they are shiny.

4603. 개조하다 - To renovate

4604. 그는 자동차를 개조했다. - He refurbished the car.

4605. 나는 방을 개조한다. - I will renovate the room.

4606. 너는 집을 개조할 것이다. - You will renovate the house.

4607. 새로워 보이나요? - Does it look new?

4608. 네, 완전히 달라요. - Yes, it's completely different.

4609. 출시하다 - To launch

4610. 그녀는 새 제품을 출시했다. - She launched a new product.

4611. 우리는 앱을 출시한다. - We launch an app.

4612. 당신들은 게임을 출시할 것이다. - You guys are going to launch a game.

4613. 관심 있어요? - Are you interested?

4614. 네, 궁금해요. - Yes, I'm interested.

4615. 비밀하다 - To be secretive

4616. 그들은 계획을 비밀했다. - They kept their plans secret.

4617. 나는 정보를 비밀한다. - I keep information secret.

4618. 너는 사실을 비밀할 것이다. - You will keep the fact secret.

4619. 알고 싶어요? - Do you want to know?

4620. 아니요, 괜찮아요. - No, thank you.

4621. 발송하다 - to send

4622. 그녀는 편지를 발송했다. - She shipped the letter.

4623. 우리는 상품을 발송한다. - We ship the goods.

4624. 당신들은 초대장을 발송할 것이다. - You guys are going to send out invitations.

4625. 받았어요? - Did you get it?

4626. 네, 잘 받았어요. - Yes, I received it well.

4627. 송출하다 - to transmit

4628. 그는 신호를 송출했다. - He transmitted a signal.

4629. 나는 데이터를 송출한다. - I am sending data.

4630. 너는 메시지를 송출할 것이다. - You will broadcast a message.

4631. 작동하나요? - Does it work?

4632. 네, 잘 되요. - Yes, it works.

4633. 방송하다 - To broadcast

4634. 그들은 뉴스를 방송했다. - They broadcast the news.

4635. 나는 프로그램을 방송한다. - I broadcast a program.

4636. 너는 쇼를 방송할 것이다. - You will broadcast a show.

4637. 볼래요? - Do you want to watch?

4638. 네, 흥미로워요. - Yes, it's interesting.

4639. 스트리밍하다 - To stream

4640. 그녀는 영화를 스트리밍했다. - She streamed a movie.

4641. 우리는 음악을 스트리밍한다. - We stream music.

4642. 당신들은 콘서트를 스트리밍할 것이다. - You guys are going to stream a concert.

4643. 즐기나요? - Do you enjoy it?

4644. 네, 많이요. - Yes, a lot.

4645. 협상하다 - to negotiate

4646. 그는 조건을 협상했다. - He negotiated the terms.

4647. 나는 계약을 협상한다. - I negotiate the contract.

4648. 너는 가격을 협상할 것이다. - You will negotiate the price.

4649. 합의했나요? - Did we reach an agreement?

4650. 네, 도달했어요. - Yes, we have reached an agreement.

4651. 합의하다 - to agree

4652. 그들은 목표에 합의했다. - They agreed on the goal.

4653. 나는 방침에 합의한다. - I will agree on a policy.

4654. 너는 계획에 합의할 것이다. - You will agree on the plan.

4655. 만족해요? - Are you satisfied?

4656. 네, 완전히요. - Yes, completely.

4657. 52. 명사 단어들 외우기, 필수 10개 동사의 단어들을 가지고 50문장 연습하기 - 52. memorize noun words, practice 50 sentences with the 10 essential verb words

4658. 프로젝트 - project

4659. 발전 - Development

4660. 성공 - success

4661. 사진 - picture

4662. 아이디어 - idea

4663. 경험 - experience

4664. 건물 - building

4665. 회의실 - meeting room

4666. 도서관 - library

4667. 파티 - party

4668. 회의 - meeting

4669. 강당 - auditorium

4670. 목록 - List

4671. 보고서 - report

4672. 계획 - plan

4673. 명단 - list

4674. 주제 - subject

4675. 옵션 - option

4676. 시험 - test

4677. 비상사태 - Emergency

4678. 경쟁 - compete

4679. 예산 - budget

4680. 기대 - expectation

4681. 목표 - target

4682. 극한 - limit

4683. 한계 - Limit

4684. 정상 - normal

4685. 합의 - agreement

4686. 결론 - conclusion

4687. 기여하다 - Contribute

4688. 그녀는 프로젝트에 기여했다. - She contributed to the project.

4689. 우리는 발전에 기여한다. - We contribute to the development.

4690. 당신들은 성공에 기여할 것이다. - You will contribute to the success.

4691. 도움됐나요? - Did it help?

4692. 네, 많이요. - Yes, a lot.

4693. 공유하다 - To share

4694. 그는 사진을 공유했다. - He shared the photo.

4695. 나는 아이디어를 공유한다. - I share ideas.

4696. 너는 경험을 공유할 것이다. - You will share your experience.

4697. 보여줄래요? - Will you show me?

4698. 네, 기꺼이요. - Yes, I'm happy to.

4699. 출입하다 - To enter and exit

4700. 그들은 건물에 출입했다. - They entered the building.

4701. 나는 회의실에 출입한다. - I enter the conference room.

4702. 너는 도서관에 출입할 것이다. - You will enter the library.

4703. 허용되나요? - Is that allowed?

4704. 네, 가능해요. - Yes, you can.

4705. 퇴장하다 - To leave

4706. 그녀는 파티에서 퇴장했다. - She left the party.

4707. 우리는 회의에서 퇴장한다. - We are leaving the meeting.

4708. 당신들은 강당에서 퇴장할 것이다. - You will be excused from the auditorium.

4709. 끝났나요? - Are you done?

4710. 네, 끝났어요. - Yes, it's over.

4711. 포함하다 - To include

4712. 그는 목록에 이름을 포함했다. - He included the names in the list.

4713. 나는 보고서에 결과를 포함한다. - I include the results in the report.

4714. 너는 계획에 이 아이디어를 포함할 것이다. - You will include the idea in your plan.

4715. 필요해요? - Is it necessary?

4716. 네, 중요해요. - Yes, it's important.

4717. 배제하다 - to exclude

4718. 그들은 명단에서 그를 배제했다. - They excluded him from the list.

4719. 나는 논의에서 주제를 배제한다. - I exclude the topic from the discussion.

4720. 너는 제안에서 그 옵션을 배제할 것이다. - You will exclude the option from the proposal.

4721. 제외되나요? - Exclude?

4722. 네, 그렇게 결정했어요. - Yes, that's what we decided.

4723. 대비하다 - to prepare

4724. 그녀는 시험에 대비했다. - She prepared for the exam.

4725. 우리는 비상사태에 대비한다. - We prepare for emergencies.

4726. 당신들은 경쟁에 대비할 것이다. - You will prepare for the competition.

4727. 준비됐나요? - Are you ready?

4728. 네, 완벽해요. - Yes, I'm perfect.

4729. 초과하다 - to exceed

4730. 그는 예산을 초과했다. - He went over budget.

4731. 나는 기대를 초과한다. - I exceed expectations.

4732. 너는 목표를 초과할 것이다. - You will exceed your goal.

4733. 문제 있나요? - Is there a problem?

4734. 아니요, 괜찮아요. - No, I'm fine.

4735. 미치다 - To be crazy

4736. 그는 극한에 미쳤다. - He is crazy to the extreme.

4737. 나는 한계에 미친다. - I am crazy to the limit.

4738. 너는 목표에 미칠 것이다. - You will be crazy with your goals.

4739. 미쳤어? - Are you crazy?

4740. 아니, 정상이야. - No, it's normal.

4741. 도달하다 - to reach

4742. 그녀는 정상에 도달했다. - She reached the top.

4743. 우리는 합의에 도달한다. - We reach an agreement.

4744. 당신들은 결론에 도달할 것이다. - You will reach a conclusion.

4745. 도착했니? - Are we there?

4746. 네, 여기야. - Yes, here we are.

4747. 53. 명사 단어들 외우기, 필수 10개 동사의 단어들을 가지고 50문장 연습하기 - 53. Memorize noun words, practice 50 sentences with the 10 essential verb words

4748. 자원 - resource

4749. 정보 - information

4750. 지지 - support

4751. 미래 - future

4752. 가능성 - Possibility

4753. 세계 - world

4754. 새로운 것 - new thing

4755. 해결 - solve

4756. 변화 - change

4757. 목표 - target

4758. 계획 - plan

4759. 시험 - test

4760. 사업 - business

4761. 노력 - effort

4762. 프로젝트 - project

4763. 결정 - decision

4764. 방향 - direction

4765. 선택 - select

4766. 경고 - warning

4767. 위험 - danger

4768. 조언 - advice

4769. 세부사항 - Detail

4770. 결과 - result

4771. 작업 - work

4772. 공부 - study

4773. 공원 - park

4774. 생각 - thought

4775. 감정 - emotion

4776. 확보하다 - secure

4777. 그들은 자원을 확보했다. - They secured resources.

4778. 나는 정보를 확보한다. - I secure information.

4779. 너는 지지를 확보할 것이다. - You will secure support.

4780. 준비됐니? - Are you ready?

4781. 네, 다 됐어. - Yes, I'm ready.

4782. 상상하다 - To imagine

4783. 그녀는 미래를 상상했다. - She imagined the future.

4784. 우리는 가능성을 상상한다. - We imagine possibilities.

4785. 당신들은 세계를 상상할 것이다. - You will imagine the world.

4786. 꿈꿔? - Do you dream?

4787. 네, 가끔. - Yes, sometimes.

4788. 시도하다 - to try

4789. 그는 새로운 것을 시도했다. - He tried something new.

4790. 나는 해결을 시도한다. - I try to solve.

4791. 너는 변화를 시도할 것이다. - You will try to change.

4792. 해봤어? - Have you tried it?

4793. 아직 안 해. - I haven't yet.

4794. 실패하다 - Fail

4795. 그들은 목표에 실패했다. - They failed in their goal.

4796. 나는 계획에 실패한다. - I fail the plan.

4797. 너는 시험에 실패할 것이다. - You will fail the test.

4798. 실패했니? - Did you fail?

4799. 네, 아쉽게도. - Yes, alas.

4800. 성공하다 - To succeed

4801. 그녀는 사업에서 성공했다. - She succeeded in business.

4802. 우리는 노력에서 성공한다. - We succeed in our endeavors.

4803. 당신들은 프로젝트에서 성공할 것이다. - You will succeed in the project.

4804. 성공했어? - Did you succeed?

4805. 네, 됐어! - Yes, it's done!

4806. 확신하다 - to be sure

4807. 그는 결정에 확신했다. - He was sure of his decision.

4808. 나는 방향에 확신한다. - I am sure of the direction.

4809. 너는 선택에 확신할 것이다. - You will be sure of your choice.

4810. 확실해? - Are you sure?

4811. 네, 확실해. - Yes, I'm sure.

4812. 무시하다 - ignore

4813. 그들은 경고를 무시했다. - They ignored the warning.

4814. 나는 위험을 무시한다. - I ignore the risk.

4815. 너는 조언을 무시할 것이다. - You will ignore the advice.

4816. 무시해? - Ignore?

4817. 아니, 들어. - No, listen.

4818. 주목하다 - to notice

4819. 그녀는 변화에 주목했다. - She noticed the change.

4820. 우리는 세부사항에 주목한다. - We pay attention to details.

4821. 당신들은 결과에 주목할 것이다. - You will notice the results.

4822. 보고 있니? - Are you watching?

4823. 네, 주목해. - Yes, I'm paying attention.

4824. 집중하다 - To concentrate

4825. 그는 작업에 집중했다. - He focused on the task.

4826. 나는 목표에 집중한다. - I focus on the goal.

4827. 너는 공부에 집중할 것이다. - You will focus on your studies.

4828. 집중돼? - Are you focused?

4829. 네, 잘 돼. - Yes, it's going well.

4830. 흩어지다 - to disperse

4831. 그들은 공원에서 흩어졌다. - They scattered in the park.

4832. 나는 생각에 흩어진다. - I am scattered in my thoughts.

4833. 너는 감정에 흩어질 것이다. - You will be scattered in your feelings.

4834. 헤어졌어? - Did you break up?

4835. 네, 이제 그래. - Yes, I am now.

4836. 54. 명사 단어들 외우기, 필수 10개 동사의 단어들을 가지고 50문장 연습하기 - 54. Memorize noun words, practice 50 sentences with the 10 essential verb words

4837. 자원 - resource

4838. 관심 - interest

4839. 투자 - invest

4840. 데이터 - data

4841. 시스템 - system

4842. 노력 - effort

4843. 색상 - color

4844. 재료 - ingredient

4845. 아이디어 - idea

4846. 문제 - problem

4847. 과정 - procedure

4848. 절차 - procedure

4849. 계획 - plan

4850. 상황 - situation

4851. 설명 - explanation

4852. 작업 - work

4853. 생각 - thought

4854. 보고서 - report

4855. 내용 - detail

4856. 결과 - result

4857. 용어 - Terms

4858. 목적 - purpose

4859. 개념 - concept

4860. 주장 - opinion

4861. 의견 - opinion

4862. 결론 - conclusion

4863. 이론 - theory

4864. 가설 - hypothesis

4865. 분산하다 - Disperse

4866. 그들은 자원을 분산했다. - They dispersed their resources.

4867. 우리는 관심을 분산한다. - We diversify our attention.

4868. 당신들은 투자를 분산할 것이다. - You will diversify your investments.

4869. 관심 있어? - Are you interested?

4870. 조금 있어. - I have some.

4871. 통합하다 - To integrate

4872. 그녀는 데이터를 통합했다. - She consolidated the data.

4873. 우리는 시스템을 통합한다. - We integrate systems.

4874. 당신들은 노력을 통합할 것이다. - You will integrate your efforts.

4875. 쉬웠어? - Was it easy?

4876. 아니, 어려웠어. - No, it was difficult.

4877. 혼합하다 - to mix

4878. 그는 색상을 혼합했다. - He mixed the colors.

4879. 나는 재료를 혼합한다. - I mix ingredients.

4880. 너는 아이디어를 혼합할 것이다. - You will mix ideas.

4881. 잘 됐어? - Did it go well?

4882. 네, 잘 됐어. - Yes, it went well.

4883. 단순화하다 - To simplify

4884. 그들은 문제를 단순화했다. - They simplified the problem.

4885. 우리는 과정을 단순화한다. - We simplify the process.

4886. 당신들은 절차를 단순화할 것이다. - You guys are going to simplify the process.

4887. 필요해? - Do you need it?

4888. 네, 필요해. - Yes, I need it.

4889. 복잡하게 하다 - To complicate

4890. 그녀는 계획을 복잡하게 했다. - She complicated the plan.

4891. 나는 상황을 복잡하게 한다. - I complicate the situation.

4892. 너는 설명을 복잡하게 할 것이다. - You will complicate the explanation.

4893. 문제 있어? - Is there a problem?

4894. 아니, 괜찮아. - No, I'm fine.

4895. 간소화하다 - to simplify

4896. 그는 절차를 간소화했다. - He simplified the procedure.

4897. 나는 작업을 간소화한다. - I simplify the task.

4898. 너는 생각을 간소화할 것이다. - You will simplify your thinking.

4899. 도움 돼? - Does it help?

4900. 네, 도움 돼. - Yes, it helps.

4901. 요약하다 - To summarize

4902. 그들은 보고서를 요약했다. - They summarized the report.

4903. 우리는 내용을 요약한다. - We summarize the content.

4904. 당신들은 결과를 요약할 것이다. - You will summarize the results.

4905. 간단해? - Simple?

4906. 응, 간단해. - Yes, it's simple.

4907. 정의하다 - Define

4908. 그녀는 용어를 정의했다. - She defined the terms.

4909. 나는 목적을 정의한다. - I define the purpose.

4910. 너는 개념을 정의할 것이다. - You will define the concept.

4911. 이해했어? - Do you understand?

4912. 네, 이해했어. - Yes, I understand.

4913. 반박하다 - Refute

4914. 그는 주장을 반박했다. - He refuted the argument.

4915. 나는 의견을 반박한다. - I refute the opinion.

4916. 너는 결론을 반박할 것이다. - You will refute the conclusion.

4917. 확실해? - Are you sure?

4918. 네, 확실해. - Yes, I'm sure.

4919. 논박하다 - to refute

4920. 그들은 이론을 논박했다. - They refuted the theory.

4921. 우리는 가설을 논박한다. - We refute the hypothesis.

4922. 당신들은 주장을 논박할 것이다. - You will refute the claim.

4923. 가능해? - Is it possible?

4924. 어렵지만 가능해. - It is difficult, but it is possible.

4925. 55. 명사 단어들 외우기, 필수 10개 동사의 단어들을 가지고 50문장 연습하기 - 55. memorize the noun words, practice 50 sentences with the words of the 10 essential verbs

4926. 문헌 - literature

4927. 연구 - research

4928. 전문가 - expert

4929. 사건 - Event

4930. 이슈 - issue

4931. 사실 - actually

4932. 행복 - happiness

4933. 목표 - target

4934. 성공 - success

4935. 기술 - technology

4936. 학문 - Scholarship

4937. 경력 - career

4938. 발전 - Development

4939. 계획 - plan

4940. 집 - house

4941. 사무실 - office

4942. 공간 - space

4943. 작품 - Work

4944. 데이터 - data

4945. 디자인 - design

4946. 실수 - mistake

4947. 과정 - procedure

4948. 패턴 - pattern

4949. 스타일 - style

4950. 방식 - method

4951. 기법 - technique

4952. 동작 - movement

4953. 말투 - speech

4954. 절차 - procedure

4955. 인용하다 - Cite

4956. 그녀는 문헌을 인용했다. - She cited the literature.

4957. 나는 연구를 인용한다. - I cite a study.

4958. 너는 전문가를 인용할 것이다. - You will cite an expert.

4959. 필요한 거야? - Is this necessary?

4960. 네, 필요해. - Yes, it is necessary.

4961. 언급하다 - to mention

4962. 그는 사건을 언급했다. - He referred to the case.

4963. 나는 이슈를 언급한다. - I refer to the issue.

4964. 너는 사실을 언급할 것이다. - You will mention the fact.

4965. 언급됐어? - Mentioned?

4966. 네, 언급됐어. - Yes, it was mentioned.

4967. 추구하다 - to pursue

4968. 그들은 행복을 추구했다. - They pursued happiness.

4969. 우리는 목표를 추구한다. - We pursue goals.

4970. 당신들은 성공을 추구할 것이다. - You will pursue success.

4971. 성공했어? - Have you succeeded?

4972. 아직은 모르겠어. - I don't know yet.

4973. 진보하다 - To make progress

4974. 그녀는 기술에서 진보했다. - She made progress in technology.

4975. 나는 학문에서 진보한다. - I advance in my studies.

4976. 너는 경력에서 진보할 것이다. - You will advance in your career.

4977. 어떻게 됐어? - How's it going?

4978. 잘 되고 있어. - It's going well.

4979. 후퇴하다 - To regress

4980. 그는 발전에서 후퇴했다. - He retreated from advancement.

4981. 나는 계획에서 후퇴한다. - I am retreating from the plan.

4982. 너는 목표에서 후퇴할 것이다. - You will retreat from the goal.

4983. 괜찮아? - Are you okay?

4984. 괜찮아, 다시 해볼게. - It's okay, I'll try again.

4985. 리모델링하다 - to remodel

4986. 그들은 집을 리모델링했다. - They remodeled the house.

4987. 우리는 사무실을 리모델링한다. - We remodel the office.

4988. 당신들은 공간을 리모델링할 것이다. - You're going to remodel your space.

4989. 비쌌어? - Was it expensive?

4990. 네, 좀 비쌌어. - Yes, it was a bit expensive.

4991. 복제하다 - to reproduce

4992. 그녀는 작품을 복제했다. - She had her artwork reproduced.

4993. 나는 데이터를 복제한다. - I replicate the data.

4994. 너는 디자인을 복제할 것이다. - You will reproduce the design.

4995. 허락됐어? - Are you allowed?

4996. 네, 허락됐어. - Yes, I'm allowed.

4997. 반복하다 - To repeat

4998. 그는 실수를 반복했다. - He repeated his mistake.

4999. 나는 과정을 반복한다. - I repeat the process.

5000. 너는 패턴을 반복할 것이다. - You will repeat the pattern.

5001. 배웠어? - Did you learn?

5002. 네, 배웠어. - Yes, I learned.

5003. 모방하다 - To imitate

5004. 그들은 스타일을 모방했다. - They imitated the style.

5005. 우리는 방식을 모방한다. - We imitate methods.

5006. 당신들은 기법을 모방할 것이다. - You guys will copy the technique.

5007. 좋았어? - Was it good?

5008. 응, 괜찮았어. - Yeah, it was okay.

5009. 따라하다 - To imitate

5010. 그녀는 동작을 따라했다. - She copied the motions.

5011. 나는 말투를 따라한다. - I imitate the tone of voice.

5012. 너는 절차를 따라할 것이다. - You will follow the procedure.

5013. 쉬웠어? - Was it easy?

5014. 응, 쉬웠어. - Yes, it was easy.

5015. 56. 명사 단어들 외우기, 필수 10개 동사의 단어들을 가지고 50문장 연습하기 - 56. Memorize the noun words, practice 50 sentences with the 10 essential verb words

5016. 정보 - information

5017. 아이 - kid

5018. 환경 - environment

5019. 시장 - market

5020. 행동 - action

5021. 프로세스 - process

5022. 위험 - danger

5023. 오류 - error

5024. 실패 - failure

5025. 질병 - disease

5026. 사고 - accident

5027. 문제 - problem

5028. 아이디어 - idea

5029. 시스템 - system

5030. 의견 - opinion

5031. 자원 - resource

5032. 데이터 - data

5033. 옵션 - option

5034. 후보 - candidate

5035. 보상 - compensation

5036. 비용 - expense

5037. 권리 - right

5038. 계획 - plan

5039. 제안 - proposal

5040. 주장 - opinion

5041. 포지션 - position

5042. 영역 - area

5043. 보호하다 - protect

5044. 그는 정보를 보호했다. - He protected the information.

5045. 나는 아이를 보호한다. - I protect the child.

5046. 너는 환경을 보호할 것이다. - You will protect the environment.

5047. 중요해? - Is it important?

5048. 네, 매우 중요해. - Yes, it's very important.

5049. 감시하다 - to monitor

5050. 그들은 시장을 감시했다. - They monitored the market.

5051. 우리는 행동을 감시한다. - We monitor behavior.

5052. 당신들은 프로세스를 감시할 것이다. - You will monitor the process.

5053. 필요했어? - Was it necessary?

5054. 네, 필요했어. - Yes, it was necessary.

5055. 경계하다 - to be on guard

5056. 그녀는 위험을 경계했다. - She was on guard for danger.

5057. 나는 오류를 경계한다. - I am on the lookout for errors.

5058. 너는 실패를 경계할 것이다. - You will be wary of failure.

5059. 조심해야 해? - Should I be careful?

5060. 네, 조심해야 해. - Yes, you should be careful.

5061. 예방하다 - to prevent

5062. 그녀는 질병을 예방했다. - She prevented the disease.

5063. 우리는 사고를 예방한다. - We prevent accidents.

5064. 당신들은 문제를 예방할 것이다. - You will prevent trouble.

5065. 감기 걸렸어? - Do you have a cold?

5066. 아니, 괜찮아. - No, I'm fine.

5067. 혁신하다 - To innovate

5068. 그는 프로세스를 혁신했다. - He innovated a process.

5069. 나는 아이디어를 혁신한다. - I innovate ideas.

5070. 너는 시스템을 혁신할 것이다. - You will innovate a system.

5071. 새로워? - New?

5072. 응, 새로워. - Yes, new.

5073. 교환하다 - to exchange

5074. 그녀는 정보를 교환했다. - She exchanged information.

5075. 우리는 의견을 교환한다. - We exchange opinions.

5076. 당신들은 자원을 교환할 것이다. - You will exchange resources.

5077. 바꿨어? - Did you exchange?

5078. 응, 바꿨어. - Yes, I did.

5079. 선별하다 - to sift

5080. 그는 데이터를 선별했다. - He sifted through the data.

5081. 나는 옵션을 선별한다. - I will sift through options.

5082. 너는 후보를 선별할 것이다. - You will screen candidates.

5083. 선택했어? - Did you choose?

5084. 네, 했어. - Yes, I did.

5085. 청구하다 - To claim

5086. 그녀는 보상을 청구했다. - She claimed her compensation.

5087. 우리는 비용을 청구한다. - We will claim expenses.

5088. 당신들은 권리를 청구할 것이다. - You will claim your rights.

5089. 비싸? - Expensive?

5090. 아니, 적당해. - No, it's affordable.

5091. 동조하다 - to sympathize

5092. 그는 의견에 동조했다. - He sympathized with the opinion.

5093. 나는 계획에 동조한다. - I agree with the plan.

5094. 너는 제안에 동조할 것이다. - You will sympathize with the proposal.

5095. 동의해? - Do you agree?

5096. 응, 동의해. - Yes, I agree.

5097. 방어하다 - to defend

5098. 그녀는 주장을 방어했다. - She defended the claim.

5099. 우리는 포지션을 방어한다. - We defend the position.

5100. 당신들은 영역을 방어할 것이다. - You will defend your territory.

5101. 준비됐어? - Are you ready?

5102. 네, 준비됐어. - Yes, I'm ready.

5103. 57. 명사 단어들 외우기, 필수 10개 동사의 단어들을 가지고 50문장 연습하기 - 57. Memorize noun words, practice 50 sentences with the required 10 verb words

5104. 오류 - error

5105. 변화 - change

5106. 위험 - danger

5107. 기술 - technology

5108. 방법 - method

5109. 지식 - knowledge

5110. 학생들 - students

5111. 주제 - subject

5112. 서류 - document

5113. 방 - room

5114. 일정 - schedule

5115. 정책 - Policy

5116. 계획 - plan

5117. 규칙 - rule

5118. 목표 - target

5119. 프로젝트 - project

5120. 꿈 - dream

5121. 결과 - result

5122. 성공 - success

5123. 예약 - reservation

5124. 주문 - order

5125. 규정 - Rule

5126. 시스템 - system

5127. 프로그램 - program

5128. 병 - party

5129. 상처 - wound

5130. 조건 - condition

5131. 탐지하다 - detect

5132. 그는 오류를 탐지했다. - He detected an error.

5133. 나는 변화를 탐지한다. - I detect a change.

5134. 너는 위험을 탐지할 것이다. - You will detect danger.

5135. 봤어? - Did you see that?

5136. 응, 봤어. - Yes, I saw it.

5137. 학습하다 - To learn

5138. 그녀는 기술을 학습했다. - She learned the technique.

5139. 우리는 방법을 학습한다. - We learn methods.

5140. 당신들은 지식을 학습할 것이다. - You will learn the knowledge.

5141. 이해해? - Do you understand?

5142. 네, 이해해. - Yes, I understand.

5143. 교육하다 - To educate

5144. 그는 학생들을 교육했다. - He educated the students.

5145. 나는 주제를 교육한다. - I educate the subject.

5146. 너는 기술을 교육할 것이다. - You will educate the skills.

5147. 잘 가르쳐? - Teach well?

5148. 응, 잘 가르쳐. - Yes, teach well.

5149. 정돈하다 - to organize

5150. 그녀는 서류를 정돈했다. - She put her papers in order.

5151. 우리는 방을 정돈한다. - We organize our room.

5152. 당신들은 일정을 정돈할 것이다. - You will organize your schedule.

5153. 깨끗해? - Is it clean?

5154. 네, 깨끗해. - Yes, it's clean.

5155. 시행하다 - to enforce

5156. 그는 정책을 시행했다. - He enforced the policy.

5157. 나는 계획을 시행한다. - I enforce the plan.

5158. 너는 규칙을 시행할 것이다. - You will enforce the rules.

5159. 작동해? - Does it work?

5160. 응, 작동해. - Yes, it works.

5161. 성취하다 - To accomplish

5162. 그녀는 목표를 성취했다. - She accomplished her goal.

5163. 우리는 프로젝트를 성취한다. - We will fulfill the project.

5164. 당신들은 꿈을 성취할 것이다. - You will fulfill your dream.

5165. 성공했어? - Did you succeed?

5166. 네, 성공했어. - Yes, I succeeded.

5167. 달성하다 - to accomplish

5168. 그는 결과를 달성했다. - He achieved the result.

5169. 나는 목표를 달성한다. - I achieve my goal.

5170. 너는 성공을 달성할 것이다. - You will achieve success.

5171. 됐어? - Is it done?

5172. 응, 됐어. - Yes, it's done.

5173. 취소하다 - To cancel

5174. 그녀는 계획을 취소했다. - She canceled her plans.

5175. 우리는 예약을 취소한다. - We cancel the reservation.

5176. 당신들은 주문을 취소할 것이다. - You guys are going to cancel the order.

5177. 멈췄어? - Did it stop?

5178. 네, 멈췄어. - Yes, it stopped.

5179. 폐지하다 - to abolish

5180. 그는 규정을 폐지했다. - He abolished the regulation.

5181. 나는 시스템을 폐지한다. - I abolish the system.

5182. 너는 프로그램을 폐지할 것이다. - You will abolish the program.

5183. 없어졌어? - Is it gone?

5184. 응, 없어졌어. - Yes, it's gone.

5185. 치료하다 - to cure

5186. 그녀는 병을 치료했다. - She was cured of her illness.

5187. 우리는 상처를 치료한다. - We heal wounds.

5188. 당신들은 조건을 치료할 것이다. - You will cure the condition.

5189. 나았어? - Are you better?

5190. 네, 나았어. - Yes, I am better.

5191. 58. 명사 단어들 외우기, 필수 10개 동사의 단어들을 가지고 50문장 연습하기 - 58. Memorize noun words, practice 50 sentences with the 10 essential verb words

5192. 데이터 - data

5193. 시스템 - system

5194. 기능 - function

5195. 중요 파일 - important files

5196. 자료 - data

5197. 잡지 - magazine

5198. 뉴스레터 - newsletter

5199. 채널 - channel

5200. 계약 - contract

5201. 멤버십 - membership

5202. 서비스 - service

5203. 클럽 - club

5204. 조직 - group

5205. 그룹 - group

5206. 인터넷 - Internet

5207. 사이트 - site

5208. 계정 - account

5209. 앱 - app

5210. 플랫폼 - platform

5211. 웹사이트 - Website

5212. 정책 - Policy

5213. 결정 - decision

5214. 조치 - action

5215. 조정 - adjustment

5216. 정확한 정보 - accurate information

5217. 적절한 조치 - appropriate action

5218. 복원하다 - restore

5219. 그는 데이터를 복원했다. - He restored the data.

5220. 나는 시스템을 복원한다. - I will restore the system.

5221. 너는 기능을 복원할 것이다. - You will restore the functionality.

5222. 돌아왔어? - Are you back?

5223. 응, 돌아왔어. - Yes, I'm back.

5224. 백업하다 - backup

5225. 그는 데이터를 백업했다. - He backed up his data.

5226. 그녀는 중요 파일을 백업한다. - She backs up her important files.

5227. 우리는 자료를 백업할 것이다. - We will back up the data.

5228. 자료 안전해? - Is the data safe?

5229. 네, 백업됐어. - Yes, it's backed up.

5230. 구독하다 - Subscribe to

5231. 그녀는 잡지를 구독했다. - She subscribed to a magazine.

5232. 우리는 뉴스레터를 구독한다. - We subscribe to the newsletter.

5233. 당신들은 채널을 구독할 것이다. - You will subscribe to the channel.

5234. 새 소식 있어? - Any news?

5235. 예, 업데이트 됐어. - Yes, I've been updated.

5236. 해지하다 - to terminate

5237. 그는 계약을 해지했다. - He canceled the contract.

5238. 그녀는 멤버십을 해지한다. - She is canceling her membership.

5239. 우리는 서비스를 해지할 것이다. - We will terminate the service.

5240. 계약 끝났어? - Is the contract over?

5241. 아니, 진행 중이야. - No, it's ongoing.

5242. 탈퇴하다 - to leave

5243. 그녀는 클럽을 탈퇴했다. - She quit the club.

5244. 우리는 조직을 탈퇴한다. - We are leaving the organization.

5245. 당신들은 그룹을 탈퇴할 것이다. - You're leaving the group.

5246. 아직 멤버야? - Are you still a member?

5247. 아니, 탈퇴했어. - No, I left.

5248. 접속하다 - to access

5249. 그는 인터넷에 접속했다. - He accessed the Internet.

5250. 그녀는 사이트에 접속한다. - She accesses the site.

5251. 우리는 시스템에 접속할 것이다. - We will connect to the system.

5252. 인터넷 연결됐어? - Are you connected to the Internet?

5253. 네, 연결됐어. - Yes, I'm connected.

5254. 로그인하다 - to log in

5255. 그녀는 계정에 로그인했다. - She logged into her account.

5256. 우리는 앱에 로그인한다. - We log into the app.

5257. 당신들은 플랫폼에 로그인할 것이다. - You will log in to the platform.

5258. 로그인 문제 있어? - Any problems logging in?

5259. 아니, 잘 됐어. - No, everything is fine.

5260. 로그아웃하다 - log out

5261. 그는 웹사이트에서 로그아웃했다. - He logged out of the website.

5262. 그녀는 시스템에서 로그아웃한다. - She is logging out of the system.

5263. 우리는 계정에서 로그아웃할 것이다. - We will log out of our account.

5264. 로그아웃 했어? - Did you log out?

5265. 예, 했어. - Yes, I did.

5266. 항의하다 - to protest

5267. 그녀는 정책에 항의했다. - She protested the policy.

5268. 우리는 결정에 항의한다. - We protest the decision.

5269. 당신들은 조치에 항의할 것이다. - You will protest the action.

5270. 불만 있어? - Do you have a complaint?

5271. 예, 있어. - Yes, I have.

5272. 요구하다 - to demand

5273. 그는 조정을 요구했다. - He demanded an adjustment.

5274. 그녀는 정확한 정보를 요구한다. - She demands accurate information.

5275. 우리는 적절한 조치를 요구할 것이다. - We will demand appropriate action.

5276. 더 필요한 거 있어? - Is there anything else you need?

5277. 아뇨, 다 됐어요. - No, I'm done.

5278. 59. 명사 단어들 외우기, 필수 10개 동사의 단어들을 가지고 50문장 연습하기 - 59. memorize noun words, practice 50 sentences with the 10 essential verb words

5279. 업무 우선순위 - work priorities

5280. 프로젝트의 우선순위 - Project Priority

5281. 일의 순서 - order of work

5282. 회의 - meeting

5283. 이벤트 - event

5284. 행사 - event

5285. 파티 - party

5286. 대회 - Competition

5287. 경연 - contest

5288. 워크숍 - workshop

5289. 세미나 - seminar

5290. 포럼 - forum

5291. 회사 - company

5292. 단체 - organization

5293. 조직 - group

5294. 재단 - Foundation

5295. 기관 - Agency

5296. 학교 - school

5297. 클럽 - club

5298. 협회 - Association

5299. 프로젝트 - project

5300. 캠페인 - campaign

5301. 운동 - work out

5302. 사업 - business

5303. 파트너십 - partnership

5304. 모임 - class

5305. 조합 - Combination

5306. 집단 - group

5307. 우선순위를 정하다 - Prioritize

5308. 그녀는 업무 우선순위를 정했다. - She prioritized her work.

5309. 우리는 프로젝트의 우선순위를 정한다. - We prioritize the project.

5310. 당신들은 일의 순서를 정할 것이다. - You will organize the order of work.

5311. 뭐부터 할까? - What shall we do first?

5312. 이거부터 해요. - Let's do this first.

5313. 개최하다 - to hold

5314. 그는 회의를 개최했다. - He held a meeting.

5315. 그녀는 이벤트를 개최한다. - She is holding an event.

5316. 우리는 행사를 개최할 것이다. - We will hold an event.

5317. 장소 예약됐어? - Is the place booked?

5318. 네, 예약됐어요. - Yes, it's booked.

5319. 주최하다 - To host

5320. 그녀는 파티를 주최했다. - She organized a party.

5321. 우리는 대회를 주최한다. - We are organizing a competition.

5322. 당신들은 경연을 주최할 것이다. - You will organize a contest.

5323. 시간 되나요? - Do you have time?

5324. 네, 괜찮아요. - Yes, I'm good.

5325. 주관하다 - to organize

5326. 그는 워크숍을 주관했다. - He organized a workshop.

5327. 그녀는 세미나를 주관한다. - She will organize a seminar.

5328. 우리는 포럼을 주관할 것이다. - We will organize a forum.

5329. 자료 준비됐어? - Do you have the materials?

5330. 네, 다 됐어요. - Yes, they're ready.

5331. 창립하다 - Found a company

5332. 그녀는 회사를 창립했다. - She founded a company.

5333. 우리는 단체를 창립한다. - We founded an organization.

5334. 당신들은 조직을 창립할 것이다. - You guys are going to start an organization.

5335. 명칭 정해졌어? - Do you have a name?

5336. 예, 정해졌어요. - Yes, it's decided.

5337. 설립하다 - to establish

5338. 그는 재단을 설립했다. - He founded a foundation.

5339. 그녀는 기관을 설립한다. - She founded an organization.

5340. 우리는 학교를 설립할 것이다. - We will establish a school.

5341. 위치 결정됐어? - Is the location decided?

5342. 네, 결정됐어요. - Yes, it's decided.

5343. 창설하다 - to create

5344. 그는 조직을 창설했다. - He founded an organization.

5345. 그녀는 클럽을 창설한다. - She is founding a club.

5346. 우리는 협회를 창설할 것이다. - We will create an association.

5347. 이름 정했어? - Do you have a name?

5348. 아직이야. - Not yet.

5349. 발기하다 - to erect

5350. 그녀는 프로젝트를 발기했다. - She launched a project.

5351. 우리는 캠페인을 발기한다. - We will launch a campaign.

5352. 당신들은 운동을 발기할 것이다. - You will erect a movement.

5353. 누가 돕나요? - Who's helping?

5354. 모두 함께해. - All of us.

5355. 청산하다 - to liquidate

5356. 그는 사업을 청산했다. - He liquidated his business.

5357. 그녀는 회사를 청산한다. - She is liquidating the company.

5358. 우리는 파트너십을 청산할 것이다. - We're going to liquidate the partnership.

5359. 이유 알 수 있어? - Can you guess why?

5360. 비밀이야. - It's a secret.

5361. 해산하다 - Dissolve

5362. 그녀는 모임을 해산했다. - She dissolved the meeting.

5363. 우리는 조합을 해산한다. - We are dissolving the union.

5364. 당신들은 집단을 해산할 것이다. - You will dissolve the group.

5365. 끝난 거야? - Is it over?

5366. 그래, 끝났어. - Yes, it's over.

5367. 60. 명사 단어들 외우기, 필수 10개 동사의 단어들을 가지고 50문장 연습하기 - 60. memorize noun words, practice 50 sentences with words from the 10 essential verbs

5368. 두 회사 - two companies

5369. 기업들 - companies

5370. 조직 - group

5371. 부서 - department

5372. 회사 - company

5373. 사업 - business

5374. 새로운 정부 - new government

5375. 프로그램 - program

5376. 기관 - Agency

5377. 책 - book

5378. 잡지 - magazine

5379. 가이드 - guide

5380. 신문 - newspaper

5381. 보고서 - report

5382. 뉴스레터 - newsletter

5383. 포스터 - poster

5384. 초대장 - invitation

5385. 메뉴 - menu

5386. 영상 - video

5387. 문서 - document

5388. 콘텐츠 - contents

5389. 원고 - Manuscript

5390. 번역 - translation

5391. 글 - writing

5392. 꿈 - dream

5393. 데이터 - data

5394. 결과 - result

5395. 합병하다 - merge

5396. 그는 두 회사를 합병했다. - He merged two companies.

5397. 그녀는 기업들을 합병한다. - She merges companies.

5398. 우리는 조직을 합병할 것이다. - We will merge the organizations.

5399. 잘 될까요? - Will it work out?

5400. 잘 될 거예요. - It will work out well.

5401. 분할하다 - To divide

5402. 그녀는 부서를 분할했다. - She split the department.

5403. 우리는 회사를 분할한다. - We are splitting the company.

5404. 당신들은 사업을 분할할 것이다. - You will split the business.

5405. 필요한가요? - Is it necessary?

5406. 네, 필요해요. - Yes, it is necessary.

5407. 출범하다 - Inaugurate

5408. 그는 새로운 정부를 출범했다. - He inaugurated a new government.

5409. 그녀는 프로그램을 출범한다. - She is launching a program.

5410. 우리는 기관을 출범할 것이다. - We will inaugurate an agency.

5411. 준비됐나요? - Are you ready?

5412. 다 준비됐어요. - Everything is ready.

5413. 출판하다 - To publish

5414. 그녀는 책을 출판했다. - She published a book.

5415. 우리는 잡지를 출판한다. - We publish a magazine.

5416. 당신들은 가이드를 출판할 것이다. - You guys are going to publish a guide.

5417. 새 책 나왔어? - Is your new book out?

5418. 네, 나왔어요. - Yes, it's out.

5419. 발행하다 - to publish

5420. 그는 신문을 발행했다. - He published a newspaper.

5421. 그녀는 보고서를 발행한다. - She publishes a report.

5422. 우리는 뉴스레터를 발행할 것이다. - We will publish a newsletter.

5423. 언제 나와? - When is it coming out?

5424. 내일 나와. - Come out tomorrow.

5425. 인쇄하다 - To print

5426. 그녀는 포스터를 인쇄했다. - She printed the poster.

5427. 우리는 초대장을 인쇄한다. - We are printing the invitations.

5428. 당신들은 메뉴를 인쇄할 것이다. - You guys are going to print the menu.

5429. 색깔 괜찮아? - Is the color okay?

5430. 완벽해요. - It's perfect.

5431. 편집하다 - To edit

5432. 그는 영상을 편집했다. - He edited the video.

5433. 그녀는 문서를 편집한다. - She edits the document.

5434. 우리는 콘텐츠를 편집할 것이다. - We will edit the content.

5435. 얼마나 걸려? - How long will it take?

5436. 조금 걸려요. - It will take a little while.

5437. 감수하다 - to edit

5438. 그녀는 원고를 감수했다. - She proofread the manuscript.

5439. 우리는 번역을 감수한다. - We will proofread the translation.

5440. 당신들은 보고서를 감수할 것이다. - You will proofread the report.

5441. 검토 끝났어? - Are you done reviewing?

5442. 거의 다 됐어. - It's almost done.

5443. 번역하다 - To translate

5444. 그는 문서를 번역했다. - He translated the document.

5445. 그녀는 글을 번역한다. - She translates articles.

5446. 우리는 책을 번역할 것이다. - We will translate the book.

5447. 이해 돼요? - Does that make sense?

5448. 네, 잘 돼요. - Yes, it goes well.

5449. 해석하다 - To interpret

5450. 그녀는 꿈을 해석했다. - She interpreted the dream.

5451. 우리는 데이터를 해석한다. - We interpret the data.

5452. 당신들은 결과를 해석할 것이다. - You guys are going to interpret the results.

5453. 맞을까요? - Is that right?

5454. 네, 맞아요. - Yes, it is.

5455. 61. 명사 단어들 외우기, 필수 10개 동사의 단어들을 가지고 50문장 연습하기 - 61. memorize noun words, practice 50 sentences with the 10 essential verb words

5456. 범위 - range

5457. 관심 - interest

5458. 영역 - area

5459. 상황 - situation

5460. 관계 - relationship

5461. 문제 - problem

5462. 자료 - data

5463. 정보 - information

5464. 요소들 - elements

5465. 아이디어 - idea

5466. 기술 - technology

5467. 비용 - expense

5468. 가능성 - Possibility

5469. 결과 - result

5470. 가치 - value

5471. 상태 - situation

5472. 품질 - quality

5473. 변경사항 - Changes

5474. 결정 - decision

5475. 일정 - schedule

5476. 옵션 - option

5477. 해결책 - solution

5478. 데이터 - data

5479. 문서 - document

5480. 시스템 - system

5481. 설정 - setting

5482. 시계 - clock

5483. 기기 - device

5484. 확대하다 - Zoom in

5485. 나는 범위를 확대했다. - I zoomed in on the scope.

5486. 너는 관심을 확대한다. - You magnify the interest.

5487. 그는 영역을 확대할 것이다. - He will enlarge the area.

5488. 범위 더 넓힐까? - Shall we enlarge the scope?

5489. 네, 더 넓혀요. - Yes, let's enlarge it further.

5490. 악화하다 - To aggravate

5491. 그녀는 상황을 악화시켰다. - She aggravated the situation.

5492. 우리는 관계를 악화시킨다. - We aggravate the relationship.

5493. 당신들은 문제를 악화시킬 것이다. - You will exacerbate the problem.

5494. 상태 더 나빠졌어? - Did you make it worse?

5495. 아니, 안 그래. - No, it hasn't.

5496. 참고하다 - to consult

5497. 그들은 자료를 참고했다. - They consulted the material.

5498. 나는 정보를 참고한다. - I refer to the information.

5499. 너는 자료를 참고할 것이다. - You will refer to the material.

5500. 정보 찾아봤어? - Did you look up the information?

5501. 응, 찾아봤어. - Yes, I looked it up.

5502. 조합하다 - To combine

5503. 나는 요소들을 조합했다. - I put the elements together.

5504. 너는 아이디어를 조합한다. - You will combine ideas.

5505. 그는 기술을 조합할 것이다. - He will put together the technology.

5506. 아이디어 합칠까? - Shall we combine ideas?

5507. 좋아, 합치자. - Okay, let's combine.

5508. 추정하다 - To estimate

5509. 그녀는 비용을 추정했다. - She estimated the cost.

5510. 우리는 가능성을 추정한다. - We estimate the possibilities.

5511. 당신들은 결과를 추정할 것이다. - You will estimate the outcome.

5512. 비용 얼마로 봐? - How much do you think it will cost?

5513. 몇 만원 될 거야. - It will cost a few thousand won.

5514. 감정하다 - To appraise

5515. 그들은 가치를 감정했다. - They appraised the value.

5516. 나는 상태를 감정한다. - I appraise the condition.

5517. 너는 품질을 감정할 것이다. - You would appraise quality.

5518. 가치 평가했어? - Did you appraise it?

5519. 예, 평가했어. - Yes, I appraised it.

5520. 통지하다 - to notify

5521. 나는 변경사항을 통지했다. - I notified the change.

5522. 너는 결정을 통지한다. - You will notify the decision.

5523. 그는 일정을 통지할 것이다. - He will notify the schedule.

5524. 소식 받았어? - Did you get the news?

5525. 아니, 못 받았어. - No, I haven't.

5526. 탐색하다 - to explore

5527. 그녀는 옵션을 탐색했다. - She explored her options.

5528. 우리는 가능성을 탐색한다. - We explore possibilities.

5529. 당신들은 해결책을 탐색할 것이다. - You will explore solutions.

5530. 더 찾아볼까? - Shall we explore further?

5531. 응, 더 찾아보자. - Yes, let's look further.

5532. 검사하다 - to examine

5533. 그들은 데이터를 검사했다. - They examined the data.

5534. 나는 문서를 검사한다. - I will inspect the documentation.

5535. 너는 시스템을 검사할 것이다. - You will inspect the system.

5536. 모두 확인했니? - Did you check everything?

5537. 네, 확인했어. - Yes, I checked them.

5538. 리셋하다 - Reset

5539. 나는 설정을 리셋했다. - I reset the settings.

5540. 너는 시계를 리셋한다. - You reset the clock.

5541. 그는 기기를 리셋할 것이다. - He will reset the device.

5542. 다시 시작할까? - Shall we restart?

5543. 응, 다시 시작해. - Yes, let's start again.

5544. 62. 명사 단어들 외우기, 필수 10개 동사의 단어들을 가지고 50문장 연습

하기 - 62. memorize noun words, practice 50 sentences with the 10 essential verb words

5545. 연락 - Communication

5546. 공급 - supply

5547. 관계 - relationship

5548. 잠금 - lock

5549. 계약 - contract

5550. 약속 - promise

5551. 자리 - seat

5552. 티켓 - ticket

5553. 방 - room

5554. 회의 - meeting

5555. 예약 - reservation

5556. 여행 - travel

5557. 보고서 - report

5558. 계획 - plan

5559. 제안 - proposal

5560. 문서 - document

5561. 요청 - request

5562. 프로젝트 - project

5563. 대회 - Competition

5564. 경기 - game

5565. 상대 - opponent

5566. 게임 - game

5567. 경쟁 - compete

5568. 대결 - Battle

5569. 끊다 - cut off

5570. 그녀는 연락을 끊었다. - She cut off contact.

5571. 우리는 공급을 끊는다. - We cut off the supply.

5572. 당신들은 관계를 끊을 것이다. - You will cut ties.

5573. 연결 끊었어? - Disconnected?

5574. 아니, 아직이야. - No, not yet.

5575. 해제하다 - unlock

5576. 그들은 잠금을 해제했다. - They unlocked it.

5577. 나는 계약을 해제한다. - I release the contract.

5578. 너는 약속을 해제할 것이다. - You will release the promise.

5579. 잠금 풀었어? - Did you unlock it?

5580. 네, 풀었어. - Yes, I unlocked it.

5581. 예약하다 - to reserve

5582. 나는 자리를 예약했다. - I booked a seat.

5583. 너는 티켓을 예약한다. - You will book a ticket.

5584. 그는 방을 예약할 것이다. - He will book a room.

5585. 자리 있어? - Do you have a seat?

5586. 네, 있어요. - Yes, there is.

5587. 예약취소하다 - To cancel a reservation

5588. 그녀는 회의를 예약취소했다. - She canceled the meeting.

5589. 우리는 예약을 예약취소한다. - We are canceling the reservation.

5590. 당신들은 여행을 예약취소할 것이다. - You guys are going to cancel the trip.

5591. 취소해야 하나? - Should I cancel?

5592. 아니, 기다려. - No, wait.

5593. 제출하다 - Submit

5594. 그들은 보고서를 제출했다. - They submitted the report.

5595. 나는 계획을 제출한다. - I submit a plan.

5596. 너는 제안을 제출할 것이다. - You will submit a proposal.

5597. 제출할 준비 됐어? - Are you ready to submit?

5598. 예, 준비됐어. - Yes, I'm ready.

5599. 반려하다 - Reject

5600. 나는 문서를 반려했다. - I rejected the document.

5601. 너는 요청을 반려한다. - You reject the request.

5602. 그는 프로젝트를 반려할 것이다. - He will reject the project.

5603. 다시 보낼까? - Do you want me to resend it?

5604. 아니, 됐어. - No, thanks.

5605. 이기다 - To win

5606. 그녀는 대회를 이겼다. - She won the competition.

5607. 우리는 경기를 이긴다. - We win the match.

5608. 당신들은 상대를 이길 것이다. - You will beat your opponent.

5609. 우리 이겼어? - Did we win?

5610. 네, 이겼어! - Yes, we won!

5611. 지다 - to lose

5612. 그는 게임을 졌다. - He lost the game.

5613. 너는 경쟁에서 진다. - You lose the competition.

5614. 그녀는 대결에서 질 것이다. - She will lose the confrontation.

5615. 경기 졌어? - Did you lose the match?

5616. 응, 졌어. - Yes, I lost.

5617. 싸우다 - to fight

5618. 우리는 자주 싸웠다. - We fought often.

5619. 당신들은 매일 싸운다. - You guys fight every day.

5620. 그들은 내일 싸울 것이다. - They will fight tomorrow.

5621. 또 싸웠어? - Did you fight again?

5622. 아니, 안 그래. - No, we didn't.

5623. 다투다 - quarrel

5624. 나는 친구와 다퉜다. - I quarreled with my friend.

5625. 너는 이유 없이 다툰다. - You quarrel for no reason.

5626. 그는 문제를 다룰 것이다. - He will deal with the problem.

5627. 왜 자꾸 다투니? - Why do you keep arguing?

5628. 모르겠어. - I don't know.

5629. 63. 명사 단어들 외우기, 필수 10개 동사의 단어들을 가지고 50문장 연습하기 - 63. memorize noun words, practice 50 sentences with the 10 essential verb words

5630. 나 - me

5631. 우리 - we

5632. 당신들 - You

5633. 계획 - plan

5634. 친구 - friend

5635. 정당 - party

5636. 자신 - Myself

5637. 노래 - sing

5638. 동영상 - video

5639. 기록 - record

5640. 그녀 - she

5641. 의견 - opinion

5642. 회의 - meeting

5643. 교수 - professor

5644. 세부사항 - Detail

5645. 제안 - proposal

5646. 결정 - decision

5647. 소문 - rumor

5648. 혐의 - charge

5649. 주장 - opinion

5650. 변경사항 - Changes

5651. 규칙 - rule

5652. 도전 - challenge

5653. 시도 - trial

5654. 지지하다 - support

5655. 그녀는 나를 지지했다. - She supported me.

5656. 우리는 서로를 지지한다. - We support each other.

5657. 당신들은 계획을 지지할 것이다. - You will support the plan.

5658. 지지해 줄래? - Will you support it?

5659. 물론이지. - Of course.

5660. 변호하다 - to defend

5661. 나는 친구를 변호했다. - I defended my friend.

5662. 너는 정당을 변호한다. - You defend the party.

5663. 그녀는 자신을 변호할 것이다. - She will defend herself.

5664. 변호할 수 있어? - Can you defend?

5665. 시도해 볼게. - I'll try.

5666. 녹음하다 - To record

5667. 우리는 회의를 녹음했다. - We recorded the meeting.

5668. 당신들은 강의를 녹음한다. - You guys record lectures.

5669. 그들은 공연을 녹음할 것이다. - They will record a performance.

5670. 녹음 시작했어? - Have you started recording?

5671. 네, 시작했어. - Yes, I've started.

5672. 재생하다 - to play

5673. 나는 노래를 재생했다. - I played the song.

5674. 너는 동영상을 재생한다. - You play the video.

5675. 그는 기록을 재생할 것이다. - He will play the recording.

5676. 재생할 준비 됐어? - Are you ready to play?

5677. 준비 됐어. - I'm ready.

5678. 발언하다 - To speak

5679. 그녀는 중요한 발언을 했다. - She made an important remark.

5680. 우리는 의견을 발언한다. - We voice our opinions.

5681. 당신들은 회의에서 발언할 것이다. - You will speak at the meeting.

5682. 발언할 거야? - Are you going to speak?

5683. 아직 몰라. - I don't know yet.

5684. 질문하다 - To ask a question

5685. 나는 교수에게 질문했다. - I asked the professor a question.

5686. 너는 어려운 질문을 한다. - You ask difficult questions.

5687. 그녀는 세부사항을 질문할 것이다. - She will ask for details.

5688. 질문 있어? - Any questions?

5689. 없어, 괜찮아. - No, thank you.

5690. 반문하다 - to question

5691. 우리는 그의 의견을 반문했다. - We questioned his opinion.

5692. 당신들은 제안을 반문한다. - You question the proposal.

5693. 그들은 결정을 반문할 것이다. - They will question the decision.

5694. 왜 반문해? - Why are you questioning?

5695. 이해 안 돼서. - Because I don't understand.

5696. 부정하다 - To deny

5697. 나는 소문을 부정했다. - I denied the rumor.

5698. 너는 혐의를 부정한다. - You deny the allegations.

5699. 그는 주장을 부정할 것이다. - He will deny the allegations.

5700. 사실 부정해? - Deny the fact?

5701. 그래, 부정해. - Yes, I deny it.

5702. 반발하다 - To rebel

5703. 그녀는 결정에 반발했다. - She rebelled against the decision.

5704. 우리는 변경사항에 반발한다. - We rebel against the changes.

5705. 당신들은 규칙에 반발할 것이다. - You will rebel against the rules.

5706. 반발할 이유 있어? - Is there a reason to rebel?

5707. 있어, 분명해. - There is, it's obvious.

5708. 포기하다 - To give up

5709. 나는 도전을 포기했다. - I gave up the challenge.

5710. 너는 시도를 포기한다. - You give up trying.

5711. 그녀는 계획을 포기할 것이다. - She will give up the plan.

5712. 포기해야 할까? - Should I give up?

5713. 아니, 계속해. - No, keep going.

5714. 64. 명사 단어들 외우기, 필수 10개 동사의 단어들을 가지고 50문장 연습하기 - 64. Memorize noun words, practice 50 sentences with the 10 essential verb words

5715. 전략 - strategy

5716. 생각 - thought

5717. 자원 - resource

5718. 군대 - army

5719. 기술 - technology

5720. 성공 - success

5721. 평화 - peace

5722. 협력 - Cooperation

5723. 변화 - change

5724. 기회 - opportunity

5725. 해결 - solve

5726. 미래 - future

5727. 결과 - result

5728. 영향 - effect

5729. 상황 - situation

5730. 질문 - question

5731. 발견 - discovery

5732. 말 - word

5733. 지연 - delay

5734. 거부 - refusal

5735. 결정 - decision

5736. 불의 - fiery

5737. 부정 - denial

5738. 불편함 - Discomfort

5739. 장애 - obstacle

5740. 태도 - attitude

5741. 반응 - reaction

5742. 재정비하다 - reorganize

5743. 우리는 전략을 재정비했다. - We reorganize our strategy.

5744. 당신들은 생각을 재정비한다. - You reorganize your thinking.

5745. 그들은 자원을 재정비할 것이다. - They will reorganize their resources.

5746. 재정비 필요해? - Do we need to reorganize?

5747. 네, 필요해. - Yes, we do.

5748. 배치하다 - Deploy

5749. 나는 자원을 배치했다. - I deployed resources.

5750. 너는 군대를 배치한다. - You deploy troops.

5751. 그는 기술을 배치할 것이다. - He will deploy the technology.

5752. 배치 완료됐니? - Are you done deploying?

5753. 아직이야. - Not yet.

5754. 바라다 - To hope for

5755. 그녀는 성공을 바랐다. - She hoped for success.

5756. 우리는 평화를 바란다. - We hope for peace.

5757. 당신들은 협력을 바랄 것이다. - You hope for cooperation.

5758. 무엇을 바래? - What do you hope for?

5759. 행복을 바라. - I hope for happiness.

5760. 소망하다 - to wish for

5761. 나는 변화를 소망했다. - I wish for change.

5762. 너는 기회를 소망한다. - You hope for opportunity.

5763. 그녀는 해결을 소망할 것이다. - She will hope for resolution.

5764. 소망 있어? - Do you have wishes?

5765. 있어, 많아. - Yes, I have many.

5766. 우려하다 - To be concerned about

5767. 우리는 미래를 우려했다. - We were concerned about the future.

5768. 당신들은 결과를 우려한다. - You are concerned about the outcome.

5769. 그들은 영향을 우려할 것이다. - They will be concerned about the impact.

5770. 걱정돼? - Are you concerned?

5771. 응, 걱정돼. - Yes, I'm concerned.

5772. 당황하다 - To panic

5773. 나는 상황에 당황했다. - I am baffled by the situation.

5774. 너는 질문에 당황한다. - You are perplexed by the question.

5775. 그는 발견에 당황할 것이다. - He will be embarrassed by the discovery.

5776. 당황했어? - Did you panic?

5777. 응, 많이. - Yes, a lot.

5778. 화나다 - To be angry

5779. 그녀는 말에 화났다. - She is angry at the horse.

5780. 우리는 지연에 화난다. - We are angry at the delay.

5781. 당신들은 거부에 화낼 것이다. - You guys will be angry at the rejection.

5782. 화났어? - Are you angry?

5783. 네, 많이. - Yes, a lot.

5784. 분노하다 - To be angry

5785. 나는 결정에 분노했다. - I am angry at the decision.

5786. 너는 불의에 분노한다. - You are angry at the injustice.

5787. 그녀는 부정에 분노할 것이다. - She will be angry at the injustice.

5788. 분노해? - Angry?

5789. 응, 분노해. - Yes, outraged.

5790. 짜증내다 - To be annoyed

5791. 우리는 불편함에 짜증냈다. - We are annoyed by the inconvenience.

5792. 당신들은 지연에 짜증낸다. - You guys are annoyed by the delay.

5793. 그들은 장애에 짜증낼 것이다. - They will be annoyed by the obstacles.

5794. 짜증나? - Annoyed?

5795. 응, 짜증나. - Yes, annoyed.

5796. 실망하다 - Disappointed

5797. 나는 결과에 실망했다. - I am disappointed in the result.

5798. 너는 태도에 실망한다. - You are disappointed in the attitude.

5799. 그는 반응에 실망할 것이다. - He will be disappointed in the reaction.

5800. 실망했니? - Are you disappointed?

5801. 네, 실망했어. - Yes, I'm disappointed.

5802. 65. 명사 단어들 외우기, 필수 10개 동사의 단어들을 가지고 50문장 연습하기 - 65. Memorize noun words, practice 50 sentences with the 10 essential verb words

5803. 성과 - result

5804. 서비스 - service

5805. 해결 - solve

5806. 순간 - Moment

5807. 여기 - here

5808. 미래 - future

5809. 소식 - News

5810. 모임 - class

5811. 성공 - success

5812. 이별 - farewell

5813. 상실 - loss

5814. 사건 - Event

5815. 손실 - Loss

5816. 결과 - result

5817. 고향 - hometown

5818. 친구 - friend

5819. 옛날 - A long ago

5820. 행동 - action

5821. 불의 - fiery

5822. 거짓 - lie

5823. 비행 - flight

5824. 무례함 - Rudeness

5825. 거짓말 - lie

5826. 이야기 - story

5827. 영화 - movie

5828. 연설 - speech

5829. 만족하다 - satisfied

5830. 그녀는 성과에 만족했다. - She was satisfied with the performance.

5831. 우리는 서비스에 만족한다. - We are satisfied with the service.

5832. 당신들은 해결에 만족할 것이다. - You will be satisfied with the solution.

5833. 만족해? - Are you satisfied?

5834. 응, 만족해. - Yes, I'm satisfied.

5835. 행복하다 - To be happy

5836. 나는 순간에 행복했다. - I was happy in the moment.

5837. 너는 여기에 행복한다. - You are happy here.

5838. 그녀는 미래에 행복할 것이다. - She will be happy in the future.

5839. 행복해? - Are you happy?

5840. 네, 매우. - Yes, very.

5841. 즐거워하다 - to be pleased

5842. 우리는 소식에 즐거워했다. - We were delighted with the news.

5843. 당신들은 모임에 즐거워한다. - You are happy at the meeting.

5844. 그들은 성공에 즐거워할 것이다. - They will be happy with their success.

5845. 즐거워? - Pleased?

5846. 응, 즐거워. - Yes, I'm happy.

5847. 슬퍼하다 - To be sad

5848. 나는 이별에 슬퍼했다. - I was saddened by the parting.

5849. 너는 소식에 슬퍼한다. - You are saddened by the news.

5850. 그녀는 상실에 슬퍼할 것이다. - She will be saddened by the loss.

5851. 슬퍼? - Sad?

5852. 응, 슬퍼. - Yes, sad.

5853. 애통하다 - To lament

5854. 우리는 사건에 애통해했다. - We mourned the incident.

5855. 당신들은 손실에 애통한다. - You mourn the loss.

5856. 그들은 결과에 애통할 것이다. - They will mourn the outcome.

5857. 애통해해? - Mourn?

5858. 네, 깊이. - Yes, deeply.

5859. 그리워하다 - To miss

5860. 나는 고향을 그리워했다. - I missed my hometown.

5861. 너는 친구를 그리워한다. - You miss your friends.

5862. 그는 옛날을 그리워할 것이다. - He will miss the old days.

5863. 그리워해? - Do you miss?

5864. 응, 많이. - Yes, a lot.

5865. 그립다 - I miss

5866. 나는 고향을 그리웠다. - I missed my hometown.

5867. 너는 친구를 그립게 생각한다. - You miss your friend.

5868. 그는 옛날을 그리울 것이다. - He will miss the old days.

5869. 친구 생각나? - Do you remember your friend?

5870. 네, 생각나. - Yes, I remember him.

5871. 증오하다 - to hate

5872. 너는 행동을 증오했다. - You hated the behavior.

5873. 그는 불의를 증오한다. - He hates injustice.

5874. 그녀는 거짓을 증오할 것이다. - She will hate falsehood.

5875. 너 불편해? - Are you uncomfortable?

5876. 네, 불편해. - Yes, I am uncomfortable.

5877. 혐오하다 - to abhor

5878. 그는 비행을 혐오했다. - He abhorred flying.

5879. 그녀는 무례함을 혐오한다. - She abhors rudeness.

5880. 우리는 거짓말을 혐오할 것이다. - We will abhor lying.

5881. 이상해? - Is that weird?

5882. 아니, 괜찮아. - No, it's fine.

5883. 감동하다 - To be impressed

5884. 그녀는 이야기에 감동했다. - She was moved by the story.

5885. 우리는 영화에 감동한다. - We are moved by the movie.

5886. 당신들은 연설에 감동할 것이다. - You will be moved by the speech.

5887. 울었어? - Did you cry?

5888. 아니, 안 울었어. - No, I didn't cry.

5889. 66. 명사 단어들 외우기, 필수 10개 동사의 단어들을 가지고 50문장 연습하기 - 66. memorize noun words, practice 50 sentences with the words of the 10 essential verbs

5890. 경치 - sight

5891. 기술 - technology

5892. 발전 - Development

5893. 거짓말 - lie

5894. 위선 - hypocrisy

5895. 속임수 - Trickery

5896. 실수 - mistake

5897. 무지함 - ignorance

5898. 어리석음 - foolishness

5899. 노력 - effort

5900. 실패 - failure

5901. 용기 - courage

5902. 제안 - proposal

5903. 변화 - change

5904. 혁신 - innovation

5905. 박물관 - museum

5906. 자연 - nature

5907. 우주 - universe

5908. 계획 - plan

5909. 아이디어 - idea

5910. 정보 - information

5911. 경험 - experience

5912. 지식 - knowledge

5913. 프로젝트 - project

5914. 작업 - work

5915. 친구 - friend

5916. 이웃 - neighbor

5917. 사회 - society

5918. 감탄하다 - admire

5919. 나는 경치에 감탄했다. - I admired the scenery.

5920. 너는 기술을 감탄한다. - You admire the technology.

5921. 그는 발전을 감탄할 것이다. - He will admire the progress.

5922. 멋있어? - Is it cool?

5923. 네, 멋있어. - Yes, it's cool.

5924. 경멸하다 - To despise

5925. 너는 거짓말을 경멸했다. - You despise lying.

5926. 그는 위선을 경멸한다. - He would despise hypocrisy.

5927. 그녀는 속임수를 경멸할 것이다. - She would despise deception.

5928. 화났어? - Are you angry?

5929. 네, 화났어. - Yes, I'm angry.

5930. 비웃다 - to laugh at

5931. 그는 실수를 비웃었다. - He laughs at his mistakes.

5932. 그녀는 무지함을 비웃는다. - She laughs at ignorance.

5933. 우리는 어리석음을 비웃을 것이다. - We will laugh at our stupidity.

5934. 재밌어? - Is it funny?

5935. 아니, 안 재밌어. - No, it's not funny.

5936. 조롱하다 - to ridicule

5937. 그녀는 노력을 조롱했다. - She mocked the effort.

5938. 우리는 실패를 조롱한다. - We mock failure.

5939. 당신들은 용기를 조롱할 것이다. - You will mock courage.

5940. 즐거워? - Are you having fun?

5941. 아니, 즐겁지 않아. - No, it's not pleasant.

5942. 배척하다 - to reject

5943. 나는 제안을 배척했다. - I rejected the suggestion.

5944. 너는 변화를 배척하게 생각한다. - You think to reject change.

5945. 그는 혁신을 배척할 것이다. - He will reject the innovation.

5946. 거절해? - Reject?

5947. 네, 거절해. - Yes, reject.

5948. 탐방하다 - to explore

5949. 너는 박물관을 탐방했다. - You explore the museum.

5950. 그는 자연을 탐방한다. - He will explore nature.

5951. 그녀는 우주를 탐방할 것이다. - She will explore the universe.

5952. 재밌어? - Is it fun?

5953. 네, 재밌어. - Yes, it's fun.

5954. 찬성하다 - to be in favor of

5955. 그는 계획을 찬성했다. - He was in favor of the plan.

5956. 그녀는 아이디어를 찬성한다. - She is in favor of the idea.

5957. 우리는 제안을 찬성할 것이다. - We will vote in favor of the proposal.

5958. 동의해? - Do you agree?

5959. 네, 동의해. - Yes, I agree.

5960. 교류하다 - to exchange

5961. 그녀는 정보를 교류했다. - She exchanged information.

5962. 우리는 경험을 교류한다. - We will exchange experiences.

5963. 당신들은 지식을 교류할 것이다. - You will exchange knowledge.

5964. 만났어? - Have you met?

5965. 아니, 안 만났어. - No, I haven't.

5966. 협조하다 - to cooperate

5967. 나는 프로젝트에 협조했다. - I cooperated with the project.

5968. 너는 계획을 협조하게 생각한다. - You will cooperate with the plan.

5969. 그는 작업에 협조할 것이다. - He will cooperate with the work.

5970. 도울래? - Will you help?

5971. 네, 도울게. - Yes, I'll help.

5972. 도움을 주다 - to give help

5973. 너는 친구에게 도움을 주었다. - You help your friend.

5974. 그는 이웃을 돕는다. - He helps his neighbor.

5975. 그녀는 사회를 돕게 될 것이다. - She will help the society.

5976. 필요해? - Do you need it?

5977. 네, 필요해. - Yes, I need it.

5978. 67. 명사 단어들 외우기, 필수 10개 동사의 단어들을 가지고 50문장 연습하기 - 67. Memorize noun words, practice 50 sentences with the 10 essential verb words

5979. 목표 - target

5980. 성공 - success

5981. 꿈 - dream

5982. 보고서 - report

5983. 프로젝트 - project

5984. 계획 - plan

5985. 여행 - travel

5986. 모임 - class

5987. 학창 시절 - School Days

5988. 과제 - assignment

5989. 미션 - mission

5990. 도전 - challenge

5991. 전시 - exhibition

5992. 음악 - music

5993. 예술 - art

5994. 선생님 - teacher

5995. 리더 - leader

5996. 선구자 - precursor

5997. 자유 - freedom

5998. 평화 - peace

5999. 행복 - happiness

6000. 제안 - proposal

6001. 초대 - invite

6002. 조건 - condition

6003. 문제 - problem

6004. 경쟁 - compete

6005. 노력하다 - try

6006. 그는 목표를 달성하기 위해 노력했다. - He worked hard to achieve his goal.

6007. 그녀는 성공을 위해 노력한다. - She strives for success.

6008. 우리는 꿈을 이루기 위해 노력할 것이다. - We will try to make our dreams come true.

6009. 힘들어? - it's hard?

6010. 네, 힘들어. - Yes, it's hard.

6011. 작업하다 - to work on

6012. 그녀는 보고서를 작업했다. - She worked on the report.

6013. 우리는 프로젝트를 작업한다. - We work on the project.

6014. 당신들은 계획을 작업할 것이다. - You guys will work on the plan.

6015. 바빠? - Busy?

6016. 네, 바빠. - Yes, I'm busy.

6017. 추억하다 - To reminisce

6018. 나는 여행을 추억했다. - I reminisced about the trip.

6019. 너는 모임을 추억하게 생각한다. - You will reminisce about the meeting.

6020. 그는 학창 시절을 추억할 것이다. - He will reminisce about his school days.

6021. 잊었어? - Did you forget?

6022. 아니, 안 잊었어. - No, I didn't forget.

6023. 완수하다 - to accomplish

6024. 너는 과제를 완수했다. - You completed the assignment.

6025. 그는 미션을 완수한다. - He will complete the mission.

6026. 그녀는 도전을 완수할 것이다. - She will fulfill the challenge.

6027. 성공했어? - Did you succeed?

6028. 네, 성공했어. - Yes, I succeeded.

6029. 이루다 - to fulfill

6030. 그는 꿈을 이루었다. - He fulfills his dream.

6031. 그녀는 목표를 이룬다. - She will fulfill her goal.

6032. 우리는 희망을 이룰 것이다. - We will fulfill our hopes.

6033. 가능해? - Is it possible?

6034. 네, 가능해. - Yes, it is possible.

6035. 감상하다 - to appreciate

6036. 그녀는 전시를 감상했다. - She appreciated the exhibition.

6037. 우리는 음악을 감상한다. - We appreciate music.

6038. 당신들은 예술을 감상할 것이다. - You will appreciate art.

6039. 좋아해? - Do you like it?

6040. 네, 좋아해. - Yes, I like it.

6041. 동경하다 - to admire

6042. 나는 선생님을 동경했다. - I admired my teacher.

6043. 너는 리더를 동경하게 생각한다. - You admire a leader.

6044. 그는 선구자를 동경할 것이다. - He will admire the pioneer.

6045. 원해? - Do you want it?

6046. 네, 원해. - Yes, I want it.

6047. 갈망하다 - to long for

6048. 너는 자유를 갈망했다. - You longed for freedom.

6049. 그는 평화를 갈망한다. - He will long for peace.

6050. 그녀는 행복을 갈망할 것이다. - She will crave happiness.

6051. 필요해? - Need?

6052. 네, 필요해. - Yes, I need it.

6053. 수락하다 - to accept

6054. 그는 제안을 수락했다. - He accepted the offer.

6055. 그녀는 초대를 수락한다. - She accepts the invitation.

6056. 우리는 조건을 수락할 것이다. - We will accept the conditions.

6057. 동의해? - Do you agree?

6058. 네, 동의해. - Yes, I agree.

6059. 공격하다 - To attack

6060. 그녀는 문제를 공격적으로 다루었다. - She dealt with the problem aggressively.

6061. 우리는 경쟁을 공격적으로 대한다. - We treat the competition aggressively.

6062. 당신들은 도전을 공격할 것이다. - You will attack the challenge.

6063. 준비됐어? - Are you ready?

6064. 네, 준비됐어. - Yes, I'm ready.

6065. 68. 명사 단어들 외우기, 필수 10개 동사의 단어들을 가지고 50문장 연습하기 - 68. Memorize noun words, practice 50 sentences with the 10 essential verb words

6066. 대회 - Competition

6067. 동료 - colleague

6068. 시장 - market

6069. 위험 - danger

6070. 문제 - problem

6071. 기회 - opportunity

6072. 환경 - environment

6073. 변화 - change

6074. 미래 - future

6075. 규칙 - rule

6076. 기준 - standard

6077. 요구 - request

6078. 권력 - authority

6079. 영향력 - Influence

6080. 지식 - knowledge

6081. 아이 - kid

6082. 책 - book

6083. 모형 - model

6084. 인형 - doll

6085. 간판 - Sign

6086. 조형물 - sculpture

6087. 담요 - blanket

6088. 식탁 - table

6089. 화면 - screen

6090. 창문 - window

6091. 눈 - eye

6092. 거울 - mirror

6093. 정보 - information

6094. 경쟁하다 - compete

6095. 나는 대회에서 경쟁했다. - I competed in a competition.

6096. 너는 동료와 경쟁하게 생각한다. - You think to compete with your colleagues.

6097. 그는 시장에서 경쟁할 것이다. - He will compete in the market.

6098. 이겼어? - Did you win?

6099. 아니, 안 이겼어. - No, I didn't win.

6100. 인지하다 - Recognize

6101. 너는 위험을 인지했다. - You recognized the risk.

6102. 그는 문제를 인지한다. - He recognizes the problem.

6103. 그녀는 기회를 인지할 것이다. - She will recognize the opportunity.

6104. 알아챘어? - Did you recognize it?

6105. 네, 알아챘어. - Yes, I noticed.

6106. 적응하다 - To adapt

6107. 그는 새 환경에 적응했다. - He adapted to the new environment.

6108. 그녀는 변화에 적응한다. - She adapts to change.

6109. 우리는 미래에 적응할 것이다. - We will adapt to the future.

6110. 쉬워? - Is it easy?

6111. 아니, 어려워. - No, it's difficult.

6112. 순응하다 - to conform

6113. 그녀는 규칙에 순응했다. - She conformed to the rules.

6114. 우리는 기준에 순응한다. - We conform to the standards.

6115. 당신들은 요구에 순응할 것이다. - You will comply with the demands.

6116. 따라가? - Do you follow?

6117. 네, 따라가. - Yes, follow.

6118. 휘두르다 - to wield

6119. 나는 권력을 휘둘렀다. - I wielded power.

6120. 너는 영향력을 휘두르게 생각한다. - You think to wield influence.

6121. 그는 지식을 휘두를 것이다. - He will wield knowledge.

6122. 무서워? - Are you scared?

6123. 아니, 안 무서워. - No, I'm not afraid.

6124. 눕히다 - to lay down

6125. 나는 아이를 눕혔다. - I put the child down.

6126. 너는 책을 눕힌다. - You lay down a book.

6127. 그는 모형을 눕힐 것이다. - He will lay down the model.

6128. 편안해? - Is it comfortable?

6129. 네, 편안해. - Yes, I'm comfortable.

6130. 세우다 - to put up

6131. 너는 인형을 세웠다. - You set up the doll.

6132. 그는 간판을 세운다. - He will erect the sign.

6133. 그녀는 조형물을 세울 것이다. - She will erect a sculpture.

6134. 잘 섰어? - Did you stand well?

6135. 네, 잘 섰어. - Yes, I'm standing well.

6136. 덮다 - to cover

6137. 그는 책을 덮었다. - He covered the book.

6138. 그녀는 담요를 덮는다. - She covers the blanket.

6139. 우리는 식탁을 덮을 것이다. - We will cover the dining table.

6140. 춥니? - Is it cold?

6141. 아니, 안 춥다. - No, it's not cold.

6142. 어둡게 하다 - To darken

6143. 그녀는 방을 어둡게 했다. - She darkened the room.

6144. 우리는 화면을 어둡게 한다. - We darken the screen.

6145. 당신들은 창문을 어둡게 할 것이다. - You will darken the windows.

6146. 밝아? - Is it bright?

6147. 아니, 어두워. - No, it's dark.

6148. 가리다 - to cover

6149. 나는 눈을 가렸다. - I covered my eyes.

6150. 너는 거울을 가린다. - You cover the mirror.

6151. 그는 정보를 가릴 것이다. - He will mask the information.

6152. 보여? - Do you see?

6153. 아니, 안 보여. - No, I don't see it.

6154. 69. 명사 단어들 외우기, 필수 10개 동사의 단어들을 가지고 50문장 연습하기 - 69. Memorize noun words, practice 50 sentences with the 10 essential verb words

6155. 고양이 - cat

6156. 표면 - surface

6157. 식물 - plant

6158. 설정 - setting

6159. 기계 - machine

6160. 시스템 - system

6161. 문 - door

6162. 탁자 - table

6163. 북 - north

6164. 등 - etc.

6165. 바닥 - floor

6166. 복권 - Lottery ticket

6167. 비밀 - secret

6168. 데이터 - data

6169. 계획 - plan

6170. 혐의 - charge

6171. 주장 - opinion

6172. 관계 - relationship

6173. 휴가 - vacation

6174. 자유 - freedom

6175. 성과 - result

6176. 만지다 - touch

6177. 너는 고양이를 만졌다. - You touched the cat.

6178. 그는 표면을 만진다. - He touches the surface.

6179. 그녀는 식물을 만질 것이다. - She will touch the plant.

6180. 부드러워? - Is it soft?

6181. 네, 부드러워. - Yes, soft.

6182. 건드리다 - to touch

6183. 그는 설정을 건드렸다. - He touched the setting.

6184. 그녀는 기계를 건드린다. - She touches the machine.

6185. 우리는 시스템을 건드릴 것이다. - We're going to touch the system.

6186. 괜찮아? - Are you okay?

6187. 네, 괜찮아. - Yes, I'm fine.

6188. 두드리다 - To knock

6189. 그녀는 문을 두드렸다. - She knocked on the door.

6190. 우리는 탁자를 두드린다. - We knock on the table.

6191. 당신들은 북을 두드릴 것이다. - You will bang on the drum.

6192. 소리났어? - Did you hear that?

6193. 네, 소리났어. - Yes, it made a sound.

6194. 긁다 - scratch

6195. 나는 등을 긁었다. - I scratched my back.

6196. 너는 바닥을 긁는다. - You scratch the floor.

6197. 그는 복권을 긁을 것이다. - He will scratch the lottery ticket.

6198. 가려워? - itch?

6199. 아니, 안 가려워. - No, I don't itch.

6200. 잠들다 - To fall asleep

6201. 너는 빨리 잠들었다. - You fell asleep quickly.

6202. 그는 조용히 잠든다. - He falls asleep quietly.

6203. 그녀는 편안히 잠들 것이다. - She will sleep comfortably.

6204. 졸려? - Are you sleepy?

6205. 네, 졸려. - Yes, I'm sleepy.

6206. 미소짓다 - to smile

6207. 그는 기쁨에 미소지었다. - He smiles in joy.

6208. 그녀는 친절하게 미소짓는다. - She smiles in kindness.

6209. 우리는 성공에 미소질 것이다. - We will smile at our success.

6210. 행복해? - Are you happy?

6211. 네, 행복해. - Yes, I'm happy.

6212. 새기다 - to inscribe

6213. 그녀는 이름을 새겼다. - She inscribed her name.

6214. 우리는 메시지를 새긴다. - We engrave messages.

6215. 당신들은 기념을 새길 것이다. - You will inscribe a memorial.

6216. 기억나? - Do you remember?

6217. 네, 기억나. - Yes, I remember.

6218. 노출하다 - to expose

6219. 나는 비밀을 노출했다. - I exposed a secret.

6220. 너는 데이터를 노출한다. - You expose the data.

6221. 그는 계획을 노출할 것이다. - He will expose the plan.

6222. 위험해? - Is it dangerous?

6223. 아니, 안 위험해. - No, it's not dangerous.

6224. 부인하다 - Deny

6225. 너는 혐의를 부인했다. - You denied the allegation.

6226. 그는 주장을 부인한다. - He denies the allegations.

6227. 그녀는 관계를 부인할 것이다. - She will deny the relationship.

6228. 거짓말해? - Are you lying?

6229. 아니, 안 해. - No, I don't.

6230. 향유하다 - to enjoy

6231. 그는 휴가를 향유했다. - He enjoyed his vacation.

6232. 그녀는 자유를 향유한다. - She will enjoy her freedom.

6233. 우리는 성과를 향유할 것이다. - We will enjoy our achievement.

6234. 즐거워? - Are you enjoying?

6235. 네, 즐거워. - Yes, I'm enjoying it.

6236. 70. 명사 단어들 외우기, 필수 10개 동사의 단어들을 가지고 50문장 연습하기 - 70. memorize noun words, practice 50 sentences with the words of the 10 essential verbs

6237. 파티 - party

6238. 여행 - travel

6239. 공연 - show

6240. 여유 - spare

6241. 풍경 - sight

6242. 성공 - success

6243. 모임 - class

6244. 프로젝트 - project

6245. 캠페인 - campaign

6246. 기부 - donation

6247. 지식 - knowledge

6248. 노력 - effort

6249. 커뮤니티 - community

6250. 단체 - organization

6251. 이벤트 - event

6252. 조사 - inspection

6253. 실험 - Experiment

6254. 평가 - evaluation

6255. 작품 - Work

6256. 사진 - picture

6257. 발명품 - invention

6258. 자료 - data

6259. 환자 - patient

6260. 물품 - article

6261. 권리 - right

6262. 이념 - ideology

6263. 평화 - peace

6264. 즐기다 - enjoy

6265. 그녀는 파티를 즐겼다. - She enjoyed the party.

6266. 우리는 여행을 즐긴다. - We enjoy traveling.

6267. 당신들은 공연을 즐길 것이다. - You will enjoy the concert.

6268. 재미있어? - Are you having fun?

6269. 네, 재미있어. - Yes, it's fun.

6270. 누리다 - to enjoy

6271. 나는 여유를 누렸다. - I enjoyed the leisure.

6272. 너는 풍경을 누린다. - You enjoy the scenery.

6273. 그는 성공을 누릴 것이다. - He will enjoy his success.

6274. 만족해? - Are you satisfied?

6275. 네, 만족해. - Yes, I am satisfied.

6276. 동참하다 - To join in

6277. 너는 모임에 동참했다. - You join the meeting.

6278. 그는 프로젝트에 동참한다. - He will join the project.

6279. 그녀는 캠페인에 동참할 것이다. - She will join the campaign.

6280. 함께할래? - Will you join us?

6281. 네, 함께할래. - Yes, I'll join you.

6282. 공헌하다 - To contribute

6283. 그는 기부를 공헌했다. - He contributed a donation.

6284. 그녀는 지식을 공헌한다. - She contributes her knowledge.

6285. 우리는 노력을 공헌할 것이다. - We will contribute our efforts.

6286. 도움됐어? - Was that helpful?

6287. 네, 도움됐어. - Yes, it helped.

6288. 봉사하다 - To serve

6289. 그녀는 커뮤니티에 봉사했다. - She served the community.

6290. 우리는 단체에 봉사한다. - We serve the organization.

6291. 당신들은 이벤트에 봉사할 것이다. - You will serve the event.

6292. 기쁘니? - Are you happy?

6293. 네, 기뻐. - Yes, I'm glad.

6294. 착수하다 - To undertake

6295. 나는 프로젝트에 착수했다. - I undertook the project.

6296. 너는 작업에 착수한다. - You will undertake the task.

6297. 그는 연구에 착수할 것이다. - He will embark on his research.

6298. 준비됐어? - Are you ready?

6299. 네, 준비됐어. - Yes, I'm ready.

6300. 실시하다 - To conduct

6301. 너는 조사를 실시했다. - You conducted an investigation.

6302. 그는 실험을 실시한다. - He will conduct an experiment.

6303. 그녀는 평가를 실시할 것이다. - She will conduct an evaluation.

6304. 성공할까? - Will it work?

6305. 네, 성공할 거야. - Yes, it will succeed.

6306. 전시하다 - To exhibit

6307. 그는 작품을 전시했다. - He exhibited his work.

6308. 그녀는 사진을 전시한다. - She will exhibit her photographs.

6309. 우리는 발명품을 전시할 것이다. - We will exhibit our invention.

6310. 관심있어? - Are you interested?

6311. 네, 관심있어. - Yes, I'm interested.

6312. 이송하다 - to transfer

6313. 그녀는 자료를 이송했다. - She transported the materials.

6314. 우리는 환자를 이송한다. - We will transport the patient.

6315. 당신들은 물품을 이송할 것이다. - You will transport the goods.

6316. 빨라? - Is it fast?

6317. 네, 빨라. - Yes, it's fast.

6318. 옹호하다 - to advocate

6319. 나는 권리를 옹호했다. - I defended a right.

6320. 너는 이념을 옹호한다. - You advocate an ideology.

6321. 그는 평화를 옹호할 것이다. - He will advocate for peace.

6322. 중요해? - Is it important?

6323. 네, 중요해. - Yes, it is important.

6324. 71. 명사 단어들 외우기, 필수 10개 동사의 단어들을 가지고 50문장 연습하기 - 71. Memorize noun words, practice 50 sentences with the 10 essential verb words

6325. 계획 - plan

6326. 문제 - problem

6327. 전략 - strategy

6328. 조건 - condition

6329. 계약 - contract

6330. 합의 - agreement

6331. 약속 - promise

6332. 규칙 - rule

6333. 비밀 - secret

6334. 사고 - accident

6335. 오류 - error

6336. 손실 - Loss

6337. 결정 - decision

6338. 제안 - proposal

6339. 가능성 - Possibility

6340. 의견 - opinion

6341. 방안 - measures

6342. 초콜릿 - chocolate

6343. 여름 - summer

6344. 온라인 수업 - online classes

6345. 위험 - danger

6346. 논쟁 - arguement

6347. 갈등 - conflict

6348. 상의하다 - discuss

6349. 너는 계획을 상의했다. - You discussed the plan.

6350. 그는 문제를 상의한다. - He will discuss the problem.

6351. 그녀는 전략을 상의할 것이다. - She will discuss the strategy.

6352. 동의해? - Do you agree?

6353. 네, 동의해. - Yes, I agree.

6354. 협의하다 - to discuss

6355. 그는 조건을 협의했다. - He negotiated the terms.

6356. 그녀는 계약을 협의한다. - She will negotiate the contract.

6357. 우리는 합의를 협의할 것이다. - We will negotiate an agreement.

6358. 결정났어? - Have you decided?

6359. 네, 결정났어. - Yes, it's decided.

6360. 지키다 - to keep

6361. 그녀는 약속을 지켰다. - She kept her promise.

6362. 우리는 규칙을 지킨다. - We keep the rules.

6363. 당신들은 비밀을 지킬 것이다. - You will keep the secret.

6364. 안전해? - Is it safe?

6365. 네, 안전해. - Yes, it's safe.

6366. 방지하다 - to prevent

6367. 나는 사고를 방지했다. - I prevented an accident.

6368. 너는 오류를 방지한다. - You will prevent errors.

6369. 그는 손실을 방지할 것이다. - He will prevent losses.

6370. 필요해? - Do you need it?

6371. 네, 필요해. - Yes, I need it.

6372. 재검토하다 - To reconsider

6373. 너는 결정을 재검토했다. - You reconsidered your decision.

6374. 그는 계획을 재검토한다. - He will reconsider the plan.

6375. 그녀는 정책을 재검토할 것이다. - She will reconsider the policy.

6376. 변했어? - Has it changed?

6377. 네, 변했어. - Yes, it has changed.

6378. 고려하다 - to consider

6379. 나는 그 제안을 고려했다. - I considered the proposal.

6380. 너는 가능성을 고려한다. - You consider the possibility.

6381. 그는 의견을 고려할 것이다. - He will consider the opinion.

6382. 생각해봤어? - Have you considered it?

6383. 네, 봤어. - Yes, I have.

6384. 숙고하다 - to ponder

6385. 너는 결정을 숙고했다. - You pondered the decision.

6386. 그는 방안을 숙고한다. - He will ponder the plan.

6387. 그녀는 제안을 숙고할 것이다. - She will ponder the proposal.

6388. 충분히 생각했어? - Have you thought about it enough?

6389. 네, 했어. - Yes, I did.

6390. 의논하다 - to discuss

6391. 그는 계획을 의논했다. - He discussed the plan.

6392. 그녀는 문제를 의논한다. - She will discuss the problem.

6393. 우리는 전략을 의논할 것이다. - We will discuss the strategy.

6394. 의견 있어? - Do you have an opinion?

6395. 네, 있어. - Yes, I do.

6396. 선호하다 - Prefer

6397. 그녀는 초콜릿을 선호했다. - She preferred chocolate.

6398. 우리는 여름을 선호한다. - We prefer summer.

6399. 당신들은 온라인 수업을 선호할 것이다. - You would prefer online classes.

6400. 좋아해? - Do you like it?

6401. 네, 좋아해. - Yes, I like it.

6402. 기피하다 - Avoid

6403. 나는 위험을 기피했다. - I shunned risk.

6404. 너는 논쟁을 기피한다. - You avoid controversy.

6405. 그는 갈등을 기피할 것이다. - He will avoid conflict.

6406. 싫어해? - Do you dislike?

6407. 네, 싫어해. - Yes, I dislike it.

6408. 72. 명사 단어들 외우기, 필수 10개 동사의 단어들을 가지고 50문장 연습하기 - 72. Memorize noun words, practice 50 sentences with the required 10 verb words

6409. 목표 - target

6410. 의도 - Intent

6411. 계획 - plan

6412. 비밀 - secret

6413. 진실 - truth

6414. 결과 - result

6415. 세부사항 - Detail

6416. 문서 - document

6417. 보고서 - report

6418. 상품 - Goods

6419. 편지 - letter

6420. 선물 - gift

6421. 하나님 - father

6422. 예수님 - Jesus

6423. 기여 - contribute

6424. 능력 - ability

6425. 아이디어 - idea

6426. 의견 - opinion

6427. 친구 - friend

6428. 이웃 - neighbor

6429. 동료 - colleague

6430. 손실 - Loss

6431. 상실 - loss

6432. 고인 - deceased

6433. 기술 - technology

6434. 지원 - support

6435. 도움 - help

6436. 성공 - success

6437. 소식 - News

6438. 선언하다 - declare

6439. 너는 목표를 선언했다. - You declare a goal.

6440. 그는 의도를 선언한다. - He declares his intentions.

6441. 그녀는 계획을 선언할 것이다. - She will declare a plan.

6442. 말했어? - Did you say it?

6443. 네, 말했어. - Yes, I said it.

6444. 드러나다 - Reveal

6445. 그는 비밀을 드러냈다. - He revealed the secret.

6446. 그녀는 진실을 드러낸다. - She reveals the truth.

6447. 우리는 결과를 드러낼 것이다. - We will reveal the results.

6448. 알게 됐어? - Got it?

6449. 네, 됐어. - Yes, I got it.

6450. 살피다 - to look over

6451. 그녀는 세부사항을 살폈다. - She looked at the details.

6452. 우리는 문서를 살핀다. - We look at the documents.

6453. 당신들은 보고서를 살필 것이다. - You will scrutinize the report.

6454. 확인했어? - Did you check it?

6455. 네, 했어. - Yes, I did.

6456. 배송하다 - To deliver

6457. 나는 상품을 배송했다. - I shipped the goods.

6458. 너는 편지를 배송한다. - You will deliver the letter.

6459. 그는 선물을 배송할 것이다. - He will ship the gift.

6460. 도착했어? - Did it arrive?

6461. 네, 도착했어. - Yes, it arrived.

6462. 찬양하다 - To praise

6463. 나는 하나님을 찬양했다. - I praised God.

6464. 그는 예수님을 찬양한다. - He praises Jesus.

6465. 그녀는 기여를 찬양할 것이다. - She will praise the contribution.

6466. 기뻐해? - Rejoice?

6467. 네, 기뻐해. - Yes, I rejoice.

6468. 비하하다 - To demean

6469. 그는 능력을 비하했다. - He demeans the ability.

6470. 그녀는 아이디어를 비하한다. - She demeans the idea.

6471. 우리는 의견을 비하할 것이다. - We will demean the opinion.

6472. 나빠? - Bad?

6473. 네, 나빠. - Yes, bad.

6474. 돕다 - To help

6475. 그녀는 친구를 도왔다. - She helped her friend.

6476. 우리는 이웃을 돕는다. - We help our neighbors.

6477. 당신들은 동료를 도울 것이다. - You will help your coworkers.

6478. 도와줄래? - Will you help me?

6479. 네, 도와줄게. - Yes, I'll help.

6480. 애도하다 - to mourn

6481. 나는 손실을 애도했다. - I mourned the loss.

6482. 너는 상실을 애도한다. - You mourn the loss.

6483. 그는 고인을 애도할 것이다. - He will mourn the deceased.

6484. 슬퍼? - Mourn?

6485. 네, 슬퍼. - Yes, sad.

6486. 의존하다 - to depend on

6487. 너는 기술에 의존했다. - You depended on technology.

6488. 그는 지원에 의존한다. - He depends on support.

6489. 그녀는 도움에 의존할 것이다. - She will depend on help.

6490. 필요해? - Do you need it?

6491. 네, 필요해. - Yes, I need it.

6492. 기뻐하다 - to rejoice

6493. 그는 성공을 기뻐했다. - He rejoiced in his success.

6494. 그녀는 소식을 기뻐한다. - She rejoices in the news.

6495. 우리는 결과를 기뻐할 것이다. - We will rejoice in the result.

6496. 행복해? - Are you happy?

6497. 네, 행복해. - Yes, I'm happy.

6498. 73. 명사 단어들 외우기, 필수 10개 동사의 단어들을 가지고 50문장 연습하기 - 73. Memorize noun words, practice 50 sentences with the required 10 verb words

6499. 문제 - problem

6500. 상황 - situation

6501. 처리 - process

6502. 서비스 - service

6503. 결정 - decision

6504. 정책 - Policy

6505. 도움 - help

6506. 지원 - support

6507. 기회 - opportunity

6508. 실수 - mistake

6509. 오해 - misunderstanding

6510. 불편 - Inconvenience

6511. 제안 - proposal

6512. 변화 - change

6513. 조언 - advice

6514. 순간 - Moment

6515. 가능성 - Possibility

6516. 기준 - standard

6517. 목소리 - voice

6518. 가격 - price

6519. 모자 - hat

6520. 장갑 - Gloves

6521. 유니폼 - uniform

6522. 과일 - fruit

6523. 야채 - vegetable

6524. 고기 - meat

6525. 샐러드 - salad

6526. 재료 - ingredient

6527. 반죽 - dough

6528. 불평하다 - complain

6529. 그녀는 문제를 불평했다. - She complained of a problem.

6530. 우리는 상황을 불평한다. - We complain about the situation.

6531. 당신들은 처리를 불평할 것이다. - You will complain about the treatment.

6532. 불만 있어? - Do you have a complaint?

6533. 네, 있어. - Yes, I have.

6534. 불만을 표하다 - to complain about

6535. 나는 서비스에 불만을 표했다. - I complained about the service.

6536. 너는 결정에 불만을 표한다. - You are dissatisfied with the decision.

6537. 그는 정책에 불만을 표할 것이다. - He will express dissatisfaction with the policy.

6538. 안 좋아해? - Don't you like it?

6539. 네, 안 좋아해. - Yes, I don't like it.

6540. 고맙다고 하다 - Say thank you

6541. 너는 도움에 고맙다고 했다. - You say thank you for the help.

6542. 그는 지원에 고맙다고 한다. - He will say thank you for the support.

6543. 그녀는 기회에 고맙다고 할 것이다. - She would be grateful for the opportunity.

6544. 감사해? - Are you grateful?

6545. 네, 감사해. - Yes, I'm grateful.

6546. 용서를 구하다 - Asking for forgiveness

6547. 그는 실수에 용서를 구했다. - He asks for forgiveness for a mistake.

6548. 그녀는 오해에 용서를 구한다. - She asks forgiveness for the misunderstanding.

6549. 우리는 불편에 용서를 구할 것이다. - We will ask for forgiveness for the inconvenience.

6550. 용서해줄래? - Will you forgive us?

6551. 네, 용서해줄게. - Yes, I forgive you.

6552. 받아들이다 - Accept

6553. 그녀는 제안을 받아들였다. - She accepted the offer.

6554. 우리는 변화를 받아들인다. - We accept the change.

6555. 당신들은 조언을 받아들일 것이다. - You will accept the advice.

6556. 좋아해? - Do you like it?

6557. 네, 좋아해. - Yes, I like it.

6558. 붙잡다 - to seize

6559. 나는 기회를 붙잡았다. - I seized the opportunity.

6560. 너는 순간을 붙잡는다. - You seize the moment.

6561. 그는 가능성을 붙잡을 것이다. - He will seize the possibility.

6562. 준비됐어? - You ready?

6563. 네, 됐어. - Yes, I'm ready.

6564. 올리다 - Raise

6565. 너는 기준을 올렸다. - You raise the bar.

6566. 그는 목소리를 올린다. - He raises his voice.

6567. 그녀는 가격을 올릴 것이다. - She will raise the price.

6568. 높아졌어? - Did you raise it?

6569. 네, 높아졌어. - Yes, it's raised.

6570. 착용하다 - to wear

6571. 그는 모자를 착용했다. - He put on his hat.

6572. 그녀는 장갑을 착용한다. - She wears gloves.

6573. 우리는 유니폼을 착용할 것이다. - We will wear uniforms.

6574. 맞아? - Is that right?

6575. 네, 맞아. - Yes, that's right.

6576. 썰다 - to slice

6577. 그녀는 과일을 썰었다. - She sliced the fruit.

6578. 우리는 야채를 썬다. - We will slice vegetables.

6579. 당신들은 고기를 썰 것이다. - You guys will slice the meat.

6580. 잘랐어? - Did you cut it?

6581. 네, 잘랐어. - Yes, I cut it.

6582. 버무리다 - Toss

6583. 나는 샐러드를 버무렸다. - I tossed the salad.

6584. 너는 재료를 버무린다. - You toss the ingredients.

6585. 그는 반죽을 버무릴 것이다. - He will knead the dough.

6586. 완성됐어? - Is it done?

6587. 네, 됐어. - Yes, it's ready.

6588. 74. 명사 단어들 외우기, 필수 10개 동사의 단어들을 가지고 50문장 연습하기 - 74. memorize noun words, practice 50 sentences with the words of the 10 essential verbs

6589. 꽃의 향기 - scent of flowers

6590. 커피의 향기 - the scent of coffee

6591. 향수의 향기 - scent of perfume

6592. 손가락 - finger

6593. 발 - foot

6594. 종이 - paper

6595. 공 - ball

6596. 문 - door

6597. 볼 - cheek

6598. 기회 - opportunity

6599. 성공 - success

6600. 명성 - Fame

6601. 친구 - friend

6602. 팀 - team

6603. 가족 - family

6604. 자전거 - bicycle

6605. 휴가 - vacation

6606. 대학 입학 - college admissions

6607. 건강한 생활 - healthy life

6608. 사업 확장 - Business expansion

6609. 가구 - furniture

6610. 쓰레기 - trash

6611. 문서 - document

6612. 파일 - file

6613. 이메일 - email

6614. 데이터 - data

6615. 메시지 - message

6616. 정보 - information

6617. 향기를 맡다 - Smell the scent

6618. 너는 꽃의 향기를 맡았다. - You smell the scent of the flowers.

6619. 그는 커피의 향기를 맡는다. - He smells the aroma of coffee.

6620. 그녀는 향수의 향기를 맡을 것이다. - She will smell the scent of perfume.

6621. 좋아해? - Do you like it?

6622. 네, 좋아해. - Yes, I like it.

6623. 찌르다 - To prick

6624. 그는 손가락을 찔렀다. - He pricked his finger.

6625. 그녀는 발을 찌른다. - She pricked her foot.

6626. 우리는 종이로 손을 찔을 것이다. - We will prick our hands with paper.

6627. 아파? - Does it hurt?

6628. 네, 아파. - Yes, it hurts.

6629. 차다 - To kick

6630. 그녀는 공을 찼다. - She kicked the ball.

6631. 우리는 문을 찬다. - We kick the door.

6632. 당신들은 볼을 찰 것이다. - You will kick the ball.

6633. 세게 찼어? - Did you kick hard?

6634. 네, 세게 찼어. - Yes, I kicked it hard.

6635. 탐발하다 - to take a chance

6636. 나는 기회를 탐발했다. - I seized the opportunity.

6637. 너는 성공을 탐발한다. - You will have success.

6638. 그는 명성을 탐발할 것이다. - He will covet fame.

6639. 원해? - Do you want it?

6640. 네, 원해. - Yes, I want it.

6641. 의지하다 - to rely on

6642. 너는 친구에게 의지했다. - You leaned on your friends.

6643. 그는 팀에 의지한다. - He will rely on his team.

6644. 그녀는 가족에 의지할 것이다. - She will rely on her family.

6645. 의존해? - Depend on?

6646. 네, 의존해. - Yes, rely on.

6647. 욕망하다 - Desire

6648. 나는 새로운 자전거를 욕망했다. - I lusted for a new bike.

6649. 너는 성공을 욕망한다. - You desire success.

6650. 그는 휴가를 욕망할 것이다. - He will desire a vacation.

6651. 더 필요한 거 있어? - Anything else?

6652. 모두 좋아, 감사해. - All good, thank you.

6653. 목표하다 - To aim for

6654. 그녀는 대학 입학을 목표했다. - She aimed to get into college.

6655. 우리는 건강한 생활을 목표한다. - We aim to live a healthy life.

6656. 당신들은 사업 확장을 목표할 것이다. - You guys will aim to expand your business.

6657. 목표가 뭐야? - What's your goal?

6658. 행복해지기야. - To be happy.

6659. 폐기하다 - Dispose of

6660. 우리는 오래된 가구를 폐기했다. - We dispose of old furniture.

6661. 당신들은 쓰레기를 폐기한다. - You dispose of garbage.

6662. 그들은 불필요한 문서를 폐기할 것이다. - They will dispose of unnecessary documents.

6663. 이거 버려도 돼? - Can I throw this away?

6664. 네, 필요 없어. - Yes, I don't need it.

6665. 암호화하다 - Encrypt

6666. 그는 중요한 파일을 암호화했다. - He encrypted his important files.

6667. 그녀는 이메일을 암호화한다. - She encrypts her emails.

6668. 나는 내 데이터를 암호화할 것이다. - I will encrypt my data.

6669. 비밀번호 설정했어? - Did you set a password?

6670. 이미 했어, 안심해. - I already did, don't worry.

6671. 복호화하다 - to decrypt

6672. 그녀는 메시지를 복호화했다. - She decrypted the message.

6673. 우리는 정보를 복호화한다. - We decrypt information.

6674. 당신들은 문서를 복호화할 것이다. - You will decrypt the document.

6675. 열쇠 찾았어? - Did you find the key?

6676. 아직 못 찾았어. - No, I haven't found it yet.

6677. 75. 명사 단어들 외우기, 필수 10개 동사의 단어들을 가지고 50문장 연습하기 - 75. memorize noun words, practice 50 sentences with words from 10 essential verbs

6678. 파일들 - files

6679. 사진 - picture

6680. 자료 - data

6681. 문서 - document

6682. 바코드 - barcode

6683. 신분증 - ID

6684. 중요한 부분 - part

6685. 텍스트 - text

6686. 포인트 - point

6687. 데이터 - data

6688. 주소 - address

6689. 내 정보 - My Info

6690. 보고서 - report

6691. 이메일 - email

6692. 계획 - plan

6693. 클럽 - club

6694. 프로그램 - program

6695. 도서관 - library

6696. 목표 - target

6697. 성공 - success

6698. 해결책 - solution

6699. 위험 - danger

6700. 집 - house

6701. 삶 - life

6702. 경력 - career

6703. 공기 - air

6704. 물 - water

6705. 환경 - environment

6706. 압축하다 - compress

6707. 나는 파일들을 압축했다. - I compressed files.

6708. 너는 사진을 압축한다. - You compress photos.

6709. 그는 자료를 압축할 것이다. - He will compress the materials.

6710. 공간 충분해? - Is there enough space?

6711. 네, 충분해. - Yes, there is enough.

6712. 스캔하다 - To scan

6713. 그녀는 문서를 스캔했다. - She scanned the document.

6714. 우리는 바코드를 스캔한다. - We scan the barcode.

6715. 당신들은 신분증을 스캔할 것이다. - You guys will scan your IDs.

6716. 다 됐어? - Are you done?

6717. 네, 다 됐어. - Yes, we're done.

6718. 하이라이트하다 - Highlight

6719. 우리는 중요한 부분을 하이라이트했다. - We highlighted the important parts.

6720. 당신들은 텍스트를 하이라이트한다. - You're going to highlight text.

6721. 그들은 포인트를 하이라이트할 것이다. - They're going to highlight points.

6722. 이 부분 강조할까? - Do you want me to highlight this?

6723. 좋아, 해줘. - Okay, do it.

6724. 입력하다 - Enter

6725. 그는 데이터를 입력했다. - He entered the data.

6726. 그녀는 주소를 입력한다. - She enters the address.

6727. 나는 내 정보를 입력할 것이다. - I'm going to enter my information.

6728. 정보 다 넣었어? - Are you done?

6729. 네, 다 했어. - Yes, I'm done.

6730. 타이핑하다 - To type

6731. 나는 보고서를 타이핑했다. - I typed the report.

6732. 너는 이메일을 타이핑한다. - You will type the email.

6733. 그는 계획을 타이핑할 것이다. - He will type the plan.

6734. 글 쓰고 있어? - Are you writing?

6735. 아니, 쉬고 있어. - No, I'm resting.

6736. 가입하다 - to join

6737. 나는 클럽에 가입했다. - I joined the club.

6738. 너는 프로그램에 가입한다. - You join the program.

6739. 그는 도서관에 가입할 것이다. - He will join the library.

6740. 회원 되고 싶어? - Do you want to be a member?

6741. 네, 가입할래요. - Yes, I want to join.

6742. 근접하다 - to approach

6743. 그녀는 목표에 근접했다. - She is close to her goal.

6744. 우리는 성공에 근접한다. - We are close to success.

6745. 당신들은 해결책에 근접할 것이다. - You will be close to the solution.

6746. 거의 다 왔어? - Are you almost there?

6747. 네, 거의 다 왔어요. - Yes, we're almost there.

6748. 멀어지다 - To move away from

6749. 우리는 위험으로부터 멀어졌다. - We've moved away from the danger.

6750. 당신들은 목표로부터 멀어진다. - You are moving away from the goal.

6751. 그들은 서로로부터 멀어질 것이다. - They will move away from each other.

6752. 떠나고 싶어? - Do you want to leave?

6753. 아니요, 여기 있을래요. - No, I'll stay here.

6754. 재건하다 - to rebuild

6755. 그는 그의 집을 재건했다. - He rebuilt his house.

6756. 그녀는 그녀의 삶을 재건한다. - She rebuilds her life.

6757. 나는 내 경력을 재건할 것이다. - I will rebuild my career.

6758. 다시 시작할 준비 됐어? - Are you ready to start over?

6759. 네, 준비 됐어요. - Yes, I'm ready.

6760. 정화하다 - to purify

6761. 그녀는 공기를 정화했다. - She purified the air.

6762. 우리는 물을 정화한다. - We purify the water.

6763. 당신들은 환경을 정화할 것이다. - You will clean up the environment.

6764. 더 깨끗해졌어? - Is it cleaner?

6765. 네, 훨씬 나아졌어요. - Yes, it's much better.

6766. 76. 명사 단어들 외우기, 필수 10개 동사의 단어들을 가지고 50문장 연습하기 - 76. memorize noun words, practice 50 sentences with the words of the 10 essential verbs

6767. 상처 - wound

6768. 방 - room

6769. 장비 - equipment

6770. 여행 - travel

6771. 회의 - meeting

6772. 발표 - presentation

6773. 프로젝트 - project

6774. 이벤트 - event

6775. 캠페인 - campaign

6776. 아이디어 - idea

6777. 생각 - thought

6778. 방법 - method

6779. 해 - sun

6780. 미래 - future

6781. 기회 - opportunity

6782. 능력 - ability

6783. 가치 - value

6784. 이론 - theory

6785. 주장 - opinion

6786. 사실 - actually

6787. 무죄 - innocence

6788. 삶의 의미 - meaning of life

6789. 자연의 아름다움 - natural beauty

6790. 과거의 실수 - past mistakes

6791. 행동 - action

6792. 결정 - decision

6793. 추억 - memory

6794. 약속 - promise

6795. 역사 - history

6796. 소독하다 - sanitize(disinfect)

6797. 나는 상처를 소독했다. - I sterilized the wound.

6798. 너는 방을 소독한다. - You sanitize the room.

6799. 그는 장비를 소독할 것이다. - He will sanitize the equipment.

6800. 이게 안전해? - Is this safe?

6801. 네, 안전해요. - Yes, it's safe.

6802. 예정하다 - To schedule

6803. 그녀는 여행을 예정했다. - She scheduled the trip.

6804. 우리는 회의를 예정한다. - We are scheduling a meeting.

6805. 당신들은 발표를 예정할 것이다. - You will schedule a presentation.

6806. 일정 정했어? - Have you scheduled it?

6807. 네, 다 정했어요. - Yes, I have everything planned.

6808. 기획하다 - to plan

6809. 우리는 프로젝트를 기획했다. - We planned a project.

6810. 당신들은 이벤트를 기획한다. - You will organize an event.

6811. 그들은 캠페인을 기획할 것이다. - They're going to plan a campaign.

6812. 뭐 계획 중이야? - What are you planning?

6813. 새로운 시작이에요. - A new beginning.

6814. 발상하다 - to conceive

6815. 그는 훌륭한 아이디어를 발상했다. - He came up with a great idea.

6816. 그녀는 창의적인 생각을 발상한다. - She comes up with creative ideas.

6817. 나는 새로운 방법을 발상할 것이다. - I will invent a new way.

6818. 아이디어 있어? - Do you have any ideas?

6819. 네, 몇 개 있어요. - Yes, I have a few.

6820. 바라보다 - To look at

6821. 나는 해가 지는 것을 바라봤다. - I watched the sun go down.

6822. 너는 미래를 바라본다. - You look to the future.

6823. 그는 기회를 바라볼 것이다. - He will look at opportunities.

6824. 희망 가지고 있어? - You have hope?

6825. 네, 항상 그래요. - Yes, I always do.

6826. 증명하다 - to prove

6827. 그녀는 자신의 능력을 증명했다. - She proved her ability.

6828. 우리는 우리의 가치를 증명한다. - We prove our worth.

6829. 당신들은 이론을 증명할 것이다. - You will prove the theory.

6830. 진짜야? - Is it real?

6831. 네, 진짜에요. - Yes, it's real.

6832. 입증하다 - to prove

6833. 우리는 우리의 주장을 입증했다. - We prove our point.

6834. 당신들은 사실을 입증한다. - You will prove the facts.

6835. 그들은 무죄를 입증할 것이다. - They will prove their innocence.

6836. 증거 있어? - Do you have proof?

6837. 네, 여기 있어요. - Yes, here it is.

6838. 묵상하다 - To contemplate

6839. 나는 삶의 의미를 묵상했다. - I meditated on the meaning of life.

6840. 너는 미래에 대해 묵상한다. - You meditate on the future.

6841. 그는 자연의 아름다움을 묵상할 것이다. - He will meditate on the beauty of nature.

6842. 조용한 곳 찾고 있어? - Are you looking for a quiet place?

6843. 네, 필요해. - Yes, I need one.

6844. 반성하다 - to reflect

6845. 그녀는 과거의 실수를 반성했다. - She reflected on her past mistakes.

6846. 우리는 행동을 반성한다. - We reflect on our actions.

6847. 당신들은 결정을 반성할 것이다. - You will reflect on your decision.

6848. 후회하는 거 있어? - Do you have any regrets?

6849. 응, 몇 가지 있어. - Yes, I have a few.

6850. 상기하다 - Recall

6851. 우리는 좋은 추억을 상기했다. - We recalled good memories.

6852. 당신들은 약속을 상기한다. - You recall promises.

6853. 그들은 역사를 상기할 것이다. - They will recall history.

6854. 기억 나? - Do you remember?

6855. 네, 잘 기억나. - Yes, I remember it well.

6856. 77. 명사 단어들 외우기, 필수 10개 동사의 단어들을 가지고 50문장 연습하기 - 77. Memorize noun words, practice 50 sentences with the 10 essential verb words

6857. 상황 - situation

6858. 그녀 - she

6859. 불행한 이들 - the unfortunate ones

6860. 아이 - kid

6861. 친구 - friend

6862. 군중 - crowd

6863. 물건 - thing

6864. 진행 상황 - Progress

6865. 동물의 이동 경로 - animal movement path

6866. 생각 - thought

6867. 계획 - plan

6868. 직업 - job

6869. 문제 - problem

6870. 프로젝트 - project

6871. 도전 - challenge

6872. 어려움 - difficulty

6873. 두려움 - fear

6874. 장애 - obstacle

6875. 위기 - Danger

6876. 혼란 - confusion

6877. 취미 - hobby

6878. 과학 - science

6879. 예술 - art

6880. 하늘 - sky

6881. 바다 - ocean

6882. 고대 유물 - Antiquities

6883. 지식 - knowledge

6884. 재능 - Talent

6885. 동정하다 - sympathize

6886. 나는 그의 상황에 동정했다. - I sympathized with his situation.

6887. 너는 그녀를 동정한다. - You pity her.

6888. 그는 불행한 이들을 동정할 것이다. - He will pity the unfortunate.

6889. 도와줄 수 있어? - Can you help him?

6890. 물론, 도와줄게. - Sure, I'll help.

6891. 타이르다 - Tie

6892. 그녀는 울고 있는 아이를 타이렀다. - She tied the crying child.

6893. 우리는 화난 친구를 타이른다. - We tie an angry friend.

6894. 당신들은 분노한 군중을 타이를 것이다. - You will tie the angry crowd.

6895. 진정됐어? - You calmed down?

6896. 네, 좀 나아졌어. - Yes, I'm feeling better.

6897. 추적하다 - to trace

6898. 우리는 분실된 물건을 추적했다. - We tracked down a lost object.

6899. 당신들은 진행 상황을 추적한다. - You will track progress.

6900. 그들은 동물의 이동 경로를 추적할 것이다. - They'll track the animal's migration.

6901. 뭐 찾고 있어? - You looking for something?

6902. 네, 찾고 있어. - Yes, I'm looking for something.

6903. 바꾸다 - Change

6904. 나는 생각을 바꾸었다. - I changed my mind.

6905. 너는 계획을 바꾼다. - You change your plans.

6906. 그는 직업을 바꿀 것이다. - He will change his job.

6907. 마음 바뀌었어? - Did you change your mind?

6908. 아니, 그대로야. - No, it's the same.

6909. 해내다 - to accomplish

6910. 그녀는 어려운 문제를 해냈다. - She solved the difficult problem.

6911. 우리는 프로젝트를 해낸다. - We get the project done.

6912. 당신들은 도전을 해낼 것이다. - You will accomplish the challenge.

6913. 할 수 있겠어? - Can you do it?

6914. 응, 할 수 있어. - Yes, I can do it.

6915. 극복하다 - to overcome

6916. 우리는 어려움을 극복했다. - We overcome difficulties.

6917. 당신들은 두려움을 극복한다. - You will overcome your fears.

6918. 그들은 장애를 극복할 것이다. - They will overcome obstacles.

6919. 문제 해결됐어? - Problem solved?

6920. 네, 다 해결됐어. - Yes, everything is solved.

6921. 헤쳐나가다 - To get through

6922. 나는 위기를 헤쳐나갔다. - I made it through the crisis.

6923. 너는 어려움을 헤쳐나간다. - You get through difficulties.

6924. 그는 혼란을 헤쳐나갈 것이다. - He will get through the mess.

6925. 길 찾았어? - Did you find the way?

6926. 네, 찾았어. - Yes, I found it.

6927. 관심을 가지다 - to take an interest in

6928. 나는 새 취미에 관심을 가졌다. - I took an interest in a new hobby.

6929. 그는 과학에 관심을 가진다. - He is interested in science.

6930. 그녀는 예술에 관심을 가질 것이다. - She would be interested in art.

6931. 관심 있어? - Are you interested?

6932. 네, 많이. - Yes, a lot.

6933. 응시하다 - to stare

6934. 그녀는 멀리 응시했다. - She gazed off into the distance.

6935. 우리는 하늘을 응시한다. - We gaze at the sky.

6936. 그들은 바다를 응시할 것이다. - They will stare at the sea.

6937. 뭐 응시해? - Gaze at what?

6938. 별을 봐. - Look at the stars.

6939. 발굴하다 - to excavate

6940. 나는 고대 유물을 발굴했다. - I unearthed an ancient artifact.

6941. 그는 지식을 발굴한다. - He digs for knowledge.

6942. 그녀는 재능을 발굴할 것이다. - She will dig for talent.

6943. 더 발굴할까? - Shall we dig some more?

6944. 그래, 계속해. - Yes, go on.

6945. 78. 명사 단어들 외우기, 필수 10개 동사의 단어들을 가지고 50문장 연습하기 - 78. Memorize the noun words, practice 50 sentences with the 10 essential verb words

6946. 도구 - equipment

6947. 컴퓨터 - computer

6948. 신기술 - new technology

6949. 시간 - hour

6950. 에너지 - energy

6951. 자원 - resource

6952. 돈 - money

6953. 물 - water

6954. 기회 - opportunity

6955. 추억 - memory

6956. 사진 - picture

6957. 비밀 - secret

6958. 문서 - document

6959. 환경 - environment

6960. 장벽 - barrier

6961. 자동차 - automobile

6962. 기계 - machine

6963. 모델 - Model

6964. 부품 - part

6965. 시스템 - system

6966. 시계 - clock

6967. 퍼즐 - puzzle

6968. 계획 - plan

6969. 기업 - Enterprise

6970. 아이디어 - Ideas

6971. 팀 - Teams

6972. 사용하다 - Use

6973. 우리는 도구를 사용했다. - We used the tool.

6974. 그는 컴퓨터를 사용한다. - He uses a computer.

6975. 그들은 신기술을 사용할 것이다. - They will use new technology.

6976. 사용해볼까? - Shall we try it?

6977. 좋아, 해봐. - Okay, try it.

6978. 소비하다 - To consume

6979. 나는 시간을 소비했다. - I spent time.

6980. 그녀는 에너지를 소비한다. - She consumes energy.

6981. 너는 자원을 소비할 것이다. - You will consume resources.

6982. 많이 소비했어? - Did you consume a lot?

6983. 아니, 조금만. - No, just a little.

6984. 절약하다 - To save

6985. 그는 돈을 절약했다. - He saved money.

6986. 우리는 물을 절약한다. - We conserve water.

6987. 당신들은 에너지를 절약할 것이다. - You will conserve energy.

6988. 절약하고 있어? - Are you saving?

6989. 응, 노력중이야. - Yes, I'm trying.

6990. 낭비하다 - To waste

6991. 그녀는 기회를 낭비했다. - She wasted the opportunity.

6992. 너는 시간을 낭비한다. - You waste time.

6993. 그들은 자원을 낭비할 것이다. - They will waste resources.

6994. 낭비하지 않았어? - Didn't you waste it?

6995. 아냐, 조심했어. - No, I was careful.

6996. 간직하다 - to keep

6997. 우리는 추억을 간직했다. - We kept the memories.

6998. 그는 사진을 간직한다. - He keeps the pictures.

6999. 그녀는 비밀을 간직할 것이다. - She will keep the secret.

7000. 계속 간직할 거야? - Are you going to keep it?

7001. 네, 영원히. - Yes, forever.

7002. 파괴하다 - Destroy

7003. 나는 문서를 파괴했다. - I destroyed the documents.

7004. 그들은 환경을 파괴한다. - They destroy the environment.

7005. 그녀는 장벽을 파괴할 것이다. - She will destroy the wall.

7006. 파괴해야 돼? - Should we destroy it?

7007. 아니, 다른 방법 찾자. - No, let's find another way.

7008. 손상하다 - To damage

7009. 그는 자동차를 손상했다. - He damaged the car.

7010. 그녀는 기계를 손상한다. - She damages the machine.

7011. 우리는 환경을 손상할 것이다. - We will damage the environment.

7012. 손상됐어? - Damaged?

7013. 응, 고쳐야 해. - Yes, it needs to be fixed.

7014. 대치하다 - to substitute

7015. 나는 오래된 모델을 대치했다. - I replaced the old model.

7016. 그들은 부품을 대치한다. - They will replace the parts.

7017. 그녀는 시스템을 대치할 것이다. - She will replace the system.

7018. 대치할 필요 있어? - Is it necessary to replace?

7019. 네, 필수야. - Yes, it is necessary.

7020. 맞추다 - To make time

7021. 우리는 시계를 맞췄다. - We set the clock.

7022. 그는 퍼즐을 맞춘다. - He put the puzzle together.

7023. 그녀는 계획을 맞출 것이다. - She will fit the plan.

7024. 잘 맞춰졌어? - Did we match?

7025. 완벽해! - It's perfect!

7026. 합치다 - To put together

7027. 그들은 두 기업을 합쳤다. - They merged two businesses.

7028. 너는 아이디어를 합친다. - You merge ideas.

7029. 우리는 팀을 합칠 것이다. - We will combine our teams.

7030. 합치기로 했어? - Did you decide to merge?

7031. 응, 그렇게 결정했어. - Yes, that's what we decided.

7032. 79. 명사 단어들 외우기, 필수 10개 동사의 단어들을 가지고 50문장 연습하기 - 79. Memorize the noun words, practice 50 sentences with the 10 essential verb words

7033. 자원 - resource

7034. 시간 - hour

7035. 업무 - work

7036. 친구 - friend

7037. 음식 - food

7038. 이익 - profit

7039. 경험 - experience

7040. 요구사항 - Requirements

7041. 기대 - expectation

7042. 조건 - condition

7043. 아이 - kid

7044. 상황 - situation

7045. 분위기 - atmosphere

7046. 부모님 - parents

7047. 동료 - colleague

7048. 대표 - representative

7049. 프로젝트 - project

7050. 최우수 작품 - best work

7051. 건강 - health

7052. 안전 - safety

7053. 효율성 - efficiency

7054. 이론 - theory

7055. 정책 - Policy

7056. 연구 - research

7057. 작업 - work

7058. 결정 - decision

7059. 팀 - team

7060. 의견 - opinion

7061. 계획 - plan

7062. 배분하다 - Allocate

7063. 그녀는 자원을 배분했다. - She allocated resources.

7064. 우리는 시간을 배분한다. - We allocate time.

7065. 너는 업무를 배분할 것이다. - You will allocate your work.

7066. 잘 배분됐어? - Did it go well?

7067. 네, 잘 됐어. - Yes, it went well.

7068. 나누다 - to share

7069. 나는 친구와 음식을 나눴다. - I shared the food with my friend.

7070. 그들은 이익을 나눈다. - They share the profits.

7071. 당신들은 경험을 나눌 것이다. - You will share the experience.

7072. 같이 나눌래? - Do you want to share?

7073. 좋아, 나눠보자. - Okay, let's share.

7074. 충족하다 - to fulfill

7075. 우리는 요구사항을 충족했다. - We fulfilled the requirements.

7076. 그는 기대를 충족한다. - He fulfills the expectation.

7077. 그녀는 조건을 충족할 것이다. - She will fulfill the conditions.

7078. 충족시킬 수 있어? - Can you fulfill?

7079. 응, 할 수 있어. - Yes, I can.

7080. 진정시키다 - to calm down

7081. 그녀는 아이를 진정시켰다. - She calmed the child down.

7082. 너는 상황을 진정시킨다. - You calm the situation.

7083. 그들은 분위기를 진정시킬 것이다. - They will calm the atmosphere.

7084. 진정됐어? - Did you calm down?

7085. 네, 괜찮아졌어. - Yes, I'm fine.

7086. 안심시키다 - to reassure

7087. 나는 부모님을 안심시켰다. - I reassured my parents.

7088. 그는 친구를 안심시킨다. - He reassures his friend.

7089. 그녀는 동료를 안심시킬 것이다. - She will reassure her coworker.

7090. 안심할까? - Reassure?

7091. 응, 안심해. - Yes, I'm relieved.

7092. 선정하다 - To select

7093. 우리는 대표를 선정했다. - We selected the delegates.

7094. 그들은 프로젝트를 선정한다. - They will select the projects.

7095. 당신들은 최우수 작품을 선정할 것이다. - You will select the best work.

7096. 어떤 걸 선정할까? - Which one will we choose?

7097. 가장 좋은 걸로. - The best one.

7098. 우선하다 - prioritize

7099. 그는 건강을 우선했다. - He prioritized his health.

7100. 그녀는 안전을 우선한다. - She prioritizes safety.

7101. 우리는 효율성을 우선할 것이다. - We will prioritize efficiency.

7102. 무엇을 우선해야 해? - What should we prioritize?

7103. 안전을 우선해. - Safety should be prioritized.

7104. 논쟁하다 - To argue

7105. 나는 친구와 논쟁했다. - I argued with my friend.

7106. 당신들은 이론을 논쟁한다. - You argue theories.

7107. 그들은 정책을 논쟁할 것이다. - They will argue policies.

7108. 계속 논쟁할 거야? - Are you going to keep arguing?

7109. 아니, 여기서 멈출게. - No, I'll stop here.

7110. 보조하다 - to assist

7111. 그녀는 연구를 보조했다. - She assisted in the research.

7112. 우리는 작업을 보조한다. - We assist in the work.

7113. 너는 결정을 보조할 것이다. - You will assist in the decision.

7114. 도움 될까? - Does it help?

7115. 네, 많이 돼. - Yes, a lot.

7116. 형성하다 - to form

7117. 그들은 팀을 형성했다. - They formed a team.

7118. 그는 의견을 형성한다. - He forms an opinion.

7119. 그녀는 계획을 형성할 것이다. - She will formulate a plan.

7120. 형성 잘 되고 있어? - How's the formation going?

7121. 응, 잘 되고 있어. - Yes, it's going well.

7122. 80. 명사 단어들 외우기, 필수 10개 동사의 단어들을 가지고 50문장 연습하기 - 80. Memorize noun words, practice 50 sentences with the 10 essential verb words

7123. 방법 - method

7124. 제품 - product

7125. 시스템 - system

7126. 프로젝트 - project

7127. 연구 - research

7128. 과제 - assignment

7129. 색상 - color

7130. 팀원 - Team members

7131. 환경 - environment

7132. 일 - Day

7133. 삶 - life

7134. 수요 - demand

7135. 공급 - supply

7136. 이해관계 - interests

7137. 결론 - conclusion

7138. 정보 - information

7139. 결과 - result

7140. 사건 - Event

7141. 변화 - change

7142. 역사적 순간 - historical moment

7143. 어려움 - difficulty

7144. 성장통 - growing pains

7145. 꽃 향기 - flower scent

7146. 바다 냄새 - sea smell

7147. 신선한 공기 - ozone

7148. 서비스 - service

7149. 품질 - quality

7150. 고통 - pain

7151. 압력 - enter

7152. 시련 - test

7153. 창안하다 - invent

7154. 나는 새로운 방법을 창안했다. - I invented a new method.

7155. 그들은 제품을 창안한다. - They invent a product.

7156. 당신들은 시스템을 창안할 것이다. - You will invent a system.

7157. 창안할 아이디어 있어? - Do you have an idea to invent?

7158. 네, 몇 가지 있어. - Yes, I have a few.

7159. 협업하다 - Collaborate

7160. 우리는 프로젝트에서 협업했다. - We collaborated on a project.

7161. 그들은 연구에서 협업한다. - They collaborate on research.

7162. 당신들은 과제에서 협업할 것이다. - You will collaborate on assignments.

7163. 협업 효과적이었어? - Was collaboration effective?

7164. 네, 매우 효과적이었어. - Yes, it was very effective.

7165. 조화하다 - harmonize

7166. 그녀는 색상을 조화롭게 사용했다. - She used the colors harmoniously.

7167. 그는 팀원들과 조화를 이룬다. - He harmonizes with his teammates.

7168. 우리는 환경과 조화를 이룰 것이다. - We will harmonize with the environment.

7169. 조화롭게 될까? - Will it be harmonious?

7170. 응, 될 거야. - Yes, it will be.

7171. 균형을 맞추다 - To balance

7172. 나는 일과 삶의 균형을 맞췄다. - I balanced my work and life.

7173. 그들은 수요와 공급의 균형을 맞춘다. - They balance supply and demand.

7174. 당신들은 이해관계를 균형있게 맞출 것이다. - You will balance your interests.

7175. 균형 잘 맞춰지고 있어? - Are you balancing well?

7176. 네, 잘 맞춰지고 있어. - Yes, it's going well.

7177. 추론하다 - To infer

7178. 그녀는 결론을 추론했다. - She deduced the conclusion.

7179. 우리는 정보를 추론한다. - We deduce information.

7180. 너는 결과를 추론할 것이다. - You will infer the result.

7181. 추론이 맞을까? - Is the inference correct?

7182. 가능성이 높아. - It is likely.

7183. 목격하다 - To witness

7184. 나는 사건을 목격했다. - I witnessed the event.

7185. 그는 변화를 목격한다. - He witnesses a change.

7186. 그녀는 역사적 순간을 목격할 것이다. - She will witness a historical moment.

7187. 정말 그걸 목격했어? - Did you really witness it?

7188. 네, 내 눈으로 봤어. - Yes, I saw it with my own eyes.

7189. 겪다 - to suffer

7190. 우리는 어려움을 겪었다. - We went through difficulties.

7191. 그들은 성장통을 겪는다. - They go through growing pains.

7192. 당신들은 변화를 겪을 것이다. - You will go through changes.

7193. 많이 겪었어? - Did you go through a lot?

7194. 응, 꽤 많이. - Yes, quite a bit.

7195. 냄새맡다 - To smell

7196. 나는 꽃 향기를 맡았다. - I smelled the scent of flowers.

7197. 그는 바다 냄새를 맡는다. - He smells the sea.

7198. 그녀는 신선한 공기를 맡을 것이다. - She will smell the fresh air.

7199. 무슨 냄새가 나? - What do you smell?

7200. 꽃 향기가 나. - I smell the scent of flowers.

7201. 불만족하다 - To be dissatisfied

7202. 그녀는 결과에 불만족했다. - She was dissatisfied with the result.

7203. 우리는 서비스에 불만족한다. - We are dissatisfied with the service.

7204. 당신들은 품질에 불만족할 것이다. - You will be dissatisfied with the quality.

7205. 불만족해? - Dissatisfied?

7206. 네, 기대에 못 미쳐. - Yes, it didn't meet my expectations.

7207. 견디다 - to endure

7208. 나는 고통을 견뎠다. - I endured the pain.

7209. 그는 압력을 견딘다. - He withstands the pressure.

7210. 그녀는 시련을 견딜 것이다. - She will endure the ordeal.

7211. 견딜 수 있을까? - Can you bear it?

7212. 응, 견딜 수 있어. - Yes, I can bear it.

7213. 81. 명사 단어들 외우기, 필수 10개 동사의 단어들을 가지고 50문장 연습하기 - 81. Memorize noun words, practice 50 sentences with the 10 essential verb words

7214. 어려움 - difficulty

7215. 지연 - delay

7216. 도전 - challenge

7217. 불편함 - Discomfort

7218. 소음 - noise

7219. 기다림 - wait

7220. 친구 - friend

7221. 동물 - animal

7222. 사람들 - people

7223. 피해자 - victim

7224. 건물 - building

7225. 위험 - danger

7226. 범인 - criminal

7227. 용의자 - suspect

7228. 도망자 - fugitive

7229. 사람 - person

7230. 포로 - Captive

7231. 증거 - evidence

7232. 생각 - thought

7233. 제약 - Restrictions

7234. 방법 - method

7235. 생활 방식 - lifestyle

7236. 아이디어 - idea

7237. 공지 - notification

7238. 사진 - picture

7239. 연구 결과 - Results

7240. 인내하다 - endure

7241. 우리는 어려움을 인내했다. - We persevered through difficulties.

7242. 그들은 지연을 인내한다. - They endure delays.

7243. 당신들은 도전을 인내할 것이다. - You will persevere through challenges.

7244. 인내가 필요해? - Do I need patience?

7245. 네, 많이 필요해. - Yes, I need a lot of it.

7246. 참다 - to put up with

7247. 그녀는 불편함을 참았다. - She put up with the discomfort.

7248. 우리는 소음을 참는다. - We put up with the noise.

7249. 너는 기다림을 참을 것이다. - You will put up with the waiting.

7250. 얼마나 더 참아야 해? - How much more do you have to put up with?

7251. 조금만 더 참자. - Let's put up with it a little longer.

7252. 구출하다 - to rescue

7253. 나는 친구를 구출했다. - I rescued my friend.

7254. 그는 동물을 구출한다. - He rescues animals.

7255. 그녀는 사람들을 구출할 것이다. - She will rescue people.

7256. 구출할 수 있을까? - Can you rescue?

7257. 네, 할 수 있어. - Yes, you can.

7258. 구조하다 - to rescue

7259. 우리는 피해자를 구조했다. - We rescued the victim.

7260. 그들은 건물에서 구조한다. - They rescue from the building.

7261. 당신들은 위험에서 구조할 것이다. - You will rescue them from danger.

7262. 구조 작업 잘 되고 있어? - How's the rescue going?

7263. 네, 잘 되고 있어. - Yes, it's going well.

7264. 체포하다 - Arrest

7265. 그녀는 범인을 체포했다. - She arrested the criminal.

7266. 경찰은 용의자를 체포한다. - The police arrested the suspect.

7267. 보안관은 도망자를 체포할 것이다. - The sheriff will arrest the fugitive.

7268. 체포됐어? - Did you get arrested?

7269. 네, 체포됐어. - Yes, he was arrested.

7270. 구금하다 - to detain

7271. 나는 잠시 구금됐다. - I was detained for a while.

7272. 그는 현재 구금 중이다. - He is currently in custody.

7273. 그녀는 나중에 구금될 것이다. - She will be taken into custody later.

7274. 여전히 구금 중이야? - Is she still in custody?

7275. 네, 아직이야. - Yes, still.

7276. 석방하다 - to release

7277. 우리는 억울한 사람을 석방했다. - We released the wrongfully accused person.

7278. 그들은 포로를 석방한다. - They release prisoners.

7279. 당신들은 증거 부족으로 석방될 것이다. - You will be released for lack of evidence.

7280. 석방될 수 있을까? - Will you be released?

7281. 가능성이 있어. - There is a possibility.

7282. 해방하다 - to liberate

7283. 그녀는 스스로를 해방했다. - She freed herself.

7284. 우리는 생각에서 해방한다. - We free ourselves from thoughts.

7285. 너는 제약에서 해방될 것이다. - You will be freed from constraints.

7286. 정말 해방감을 느껴? - Do you really feel liberated?

7287. 네, 완전히. - Yes, completely.

7288. 채택하다 - Adopt

7289. 나는 새로운 방법을 채택했다. - I adopted a new method.

7290. 그는 건강한 생활 방식을 채택한다. - He adopts a healthy lifestyle.

7291. 그녀는 혁신적인 아이디어를 채택할 것이다. - She will adopt an innovative idea.

7292. 채택하기로 결정했어? - Have you decided to adopt?

7293. 네, 결정했어. - Yes, I've decided.

7294. 게시하다 - To publish

7295. 우리는 공지를 게시했다. - We posted the notice.

7296. 그들은 사진을 소셜 미디어에 게시한다. - They post pictures on social media.

7297. 당신들은 연구 결과를 게시할 것이다. - You guys are going to publish your findings.

7298. 이미 게시됐어? - Is it already published?

7299. 네, 게시됐어. - Yes, it's published.

7300. 82. 명사 단어들 외우기, 필수 10개 동사의 단어들을 가지고 50문장 연습하기 - 82. memorize noun words, practice 50 sentences with the 10 essential verb words

7301. 정보 - information

7302. 기록 - record

7303. 데이터베이스 - database

7304. 이메일 - email

7305. 뉴스 - news

7306. 콘텐츠 - contents

7307. 화면 - screen

7308. 순간 - Moment

7309. 교통 위반 - traffic violation

7310. 규칙 - rule

7311. 불법 - illegal

7312. 자재 - material

7313. 필요한 물품 - supplies needed

7314. 자금 - funds

7315. 상품 - Goods

7316. 화물 - freight

7317. 물건 - thing

7318. 자금 (운용) - Funds (operation)

7319. 계획 (운용) - Planning (Operation)

7320. 사업 - business

7321. 집 - house

7322. 차 - car

7323. 회사 - company

7324. 주식 - stock

7325. 지식 - knowledge

7326. 기술 - technology

7327. 경험 - experience

7328. 정보 (얻다) - information (get)

7329. 지식 (얻다) - knowledge (obtain)

7330. 조회하다 - look up

7331. 그녀는 정보를 조회했다. - She looked up the information.

7332. 우리는 기록을 조회한다. - We look up the records.

7333. 너는 데이터베이스를 조회할 것이다. - You will query the database.

7334. 조회 결과는 어때? - How did the search turn out?

7335. 찾고 있던 정보가 나왔어. - I got the information I was looking for.

7336. 필터링하다 - To filter

7337. 나는 이메일을 필터링했다. - I filtered the emails.

7338. 그는 뉴스를 필터링한다. - He will filter the news.

7339. 그녀는 콘텐츠를 필터링할 것이다. - She will filter the content.

7340. 필터링 효과적이야? - Is filtering effective?

7341. 네, 매우 효과적이야. - Yes, it's very effective.

7342. 캡처하다 - Capture

7343. 나는 화면을 캡처했다. - I captured the screen.

7344. 너는 순간을 캡처한다. - You capture a moment.

7345. 그는 정보를 캡처할 것이다. - He will capture information.

7346. 사진 잘 나왔어? - Did you get a good picture?

7347. 네, 완벽해요. - Yes, it's perfect.

7348. 단속하다 - crack down

7349. 그녀는 교통 위반을 단속했다. - She cracked down on traffic violations.

7350. 우리는 규칙을 단속한다. - We enforce the rules.

7351. 당신들은 불법을 단속할 것이다. - You will crack down on the illegal.

7352. 규칙 지켰어? - Did you follow the rules?

7353. 네, 항상 지켜요. - Yes, I always follow them.

7354. 조달하다 - to procure

7355. 그들은 자재를 조달했다. - They procured the materials.

7356. 나는 필요한 물품을 조달한다. - I will procure the necessary supplies.

7357. 너는 자금을 조달할 것이다. - You will procure the funds.

7358. 자재 다 구했어? - Did you get all the materials?

7359. 아직 몇 개 더 필요해. - I still need a few more.

7360. 운송하다 - to transport

7361. 그녀는 상품을 운송했다. - She transported the goods.

7362. 우리는 화물을 운송한다. - We transport the cargo.

7363. 당신들은 물건을 운송할 것이다. - You will transport the goods.

7364. 화물 도착했어? - Did the cargo arrive?

7365. 네, 방금 도착했어요. - Yes, it just arrived.

7366. 운용하다 - to operate

7367. 나는 자금을 운용했다. - I managed the funds.

7368. 너는 계획을 운용한다. - You will operate the plan.

7369. 그는 사업을 운용할 것이다. - He will run the business.

7370. 계획 잘 되가? - How's the plan going?

7371. 네, 순조로워요. - Yes, it's going well.

7372. 소유하다 - To own

7373. 그들은 집을 소유했다. - They owned the house.

7374. 나는 차를 소유한다. - I own a car.

7375. 너는 회사를 소유할 것이다. - You will own a company.

7376. 새 차 샀어? - Did you buy a new car?

7377. 아니요, 아직이에요. - No, not yet.

7378. 보유하다 - To hold

7379. 그녀는 주식을 보유했다. - She held the stock.

7380. 우리는 지식을 보유한다. - We retain knowledge.

7381. 당신들은 기술을 보유할 것이다. - You will have skills.

7382. 주식 많이 가졌어? - Do you have a lot of stock?

7383. 조금씩 모으고 있어요. - I'm collecting them little by little.

7384. 얻다 - to gain

7385. 나는 경험을 얻었다. - I gained experience.

7386. 너는 정보를 얻는다. - You get information.

7387. 그는 지식을 얻을 것이다. - He will gain knowledge.

7388. 정보 찾았어? - Did you find the information?

7389. 네, 찾았어요. - Yes, I found it.

7390. 83. 명사 단어들 외우기, 필수 10개 동사의 단어들을 가지고 50문장 연습하기 - 83. memorize noun words, practice 50 sentences with the 10 essential verb words

7391. 자격증 - certificate

7392. 승인 - approval

7393. 인증 - certification

7394. 신뢰 - trust

7395. 기회 - opportunity

7396. 접근 - Access

7397. 능력 - ability

7398. 재능 - Talent

7399. 창의력 - creativity

7400. 품질 - quality

7401. 관심 - interest

7402. 성능 - Performance

7403. 서울 - seoul

7404. 지역 - region

7405. 국가 - nation

7406. 버스 - bus

7407. 인터넷 - Internet

7408. 서비스 - service

7409. 채무 - financial obligation

7410. 문제 - problem

7411. 우려 - concern

7412. 아이디어 - idea

7413. 계획 - plan

7414. 가치 - value

7415. 사고 - accident

7416. 변화 - change

7417. 현상 - phenomenon

7418. 회의 - meeting

7419. 이벤트 - event

7420. 획득하다 - Earn

7421. 그들은 자격증을 획득했다. - They earned a certification.

7422. 나는 승인을 획득한다. - I will obtain authorization.

7423. 너는 인증을 획득할 것이다. - You will get certified.

7424. 자격증 시험 봤어? - Did you take the certification exam?

7425. 네, 합격했어요. - Yes, I passed.

7426. 상실하다 - to lose

7427. 그녀는 신뢰를 상실했다. - She lost her trust.

7428. 우리는 기회를 상실한다. - We lose the opportunity.

7429. 당신들은 접근을 상실할 것이다. - You will lose access.

7430. 기회 놓쳤어? - Did you lose the opportunity?

7431. 아니요, 아직 있어요. - No, you still have it.

7432. 발휘하다 - to exert

7433. 나는 능력을 발휘했다. - I exercised my ability.

7434. 너는 재능을 발휘한다. - You demonstrate talent.

7435. 그는 창의력을 발휘할 것이다. - He will exercise his creativity.

7436. 잘 할 수 있겠어? - Are you sure you can do it?

7437. 네, 자신 있어요. - Yes, I'm confident.

7438. 저하하다 - Degrade

7439. 그들은 품질을 저하시켰다. - They degraded the quality.

7440. 나는 관심을 저하시킨다. - I degrade interest.

7441. 너는 성능을 저하시킬 것이다. - You will degrade performance.

7442. 성능 나빠졌어? - Did you degrade performance?

7443. 아니요, 괜찮아요. - No, I'm fine.

7444. 교통하다 - to traffic

7445. 그녀는 자주 서울을 교통했다. - She often traveled to Seoul.

7446. 우리는 지역 간을 교통한다. - We travel between regions.

7447. 당신들은 국가를 교통할 것이다. - You will be traveling between countries.

7448. 출퇴근 괜찮아? - Is your commute okay?

7449. 네, 문제 없어요. - Yes, no problem.

7450. 이용하다 - to use

7451. 나는 버스를 이용했다. - I used the bus.

7452. 너는 인터넷을 이용한다. - You will use the Internet.

7453. 그는 서비스를 이용할 것이다. - He will use the service.

7454. 인터넷 빨라? - Is the internet fast?

7455. 네, 아주 빨라요. - Yes, it's very fast.

7456. 소멸하다 - to extinguish

7457. 그들은 채무를 소멸시켰다. - They extinguished the debt.

7458. 나는 문제를 소멸시킨다. - I dissipate the problem.

7459. 너는 우려를 소멸시킬 것이다. - You will extinguish the concern.

7460. 문제 해결됐어? - Problem solved?

7461. 네, 다 해결됐어요. - Yes, everything is solved.

7462. 생성하다 - to generate

7463. 그녀는 아이디어를 생성했다. - She generated an idea.

7464. 우리는 계획을 생성한다. - We generate plans.

7465. 당신들은 가치를 생성할 것이다. - You guys will generate value.

7466. 계획 세웠어? - You have a plan?

7467. 네, 다 준비됐어요. - Yes, it's all ready.

7468. 발생하다 - To cause

7469. 나는 사고를 발생시켰다. - I generated an incident.

7470. 너는 변화를 발생시킨다. - You will generate change.

7471. 그는 현상을 발생시킬 것이다. - He will cause a phenomenon.

7472. 문제 있었어? - Did you have a problem?

7473. 아니요, 괜찮아요. - No, I'm fine.

7474. 나타나다 - Appear

7475. 그들은 갑자기 나타났다. - They appeared out of nowhere.

7476. 나는 회의에 나타난다. - I show up at the meeting.

7477. 너는 이벤트에 나타날 것이다. - You will show up at the event.

7478. 회의에 갈 거야? - Are you going to the meeting?

7479. 네, 갈게요. - Yes, I'll go.

7480. 84. 명사 단어들 외우기, 필수 10개 동사의 단어들을 가지고 50문장 연습하기 - 84. memorize noun words, practice 50 sentences with the 10 essential verb words

7481. 무대 - stage

7482. 공원 - park

7483. 화면 - screen

7484. 생각 - thought

7485. 계획 - plan

7486. 방향 - direction

7487. 의사소통 - Communication

7488. 동전 - coin

7489. 쓰레기 - trash

7490. 아이디어 - idea

7491. 책 - book

7492. 우산 - umbrella

7493. 지도 - map

7494. 감정 - emotion

7495. 열정 - Passion

7496. 옷 - clothes

7497. 벽 - wall

7498. 캔버스 - canvas

7499. 종이 - paper

7500. 나무 - tree

7501. 친구 - friend

7502. 제안 - proposal

7503. 정책 - Policy

7504. 스프 - soup

7505. 음료 - beverage

7506. 소스 - sauce

7507. 사라지다 - disappear

7508. 그녀는 무대에서 사라졌다. - She disappeared from the stage.

7509. 우리는 공원에서 사라진다. - We disappear in the park.

7510. 당신들은 화면에서 사라질 것이다. - You will disappear from the screen.

7511. 걱정 끝났어? - Are you done worrying?

7512. 네, 사라졌어요. - Yes, it's gone.

7513. 변하다 - to change

7514. 나는 생각이 변했다. - I changed my mind.

7515. 너는 계획을 변화시킨다. - You change your plans.

7516. 그는 방향을 변할 것이다. - He will change direction.

7517. 의견 달라졌어? - Have you changed your opinion?

7518. 네, 바뀌었어요. - Yes, it has changed.

7519. 의사소통하다 - To communicate

7520. 그들은 효과적으로 의사소통했다. - They communicated effectively.

7521. 나는 명확하게 의사소통한다. - I communicate clearly.

7522. 너는 직접 의사소통할 것이다. - You will communicate directly.

7523. 말 잘 통해? - Through words?

7524. 네, 잘 통해요. - Yes, through words.

7525. 줍다 - to pick up

7526. 그녀는 동전을 주웠다. - She picked up the coins.

7527. 우리는 쓰레기를 줍는다. - We pick up trash.

7528. 당신들은 아이디어를 주울 것이다. - You will pick up ideas.

7529. 도와줄까? - Do you want me to help you?

7530. 네, 고마워요. - Yes, thank you.

7531. 펴다 - to open

7532. 나는 책을 펴었다. - I opened the book.

7533. 너는 우산을 편다. - You open the umbrella.

7534. 그는 지도를 펼 것이다. - He will unfold the map.

7535. 책 재밌어? - Is the book interesting?

7536. 네, 흥미로워요. - Yes, it's interesting.

7537. 넘치다 - overflowing

7538. 그들은 감정이 넘쳤다. - They were overflowing with emotion.

7539. 나는 열정이 넘친다. - I am full of enthusiasm.

7540. 너는 아이디어로 넘칠 것이다. - You will be overflowing with ideas.

7541. 행복해? - Are you happy?

7542. 네, 넘쳐나요. - Yes, I'm overflowing.

7543. 물들다 - to color

7544. 그녀는 옷을 물들였다. - She colored her clothes.

7545. 우리는 벽을 물들인다. - We color the walls.

7546. 당신들은 캔버스를 물들일 것이다. - You will color the canvas.

7547. 색상 결정했어? - Have you decided on a color?

7548. 네, 정했어요. - Yes, I've decided.

7549. 태우다 - to burn

7550. 나는 종이를 태웠다. - I burned the paper.

7551. 너는 나무를 태운다. - You burn wood.

7552. 그는 쓰레기를 태울 것이다. - He will burn the garbage.

7553. 추워? - Is it cold?

7554. 아니, 따뜻해요. - No, it's warm.

7555. 지지하다 - To support

7556. 나는 친구를 지지했다. - I supported my friend.

7557. 너는 제안을 지지한다. - You support the proposal.

7558. 그는 정책을 지지할 것이다. - He will support the policy.

7559. 지지 받아? - Do you support?

7560. 네, 받아. - Yes, I get it.

7561. 젓다 - To stir

7562. 그녀는 스프를 저었다. - She stirred the soup.

7563. 우리는 음료를 젓는다. - We stir the drink.

7564. 당신들은 소스를 저을 것이다. - You guys are going to stir the sauce.

7565. 잘 섞였어? - Is it mixed well?

7566. 네, 섞였어. - Yes, it's mixed.

7567. 85. 명사 단어들 외우기, 필수 10개 동사의 단어들을 가지고 50문장 연습하기 - 85. memorize noun words, practice 50 sentences with the 10 essential verb words

7568. 물 - water

7569. 팬 - Pan

7570. 수프 - Soup

7571. 상자 - Box

7572. 창문 - window

7573. 미래 - future

7574. 아이디어 - idea

7575. 계획 - plan

7576. 해결책 - solution

7577. 스케줄 - schedule

7578. 로드맵 - roadmap

7579. 자금 - funds

7580. 자리 - seat

7581. 기회 - opportunity

7582. 용기 - courage

7583. 장비 - equipment

7584. 자격 - Qualification

7585. 실험실 - laboratory

7586. 컴퓨터 - computer

7587. 연구소 - laboratory

7588. 선물 - gift

7589. 정보 - information

7590. 소식 - News

7591. 메시지 - message

7592. 경고 - warning

7593. 차 - car

7594. 배 - ship

7595. 화물 - freight

7596. 트럭 - truck

7597. 상품 - Goods

7598. 가열하다 - heat

7599. 그는 물을 가열했다. - He heated the water.

7600. 나는 팬을 가열한다. - I heat the pan.

7601. 너는 수프를 가열할 것이다. - You will heat the soup.

7602. 뜨거워? - Is it hot?

7603. 네, 뜨거워. - Yes, it's hot.

7604. 들여다보다 - To look into

7605. 그들은 상자 안을 들여다보았다. - They looked into the box.

7606. 나는 창문으로 들여다본다. - I look through the window.

7607. 너는 미래를 들여다볼 것이다. - You will look into the future.

7608. 뭐 보여? - What do you see?

7609. 네, 보여. - Yes, I see.

7610. 떠올리다 - To come up with

7611. 그녀는 아이디어를 떠올렸다. - She came up with an idea.

7612. 우리는 계획을 떠올린다. - We come up with a plan.

7613. 당신들은 해결책을 떠올릴 것이다. - You guys will come up with a solution.

7614. 기억나? - Do you remember?

7615. 네, 나와. - Yes, me.

7616. 짜다 - to organize

7617. 나는 스케줄을 짰다. - I organized the schedule.

7618. 너는 계획을 짠다. - You will organize a plan.

7619. 그는 로드맵을 짤 것이다. - He will organize the roadmap.

7620. 준비됐어? - Are you ready?

7621. 네, 됐어. - Yes, I'm ready.

7622. 마련하다 - to arrange

7623. 그들은 자금을 마련했다. - They arranged the funds.

7624. 나는 자리를 마련한다. - I will arrange a seat.

7625. 너는 기회를 마련할 것이다. - You will arrange the opportunity.

7626. 다 됐어? - Are we done?

7627. 네, 됐어. - Yes, it's ready.

7628. 갖추다 - to equip

7629. 그녀는 용기를 갖췄다. - She is equipped with courage.

7630. 우리는 장비를 갖춘다. - We are equipped.

7631. 당신들은 자격을 갖출 것이다. - You will be qualified.

7632. 준비됐어? - You ready?

7633. 네, 됐어. - Yes, I'm ready.

7634. 장비하다 - to equip

7635. 나는 실험실을 장비했다. - I equipped the lab.

7636. 너는 컴퓨터를 장비한다. - You will equip the computer.

7637. 그는 연구소를 장비할 것이다. - He will equip the lab.

7638. 필요한 거 있어? - Do you need anything?

7639. 아니, 없어. - No, I don't.

7640. 갖다 - Bring

7641. 그들은 선물을 갖다 주었다. - They brought gifts.

7642. 나는 정보를 갖다 준다. - I bring information.

7643. 너는 소식을 갖다 줄 것이다. - You will bring the news.

7644. 도착했어? - Have you arrived?

7645. 네, 도착했어. - Yes, we have arrived.

7646. 전하다 - to deliver

7647. 그녀는 소식을 전했다. - She delivered the news.

7648. 우리는 메시지를 전한다. - We deliver the message.

7649. 당신들은 경고를 전할 것이다. - You will deliver the warning.

7650. 알려줄까? - Shall I inform you?

7651. 네, 알려줘. - Yes, let me know.

7652. 싣다 - To load

7653. 나는 차에 짐을 실었다. - I loaded the car.

7654. 너는 배에 화물을 싣는다. - You load cargo on a ship.

7655. 그는 트럭에 상품을 실을 것이다. - He will load the truck with goods.

7656. 무거워? - Is it heavy?

7657. 아니, 괜찮아. - No, it's fine.

7658. 86. 명사 단어들 외우기, 필수 10개 동사의 단어들을 가지고 50문장 연습하기 - 86. Memorize noun words, practice 50 sentences with the 10 essential verb words

7659. 신제품 - new product

7660. 제안 - proposal

7661. 보고서 - report

7662. 앞줄 - front row

7663. 중앙 - center

7664. 위치 - location

7665. 결과 - result

7666. 휴가 - vacation

7667. 성공 - success

7668. 포스터 - poster

7669. 사진 - picture

7670. 장식 - decoration

7671. 목도리 - muffler

7672. 리본 - ribbon

7673. 배지 - badge

7674. 오해 - misunderstanding

7675. 상황 - situation

7676. 문제 - problem

7677. 이웃 - neighbor

7678. 친구 - friend

7679. 동료 - colleague

7680. 이벤트 - event

7681. 프로젝트 - project

7682. 캠페인 - campaign

7683. 제품 - product

7684. 서비스 - service

7685. 앱 - app

7686. 선반 - shelf

7687. 문 - door

7688. 카메라 - camera

7689. 내다 - come out

7690. 그들은 신제품을 내놓았다. - They come up with a new product.

7691. 나는 제안을 낸다. - I put out a proposal.

7692. 너는 보고서를 내놓을 것이다. - You will come up with a report.

7693. 성공할까? - Will it work?

7694. 네, 할 거야. - Yes, it will.

7695. 위치하다 - Position

7696. 그녀는 앞줄에 위치했다. - She was positioned in the front row.

7697. 우리는 중앙에 위치한다. - We are in the center.

7698. 당신들은 최적의 위치에 위치할 것이다. - You will be in the best position.

7699. 찾았어? - Did you find it?

7700. 네, 찾았어. - Yes, I found it.

7701. 기대다 - Expect

7702. 나는 결과를 기대했다. - I expected a result.

7703. 너는 휴가를 기대한다. - You expect a vacation.

7704. 그는 성공을 기대할 것이다. - He will expect success.

7705. 기뻐? - Delighted?

7706. 네, 기뻐. - Yes, I'm glad.

7707. 매달다 - To hang

7708. 그들은 포스터를 매달았다. - They hung the poster.

7709. 나는 사진을 매달린다. - I hang a picture.

7710. 너는 장식을 매달 것이다. - You will hang the decorations.

7711. 예쁘게 됐어? - Did it turn out pretty?

7712. 네, 됐어. - Yes, it's done.

7713. 매다 - To hang

7714. 그녀는 목도리를 맸다. - She hung the shawl.

7715. 우리는 리본을 맨다. - We will wear ribbons.

7716. 당신들은 배지를 맬 것이다. - You guys will wear badges.

7717. 추워? - Are you cold?

7718. 아니, 괜찮아. - No, I'm fine.

7719. 해명하다 - to clarify

7720. 나는 오해를 해명했다. - I clarified a misunderstanding.

7721. 너는 상황을 해명한다. - You explain the situation.

7722. 그는 문제를 해명할 것이다. - He will clarify the problem.

7723. 이해됐어? - Do you understand?

7724. 네, 됐어. - Yes, I understand.

7725. 도와주다 - To help

7726. 그들은 이웃을 도와주었다. - They helped their neighbor.

7727. 나는 친구를 도와준다. - I help my friend.

7728. 너는 동료를 도와줄 것이다. - You will help your coworkers.

7729. 필요해? - Do you need it?

7730. 아니, 괜찮아. - No, thank you.

7731. 홍보하다 - to promote

7732. 그녀는 이벤트를 홍보했다. - She promoted the event.

7733. 우리는 프로젝트를 홍보한다. - We promote the project.

7734. 당신들은 캠페인을 홍보할 것이다. - You guys will promote the campaign.

7735. 봤어? - Did you see that?

7736. 네, 봤어. - Yes, I saw it.

7737. 광고하다 - to advertise

7738. 나는 제품을 광고했다. - I advertised a product.

7739. 너는 서비스를 광고한다. - You will advertise a service.

7740. 그는 앱을 광고할 것이다. - He's going to advertise an app.

7741. 효과 있어? - Does it work?

7742. 네, 있어. - Yes, it is.

7743. 고정하다 - To fix

7744. 그들은 선반을 고정했다. - They fixed the shelves.

7745. 나는 문을 고정한다. - I fix the door.

7746. 너는 카메라를 고정할 것이다. - You will secure the camera.

7747. 단단해? - Is it solid?

7748. 네, 단단해. - Yes, it's solid.

7749. 87. 명사 단어들 외우기, 필수 10개 동사의 단어들을 가지고 50문장 연습하기 - 87. memorize noun words, practice 50 sentences with the words of the 10 essential verbs

7750. 문 - door

7751. 창문 - window

7752. 자전거 - bicycle

7753. 컴퓨터 - computer

7754. 음료 - beverage

7755. 시스템 - system

7756. 기계 - machine

7757. 부품 - part

7758. 장난감 - toy

7759. 종이 - paper

7760. 플라스틱 - plastic

7761. 금속 - metal

7762. 엔진 - engine

7763. 장치 - Device

7764. 상품 - Goods

7765. 편지 - letter

7766. 상 - award

7767. 영화 - movie

7768. 제품 - product

7769. 서비스 - service

7770. 집 - house

7771. 차 - car

7772. 휴대폰 - cell phone

7773. 책 - book

7774. 의류 - clothes

7775. 예술작품 - art piece

7776. 잠그다 - lock

7777. 그녀는 문을 잠갔다. - She locked the door.

7778. 우리는 창문을 잠근다. - We lock the windows.

7779. 당신들은 자전거를 잠글 것이다. - You will lock your bike.

7780. 안전해? - Is it safe?

7781. 네, 안전해. - Yes, it's safe.

7782. 냉각하다 - to cool

7783. 나는 컴퓨터를 냉각했다. - I cooled the computer.

7784. 너는 음료를 냉각한다. - You will cool the drink.

7785. 그는 시스템을 냉각할 것이다. - He will cool the system.

7786. 충분해? - Is it enough?

7787. 네, 충분해. - Yes, it's enough.

7788. 재조립하다 - To reassemble

7789. 그들은 기계를 재조립했다. - They reassembled the machine.

7790. 나는 부품을 재조립한다. - I reassemble the parts.

7791. 너는 장난감을 재조립할 것이다. - You will reassemble the toy.

7792. 어려워? - Is it hard?

7793. 아니, 쉬워. - No, it's easy.

7794. 재활용하다 - Recycle

7795. 그녀는 종이를 재활용했다. - She recycled the paper.

7796. 우리는 플라스틱을 재활용한다. - We recycle plastic.

7797. 당신들은 금속을 재활용할 것이다. - You guys are going to recycle metal.

7798. 좋은 생각이야? - Is that a good idea?

7799. 네, 좋아. - Yes, it's a good idea.

7800. 구동하다 - to drive

7801. 나는 기계를 구동했다. - I drove the machine.

7802. 너는 시스템을 구동한다. - You drive the system.

7803. 그는 엔진을 구동할 것이다. - He will drive the engine.

7804. 작동 돼? - Does it work?

7805. 네, 작동돼. - Yes, it works.

7806. 부팅하다 - to boot up

7807. 그녀는 컴퓨터를 부팅했다. - She booted up the computer.

7808. 우리는 시스템을 부팅한다. - We boot the system.

7809. 당신들은 장치를 부팅할 것이다. - You guys are going to boot the device.

7810. 켜졌어? - Is it on?

7811. 네, 켜졌어. - Yes, it's on.

7812. 수령하다 - to receive

7813. 나는 상품을 수령했다. - I received the goods.

7814. 너는 편지를 수령한다. - You will receive the letter.

7815. 그는 상을 수령할 것이다. - He will collect the prize.

7816. 도착했어? - Did you arrive?

7817. 네, 도착했어. - Yes, it arrived.

7818. 리뷰하다 - to review

7819. 그들은 영화를 리뷰했다. - They reviewed the movie.

7820. 나는 제품을 리뷰한다. - I review a product.

7821. 너는 서비스를 리뷰할 것이다. - You will review a service.

7822. 좋았어? - Was it good?

7823. 네, 좋았어. - Yes, it was good.

7824. 구매하다 - To buy

7825. 그녀는 집을 구매했다. - She purchased a house.

7826. 우리는 차를 구매한다. - We are buying a car.

7827. 당신들은 휴대폰을 구매할 것이다. - You guys are going to buy a cell phone.

7828. 필요해? - Do you need it?

7829. 네, 필요해. - Yes, I need it.

7830. 판매하다 - To sell

7831. 나는 책을 판매했다. - I sold a book.

7832. 너는 의류를 판매한다. - You sell clothing.

7833. 그는 예술작품을 판매할 것이다. - He will sell artwork.

7834. 잘 팔려? - Are they selling well?

7835. 네, 잘 팔려. - Yes, it's selling well.

7836. 88. 명사 단어들 외우기, 필수 10개 동사의 단어들을 가지고 50문장 연습하기 - 88. Memorize noun words, practice 50 sentences with the 10 essential verb words

7837. 물건 - thing

7838. 옷 - clothes

7839. 기기 - device

7840. 티켓 - ticket

7841. 비용 - expense

7842. 등록금 - Tuition

7843. 자전거 - bicycle

7844. 책 - book

7845. 카메라 - camera

7846. 도서 - books

7847. 장비 - equipment

7848. 노트북 - laptop

7849. 계좌 - account

7850. 전화선 - telephone line

7851. 인터넷 - Internet

7852. 계정 - account

7853. 상점 - shop

7854. 공장 - factory

7855. 파일 - file

7856. 시계 - clock

7857. 시스템 - system

7858. 문제 - problem

7859. 아이디어 - idea

7860. 방법 - method

7861. 문서 - document

7862. 규정 - Rule

7863. 자료 - data

7864. 사진 - picture

7865. 보고서 - report

7866. 반환하다 - Return

7867. 그들은 물건을 반환했다. - They returned the goods.

7868. 나는 옷을 반환한다. - I return the clothes.

7869. 너는 기기를 반환할 것이다. - You will return the device.

7870. 가능해? - Is that possible?

7871. 네, 가능해. - Yes, it is possible.

7872. 환불하다 - to refund

7873. 그녀는 티켓을 환불받았다. - She got her ticket refunded.

7874. 우리는 비용을 환불받는다. - We get our money back.

7875. 당신들은 등록금을 환불받을 것이다. - You will get your tuition refunded.

7876. 받을 수 있어? - Can you get it?

7877. 네, 받을 수 있어. - Yes, you can get it.

7878. 대여하다 - to rent

7879. 나는 자전거를 대여했다. - I rented a bicycle.

7880. 너는 책을 대여한다. - You rent a book.

7881. 그는 카메라를 대여할 것이다. - He will rent a camera.

7882. 빌릴까? - Shall I borrow it?

7883. 네, 빌려. - Yes, borrow.

7884. 반납하다 - To return

7885. 그들은 도서를 반납했다. - They returned the book.

7886. 나는 장비를 반납한다. - I return the equipment.

7887. 너는 노트북을 반납할 것이다. - You will return the laptop.

7888. 시간 됐어? - Is it time?

7889. 네, 됐어. - Yes, I'm ready.

7890. 개통하다 - to open

7891. 그녀는 계좌를 개통했다. - She opened an account.

7892. 우리는 전화선을 개통한다. - We will open the phone line.

7893. 당신들은 인터넷을 개통할 것이다. - You guys are going to open the internet.

7894. 준비됐어? - Are you ready?

7895. 네, 준비됐어. - Yes, I'm ready.

7896. 폐쇄하다 - Close

7897. 나는 계정을 폐쇄했다. - I closed my account.

7898. 너는 상점을 폐쇄한다. - You are closing the store.

7899. 그는 공장을 폐쇄할 것이다. - He will close the factory.

7900. 닫혔어? - Is it closed?

7901. 네, 닫혔어. - Yes, it's closed.

7902. 동기화하다 - synchronize

7903. 그녀는 파일을 동기화했다. - She synchronized her files.

7904. 우리는 시계를 동기화한다. - We synchronize our watches.

7905. 당신들은 시스템을 동기화할 것이다. - You guys are going to synchronize your systems.

7906. 맞춰졌어? - Is it synchronized?

7907. 네, 맞춰졌어. - Yes, it's synchronized.

7908. 예시하다 - to exemplify

7909. 나는 문제를 예시했다. - I exemplified a problem.

7910. 너는 아이디어를 예시한다. - You illustrate an idea.

7911. 그는 방법을 예시할 것이다. - He will exemplify a method.

7912. 이해됐어? - Does that make sense?

7913. 네, 이해됐어. - Yes, I understand.

7914. 참조하다 - Refer to

7915. 그들은 문서를 참조했다. - They referred to the document.

7916. 나는 규정을 참조한다. - I refer to the regulation.

7917. 너는 자료를 참조할 것이다. - You will refer to the materials.

7918. 봤어? - Did you see that?

7919. 네, 봤어. - Yes, I saw it.

7920. 첨부하다 - to attach

7921. 그녀는 사진을 첨부했다. - She attached a photo.

7922. 우리는 파일을 첨부한다. - We attach the file.

7923. 당신들은 보고서를 첨부할 것이다. - You will attach the report.

7924. 붙였어? - Did you attach it?

7925. 네, 붙였어. - Yes, I attached it.

7926. 89. 명사 단어들 외우기, 필수 10개 동사의 단어들을 가지고 50문장 연습하기 - 89. Memorize Noun Words, Practice 50 Sentences with the 10 Essential Verb Words

7927. 소프트웨어 - software

7928. 기능 - function

7929. 제품 - product

7930. 코드 - code

7931. 시스템 - system

7932. 애플리케이션 - application

7933. 은행 - bank

7934. 자금 - funds

7935. 주택 대출 - home loan

7936. 빚 - debt

7937. 대출 - loan

7938. 융자 - loan

7939. 돈 - money

7940. 금액 - amount

7941. 재산 - property

7942. 주식 - stock

7943. 사업 - business

7944. 부동산 - real estate

7945. 친구 - friend

7946. 가족 - family

7947. 회사 - company

7948. 계좌 - account

7949. 자동화기기 - automation equipment

7950. 급여 - salary

7951. 테스트하다 - Test

7952. 나는 소프트웨어를 테스트했다. - I tested the software.

7953. 너는 기능을 테스트한다. - You test the functionality.

7954. 그는 제품을 테스트할 것이다. - He will test the product.

7955. 잘 돼? - Is it going well?

7956. 네, 잘 돼. - Yes, it's going well.

7957. 디버그(오류수정)하다 - Debug (fix errors)

7958. 그들은 코드를 디버그했다. - They debugged the code.

7959. 나는 시스템을 디버그한다. - I debug the system.

7960. 너는 애플리케이션을 디버그할 것이다. - You would debug the application.

7961. 고쳤어? - Did you fix it?

7962. 네, 고쳤어. - Yes, I fixed it.

7963. 대출하다 - to borrow

7964. 그녀는 은행에서 대출받았다. - She took a loan from the bank.

7965. 우리는 자금을 대출받는다. - We borrow money.

7966. 당신들은 주택 대출을 받을 것이다. - You guys are going to take out a home loan.

7967. 필요해? - Do you need it?

7968. 네, 필요해. - Yes, I need it.

7969. 상환하다 - to repay

7970. 나는 빚을 상환했다. - I repaid the debt.

7971. 너는 대출을 상환한다. - You will repay the loan.

7972. 그는 융자를 상환할 것이다. - He will repay the loan.

7973. 끝났어? - Is it done?

7974. 네, 끝났어. - Yes, it's done.

7975. 저축하다 - To save

7976. 그들은 돈을 저축했다. - They saved the money.

7977. 나는 금액을 저축한다. - I save an amount of money.

7978. 너는 재산을 저축할 것이다. - You will save a fortune.

7979. 모았어? - Did you save?

7980. 네, 모았어. - Yes, I saved it.

7981. 투자하다 - to invest

7982. 그녀는 주식에 투자했다. - She invested in stocks.

7983. 우리는 사업에 투자한다. - We invest in a business.

7984. 당신들은 부동산에 투자할 것이다. - You will invest in real estate.

7985. 이득 봤어? - Did you make a profit?

7986. 네, 이득 봤어. - Yes, I made a profit.

7987. 송금하다 - to transfer money

7988. 나는 친구에게 송금했다. - I sent money to a friend.

7989. 너는 가족에게 송금한다. - You will send money to your family.

7990. 그는 회사에 송금할 것이다. - He will send money to the company.

7991. 받았어? - Did you get it?

7992. 네, 받았어. - Yes, I received it.

7993. 예치하다 - To deposit

7994. 그들은 돈을 예치했다. - They deposited the money.

7995. 나는 계좌에 예치한다. - I make a deposit into the account.

7996. 너는 자금을 예치할 것이다. - You will deposit the funds.

7997. 넣었어? - Did you put it in?

7998. 네, 넣었어. - Yes, I deposited it.

7999. 인출하다 - to withdraw

8000. 그녀는 은행에서 인출했다. - She made a withdrawal from the bank.

8001. 우리는 자동화기기에서 인출한다. - We withdraw from the automated machine.

8002. 당신들은 계좌에서 인출할 것이다. - You will withdraw from your account.

8003. 뺐어? - Did you take it?

8004. 네, 뺐어. - Yes, I withdrew.

8005. 이체하다 - transfer

8006. 나는 계좌로 이체했다. - I transferred to the account.

8007. 너는 돈을 이체한다. - You transfer money.

8008. 그는 급여를 이체할 것이다. - He will transfer his salary.

8009. 보냈어? - Did you send it?

8010. 네, 보냈어. - Yes, I sent it.

8011. 90. 명사 단어들 외우기, 필수 10개 동사의 단어들을 가지고 50문장 연습하기 - 90. Memorize noun words, practice 50 sentences with words from the 10 essential verbs

8012. 신용카드 - Credit card

8013. 현금 - cash

8014. 모바일 - mobile

8015. 주식 - stock

8016. 물건 - thing

8017. 부동산 - real estate

8018. 팀 - team

8019. 회사 - company

8020. 학급 - class

8021. 시장 - market

8022. 결정 - decision

8023. 결과 - result

8024. 날씨 - weather

8025. 소식 - News

8026. 경제 - economy

8027. 목록 - List

8028. 예외 - exception

8029. 조항 - article

8030. 요청 - request

8031. 접근 - Access

8032. 변경 - change

8033. 토론 - debate

8034. 생각 - thought

8035. 결론 - conclusion

8036. 웃음 - laugh

8037. 호기심 - curiosity

8038. 혼란 - confusion

8039. 투자 - invest

8040. 관광객 - tourist

8041. 회원 - member

8042. 결제하다 - Pay

8043. 그들은 신용카드로 결제했다. - They paid by credit card.

8044. 나는 현금으로 결제한다. - I pay with cash.

8045. 너는 모바일로 결제할 것이다. - You will pay with your mobile.

8046. 됐어? - Okay?

8047. 네, 됐어. - Yes, I'm good.

8048. 거래하다 - To trade

8049. 그는 주식을 거래했다. - He traded stocks.

8050. 우리는 물건을 거래한다. - We trade things.

8051. 당신들은 부동산을 거래할 것이다. - You guys are going to trade real estate.

8052. 필요한 거 있어? - Do you need anything?

8053. 아니, 괜찮아. - No, I'm fine.

8054. 대표하다 - To represent

8055. 그녀는 팀을 대표했다. - She represented the team.

8056. 나는 회사를 대표한다. - I represent the company.

8057. 너는 학급을 대표할 것이다. - You will represent the class.

8058. 준비됐어? - Are you ready?

8059. 네, 준비됐어. - Yes, I'm ready.

8060. 영향을 주다 - Influence

8061. 그들은 시장에 영향을 주었다. - They influenced the market.

8062. 나는 결정에 영향을 준다. - I influence the decision.

8063. 너는 결과에 영향을 줄 것이다. - You will influence the outcome.

8064. 변화됐어? - Have you changed?

8065. 네, 변화됐어. - Yes, it's changed.

8066. 영향을 받다 - to be affected by

8067. 나는 날씨에 영향을 받았다. - I was affected by the weather.

8068. 너는 소식에 영향을 받는다. - You are affected by the news.

8069. 그는 경제에 영향을 받을 것이다. - He will be affected by the

economy.

8070. 괜찮아? - Are you okay?

8071. 네, 괜찮아. - Yes, I'm fine.

8072. 제외하다 - to exclude

8073. 그녀는 목록에서 제외됐다. - She was excluded from the list.

8074. 우리는 예외를 제외한다. - We exclude the exception.

8075. 당신들은 조항을 제외할 것이다. - You will exclude the clause.

8076. 빠진 거 있어? - Did I miss anything?

8077. 아니, 없어. - No, nothing.

8078. 허용하다 - To allow

8079. 그는 요청을 허용했다. - He allowed the request.

8080. 나는 접근을 허용한다. - I will allow access.

8081. 너는 변경을 허용할 것이다. - You will allow the change.

8082. 가능해? - Can you?

8083. 네, 가능해. - Yes, it is possible.

8084. 유도하다 - Elicit

8085. 그들은 토론을 유도했다. - They provoked a discussion.

8086. 나는 생각을 유도한다. - I provoke thought.

8087. 너는 결론을 유도할 것이다. - You will elicit a conclusion.

8088. 알겠어? - Do you understand?

8089. 네, 알겠어. - Yes, I get it.

8090. 유발하다 - Cause

8091. 그녀는 웃음을 유발했다. - She provoked laughter.

8092. 우리는 호기심을 유발한다. - We provoke curiosity.

8093. 당신들은 혼란을 유발할 것이다. - You guys will cause confusion.

8094. 웃겼어? - Was it funny?

8095. 네, 웃겼어. - Yes, it was funny.

8096. 유치하다 - to attract

8097. 나는 투자를 유치했다. - I attracted investment.

8098. 너는 관광객을 유치한다. - You attract tourists.

8099. 그는 회원을 유치할 것이다. - He will attract members.

8100. 성공했어? - Did you succeed?

8101. 네, 성공했어. - Yes, I succeeded.

8102. 91. 명사 단어들 외우기, 필수 10개 동사의 단어들을 가지고 50문장 연습

하기 - 91. memorize noun words, practice 50 sentences with the 10 essential verb words

8103. 프로젝트 - project

8104. 팀 - team

8105. 운동 - work out

8106. 결혼 생활 - marriage life

8107. 과거 - past

8108. 문제 - problem

8109. 방문객 - visitor

8110. 길 - road

8111. 미래 - future

8112. 땅 - earth

8113. 계획 - plan

8114. 성공 - success

8115. 관심 - interest

8116. 변화 - change

8117. 학교 - school

8118. 대학 - university

8119. 고등학교 - high school

8120. 경험 - experience

8121. 지식 - knowledge

8122. 환경 - environment

8123. 사회 - society

8124. 줄 - line

8125. 기회 - opportunity

8126. 사과 - apologize

8127. 피자 - pizza

8128. 과자 - snack

8129. 이끌다 - lead

8130. 그들은 프로젝트를 이끌었다. - They led the project.

8131. 나는 팀을 이끈다. - I lead the team.

8132. 너는 운동을 이끌 것이다. - You will lead a workout.

8133. 준비됐니? - Are you ready?

8134. 네, 준비됐어. - Yes, I'm ready.

8135. 이혼하다 - To divorce

8136. 그녀는 결혼 생활을 이혼했다. - She divorced her marriage.

8137. 나는 과거를 이혼한다. - I divorce the past.

8138. 너는 문제에서 이혼할 것이다. - You will divorce yourself from the problem.

8139. 괜찮니? - Are you okay?

8140. 네, 괜찮아. - Yes, I'm fine.

8141. 인도하다 - to lead

8142. 그는 방문객을 인도했다. - He guided the visitor.

8143. 우리는 새로운 길을 인도한다. - We lead the way to a new path.

8144. 당신들은 미래로 인도할 것이다. - You will lead the way to the future.

8145. 맞는 길이야? - Is this the right path?

8146. 네, 맞아. - Yes, it is.

8147. 일구다 - To work

8148. 그들은 땅을 일궜다. - They worked the land.

8149. 나는 계획을 일군다. - I build a plan.

8150. 너는 성공을 일굴 것이다. - You will work success.

8151. 진행됐어? - Did it work?

8152. 네, 진행됐어. - Yes, it's happening.

8153. 일으키다 - to cause

8154. 그녀는 관심을 일으켰다. - She caused interest.

8155. 우리는 문제를 일으킨다. - We cause problems.

8156. 당신들은 변화를 일으킬 것이다. - You will cause change.

8157. 뭐야 그거? - What's that?

8158. 중요한 거야. - That's important.

8159. 입학하다 - to enter

8160. 나는 학교에 입학했다. - I got into school.

8161. 너는 대학에 입학한다. - You are entering college.

8162. 그는 고등학교에 입학할 것이다. - He will enter high school.

8163. 준비됐어? - Are you ready?

8164. 네, 준비됐어. - Yes, I'm ready.

8165. 자라다 - To grow up

8166. 그들은 함께 자랐다. - They grew up together.

8167. 나는 경험으로 자란다. - I grow up with experience.

8168. 너는 지식으로 자랄 것이다. - You will grow in knowledge.

8169. 컸니? - Did you grow up?

8170. 네, 컸어. - Yes, I grew up.

8171. 작용하다 - to act

8172. 그녀는 팀에 작용했다. - She acted on the team.

8173. 우리는 환경에 작용한다. - We act on the environment.

8174. 당신들은 사회에 작용할 것이다. - You will act on society.

8175. 느꼈어? - Did you feel it?

8176. 네, 느꼈어. - Yes, I felt it.

8177. 잡아당기다 - to tug

8178. 나는 줄을 잡아당겼다. - I pulled the string.

8179. 너는 관심을 잡아당긴다. - You tug at attention.

8180. 그는 기회를 잡아당길 것이다. - He will tug on the opportunity.

8181. 성공했니? - Did you succeed?

8182. 네, 성공했어. - Yes, I succeeded.

8183. 잡아먹다 - to eat

8184. 나는 사과를 잡아먹었다. - I grabbed an apple.

8185. 너는 피자를 잡아먹는다. - You will eat the pizza.

8186. 그는 과자를 잡아먹을 것이다. - He will snack on sweets.

8187. 배고파? - Are you hungry?

8188. 네, 배고파. - Yes, I'm hungry.

8189. 92. 명사 단어들 외우기, 필수 10개 동사의 단어들을 가지고 50문장 연습하기 - 92. Memorize noun words, practice 50 sentences with the 10 essential verb words

8190. 공 - ball

8191. 기회 - opportunity

8192. 순간 - Moment

8193. 상황 - situation

8194. 시장 - market

8195. 분위기 - atmosphere

8196. 카메라 - camera

8197. 배터리 - battery

8198. 부품 - part

8199. 논쟁 - arguement
8200. 소음 - noise
8201. 갈등 - conflict
8202. 권리 - right
8203. 위치 - location
8204. 우승 - Championship
8205. 집 - house
8206. 차 - car
8207. 자산 - asset
8208. 손 - hand
8209. 발 - foot
8210. 어깨 - shoulder
8211. 약속 - promise
8212. 계획 - plan
8213. 기계 - machine
8214. 데이터 - data
8215. 시스템 - system
8216. 도시 - city
8217. 영역 - area
8218. 지역 - region
8219. 잡아채다 - catch
8220. 그는 공을 잡아챘다. - He caught the ball.
8221. 그녀는 기회를 잡아챈다. - She seized the opportunity.
8222. 우리는 순간을 잡아챌 것이다. - We will seize the moment.
8223. 봤어? - Did you see that?
8224. 아니, 못 봤어. - No, I didn't.
8225. 장악하다 - Take control of
8226. 그녀는 상황을 장악했다. - She took control of the situation.
8227. 우리는 시장을 장악한다. - We control the market.
8228. 당신들은 분위기를 장악할 것이다. - You will control the atmosphere.
8229. 준비됐어? - You ready?
8230. 네, 준비됐어. - Yes, I'm ready.
8231. 장착하다 - to mount
8232. 나는 카메라를 장착했다. - I mounted the camera.

8233. 너는 배터리를 장착한다. - You will mount the battery.

8234. 그는 부품을 장착할 것이다. - He will mount the parts.

8235. 맞아? - Is that right?

8236. 네, 맞아. - Yes, that's right.

8237. 잦아들다 - to stop arguing

8238. 그는 논쟁이 잦아들었다. - He has stopped arguing.

8239. 그녀는 소음이 잦아든다. - She will stop making noise.

8240. 우리는 갈등이 잦아들 것이다. - We will have fewer conflicts.

8241. 끝났어? - Is it over?

8242. 아니, 안 끝났어. - No, it's not over.

8243. 쟁기다 - Plow.

8244. 그녀는 권리를 쟁겼다. - She plowed for rights.

8245. 우리는 위치를 쟁긴다. - We will plow for position.

8246. 당신들은 우승을 쟁길 것이다. - You will plow for the win.

8247. 이겼어? - Did you win?

8248. 네, 이겼어. - Yes, I won.

8249. 저당잡히다 - To be mortgaged

8250. 나는 집이 저당잡혔다. - I mortgaged my house.

8251. 너는 차가 저당잡힌다. - You will mortgage your car.

8252. 그는 자산이 저당잡힐 것이다. - He will have his assets mortgaged.

8253. 괜찮아? - Are you okay?

8254. 아니, 안 괜찮아. - No, I'm not okay.

8255. 저리다 - I'm tingling.

8256. 나는 손이 저렸다. - I have numb hands.

8257. 너는 발이 저린다. - You have tingling feet.

8258. 그는 어깨가 저릴 것이다. - He will have a tingling in his shoulder.

8259. 아파? - Does it hurt?

8260. 네, 아파. - Yes, it hurts.

8261. 저버리다 - To renounce

8262. 그녀는 약속을 저버렸다. - She reneged on her promise.

8263. 우리는 계획을 저버린다. - We abandon our plans.

8264. 당신들은 기회를 저버릴 것이다. - You will waste an opportunity.

8265. 실망했어? - Are you disappointed?

8266. 네, 실망했어. - Yes, I'm disappointed.

8267. 점검하다 - to check

8268. 그는 기계를 점검했다. - He checked the machine.

8269. 그녀는 데이터를 점검한다. - She checks the data.

8270. 우리는 시스템을 점검할 것이다. - We will check the system.

8271. 문제 있어? - Is there a problem?

8272. 아니, 문제 없어. - No, there is no problem.

8273. 점령하다 - To occupy

8274. 그들은 도시를 점령했다. - They captured the city.

8275. 당신들은 영역을 점령한다. - You take the territory.

8276. 그는 지역을 점령할 것이다. - He will capture the territory.

8277. 성공했어? - Did you succeed?

8278. 네, 성공했어. - Yes, we succeeded.

8279. 93. 명사 단어들 외우기, 필수 10개 동사의 단어들을 가지고 50문장 연습하기 - 93. Memorize noun words, practice 50 sentences with the required 10 verb words

8280. 목표 - target

8281. 위치 - location

8282. 대상 - Target

8283. 신청서 - application

8284. 문의 - inquiry

8285. 요청 - request

8286. 고객 - customer

8287. 팀 - team

8288. 파트너 - partner

8289. 산 - mountain

8290. 과제 - assignment

8291. 도전 - challenge

8292. 시스템 - system

8293. 상황 - situation

8294. 관계 - relationship

8295. 도시 - city

8296. 직장 - rectal

8297. 커뮤니티 - community

8298. 계획 - plan

8299. 날짜 - date

8300. 의문 - question

8301. 이슈 - issue

8302. 문제 - problem

8303. 차 - car

8304. 속도 - speed

8305. 진행 - progress

8306. 반대 - the opposite

8307. 상대 - opponent

8308. 점찍다 - to point

8309. 그녀는 목표를 점찍었다. - She pointed to the goal.

8310. 우리는 위치를 점찍는다. - We will point to the location.

8311. 당신들은 대상을 점찍을 것이다. - You will point to the target.

8312. 확실해? - Are you sure?

8313. 네, 확실해. - Yes, I'm sure.

8314. 접수하다 - to receive

8315. 나는 신청서를 접수했다. - I received the application.

8316. 너는 문의를 접수한다. - You will receive an inquiry.

8317. 그는 요청을 접수할 것이다. - He will receive the request.

8318. 받았어? - Did you get it?

8319. 네, 받았어. - Yes, I received it.

8320. 접촉하다 - to make contact

8321. 그는 고객과 접촉했다. - He made contact with the customer.

8322. 그녀는 팀과 접촉한다. - She will contact the team.

8323. 우리는 파트너와 접촉할 것이다. - We will contact the partner.

8324. 준비됐어? - Are you ready?

8325. 네, 준비됐어. - Yes, I'm ready.

8326. 정복하다 - to conquer

8327. 그들은 산을 정복했다. - They conquered the mountain.

8328. 당신들은 과제를 정복한다. - You conquer the task.

8329. 그는 도전을 정복할 것이다. - He will conquer the challenge.

8330. 가능해? - Can you do it?

8331. 네, 가능해. - Yes, it is possible.

8332. 정상화하다 - to normalize

8333. 나는 시스템을 정상화했다. - I normalized the system.

8334. 너는 상황을 정상화한다. - You normalize the situation.

8335. 그는 관계를 정상화할 것이다. - He will normalize the relationship.

8336. 해결됐어? - Did it work?

8337. 네, 해결됐어. - Yes, it's settled.

8338. 정착하다 - to settle

8339. 그녀는 새 도시에 정착했다. - She settled in a new city.

8340. 우리는 직장에 정착한다. - We settle into our jobs.

8341. 당신들은 커뮤니티에 정착할 것이다. - You will settle into the community.

8342. 편해? - Are you comfortable?

8343. 네, 편해. - Yes, I'm comfortable.

8344. 정하다 - to settle

8345. 나는 목표를 정했다. - I set a goal.

8346. 너는 계획을 정한다. - You set a plan.

8347. 그는 날짜를 정할 것이다. - He will set a date.

8348. 결정했어? - Have you decided?

8349. 네, 결정했어. - Yes, I've decided.

8350. 제기하다 - to raise a question

8351. 그는 의문을 제기했다. - He raised the question.

8352. 그녀는 이슈를 제기한다. - She raises an issue.

8353. 우리는 문제를 제기할 것이다. - We will raise the issue.

8354. 맞아? - Is that right?

8355. 네, 맞아. - Yes, that's right.

8356. 제동하다 - to brake

8357. 나는 차를 제동했다. - I braked the car.

8358. 너는 속도를 제동한다. - You brake the speed.

8359. 그는 진행을 제동할 것이다. - He will brake his progress.

8360. 멈췄어? - Did you stop?

8361. 네, 멈췄어. - Yes, I stopped.

8362. 제압하다 - to subdue

8363. 그들은 반대를 제압했다. - They subdued the opposition.

8364. 당신들은 문제를 제압한다. - You subdue the problem.

8365. 그는 상대를 제압할 것이다. - He will subdue his opponent.

8366. 이겼어? - Did you win?

8367. 네, 이겼어. - Yes, I won.

8368. 94. 명사 단어들 외우기, 필수 10개 동사의 단어들을 가지고 50문장 연습하기 - 94. Memorize the noun words, practice 50 sentences with the 10 essential verb words

8369. 건너갈 때 - When crossing

8370. 사용할 때 - When to use

8371. 말할 때 - When speaking

8372. 압박 - pressure

8373. 긴장 - nervous

8374. 시간 - hour

8375. 연구 - research

8376. 교육 - education

8377. 상담 - consulting

8378. 실패 - failure

8379. 장애 - obstacle

8380. 거부 - refusal

8381. 프로젝트 - project

8382. 회의 - meeting

8383. 혁신 - innovation

8384. 음식 - food

8385. 상품 - Goods

8386. 서비스 - service

8387. 피곤 - tired

8388. 슬픔 - sadness

8389. 부담 - Burden

8390. 문 - door

8391. 창문 - window

8392. 뚜껑 - Lid

8393. 체중 - weight

8394. 관심 - interest

8395. 거리 - distance

8396. 소음 - noise

8397. 비용 - expense

8398. 조심하다 - Be careful

8399. 나는 건너갈 때 조심했다. - I was careful when crossing.

8400. 너는 사용할 때 조심한다. - You are careful when you use it.

8401. 그는 말할 때 조심할 것이다. - He will be careful when he speaks.

8402. 괜찮아? - Are you okay?

8403. 네, 괜찮아. - Yes, I'm fine.

8404. 조여오다 - to tighten

8405. 그는 압박이 조여왔다. - He felt the pressure tighten.

8406. 그녀는 긴장이 조여온다. - She feels the tension tightening.

8407. 우리는 시간이 조여올 것이다. - We are going to have a time crunch.

8408. 버틸 수 있어? - Can you hold on?

8409. 네, 버텨. - Yes, hold on.

8410. 종사하다 - to be engaged in

8411. 나는 연구에 종사했다. - I was engaged in research.

8412. 너는 교육에 종사한다. - You are engaged in teaching.

8413. 그는 상담에 종사할 것이다. - He will be engaged in counseling.

8414. 좋아해? - Do you like it?

8415. 네, 좋아해. - Yes, I like it.

8416. 좌절하다 - To be frustrated

8417. 그녀는 실패에 좌절했다. - She was frustrated by her failure.

8418. 우리는 장애에 좌절한다. - We are frustrated by the obstacles.

8419. 당신들은 거부에 좌절할 것이다. - You will be frustrated by rejection.

8420. 힘들어? - Is it hard?

8421. 네, 힘들어. - Yes, it's hard.

8422. 주도하다 - To lead

8423. 나는 프로젝트를 주도했다. - I led the project.

8424. 너는 회의를 주도한다. - You lead meetings.

8425. 그는 혁신을 주도할 것이다. - He will lead the innovation.

8426. 준비됐어? - Are you ready?

8427. 네, 준비됐어. - Yes, I'm ready.

8428. 주문하다 - To order

8429. 그녀는 음식을 주문했다. - She ordered food.

8430. 우리는 상품을 주문한다. - We order goods.

8431. 당신들은 서비스를 주문할 것이다. - You will order a service.

8432. 뭐 주문할까? - What shall we order?

8433. 피자 좋아. - I like pizza.

8434. 주저앉다 - to slump

8435. 나는 피곤에 주저앉았다. - I am tired.

8436. 너는 슬픔에 주저앉는다. - You are overcome with sadness.

8437. 그는 부담에 주저앉을 것이다. - He will falter under pressure.

8438. 힘들어? - Are you tired?

8439. 네, 많이. - Yes, a lot.

8440. 죄다 - A lot.

8441. 그는 문을 죄었다. - He bolts the door.

8442. 그녀는 창문을 죈다. - She will squeeze the window.

8443. 우리는 뚜껑을 죌 것이다. - We will screw the lid.

8444. 닫혔어? - Is it closed?

8445. 네, 닫혔어. - Yes, it's closed.

8446. 줄다 - To lose weight

8447. 나는 체중이 줄었다. - I have lost weight.

8448. 너는 관심이 줄었다. - You have lost interest.

8449. 그는 거리가 줄 것이다. - He will have less distance.

8450. 작아졌어? - Did you get smaller?

8451. 네, 조금. - Yes, a little.

8452. 줄이다 - to reduce

8453. 그녀는 소음을 줄였다. - She reduced the noise.

8454. 우리는 비용을 줄인다. - We reduce our expenses.

8455. 당신들은 시간을 줄일 것이다. - You will reduce the time.

8456. 줄일까? - Reduce?

8457. 좋은 생각이야. - That's a good idea.

8458. 95. 명사 단어들 외우기, 필수 10개 동사의 단어들을 가지고 50문장 연습하기 - 95. memorize noun words, practice 50 sentences with the 10 essential verb words

8459. 결정 - decision

8460. 일 - Day

8461. 관계 - relationship

8462. 약속 - promise

8463. 행동 - action

8464. 문제 - problem

8465. 상황 - situation

8466. 건강 - health

8467. 방 - room

8468. 책상 - table

8469. 자료 - data

8470. 반복 - repeat

8471. 음식 - food

8472. 기다림 - wait

8473. 목표 - target

8474. 꿈 - dream

8475. 성공 - success

8476. 좋고 나쁨 - good and bad

8477. 진실과 거짓 - truth and lies

8478. 중요한 것 - much

8479. 우연히 - by chance

8480. 친구 - friend

8481. 기회 - opportunity

8482. 도전 - challenge

8483. 위험 - danger

8484. 변화 - change

8485. 적 - enemy

8486. 중요하다 - Important

8487. 그는 결정이 중요했다. - His decision was important.

8488. 그녀는 일이 중요하다. - Her work is important.

8489. 우리는 관계가 중요할 것이다. - Our relationship will be important.

8490. 중요해? - Important?

8491. 네, 매우. - Yes, very.

8492. 지체하다 - To be late

8493. 나는 약속에 지체했다. - I was late for an appointment.

8494. 너는 결정에 지체한다. - You are tardy in your decision.

8495. 그는 행동에 지체할 것이다. - He will be tardy in acting.

8496. 늦었어? - Are you late?

8497. 조금 늦었어. - I'm a little late.

8498. 진단하다 - to diagnose

8499. 그녀는 문제를 진단했다. - She diagnosed the problem.

8500. 우리는 상황을 진단한다. - We diagnose the situation.

8501. 당신들은 건강을 진단할 것이다. - You will diagnose your health.

8502. 건강해? - Are you healthy?

8503. 네, 괜찮아. - Yes, I'm fine.

8504. 질러놓다 - to make a mess

8505. 나는 방을 질러놓았다. - I clean the room.

8506. 너는 책상을 질러놓는다. - You will clear the desk.

8507. 그는 자료를 질러놓을 것이다. - He will put away the materials.

8508. 정리할까? - Shall we clean up?

8509. 나중에 할게. - I'll do it later.

8510. 질리다 - To get tired of

8511. 그는 반복에 질렸다. - He is tired of repetition.

8512. 그녀는 음식에 질린다. - She is bored with the food.

8513. 우리는 기다림에 질릴 것이다. - We will get tired of waiting.

8514. 질렸어? - Are you tired of it?

8515. 아직 아냐. - Not yet.

8516. 질주하다 - To sprint

8517. 나는 목표를 향해 질주했다. - I sprinted toward my goal.

8518. 너는 꿈을 향해 질주한다. - You sprint toward your dreams.

8519. 그는 성공을 향해 질주할 것이다. - He will sprint toward success.

8520. 빠르게? - Quickly?

8521. 최선을 다해. - As fast as you can.

8522. 분별하다 - to discern

8523. 그녀는 좋고 나쁨을 분별했다. - She discerned the good and the bad.

8524. 우리는 진실과 거짓을 분별한다. - We discern between truth and falsehood.

8525. 당신들은 중요한 것을 분별할 것이다. - You will discern what is important.

8526. 알아볼 수 있어? - Can you recognize it?

8527. 시도해볼게. - I'll try.

8528. 마주치다 - to run into

8529. 나는 우연히 그와 마주쳤다. - I ran into him by chance.

8530. 너는 친구와 마주친다. - You run into a friend.

8531. 그는 기회와 마주칠 것이다. - He will bump into an opportunity.

8532. 누구 만났어? - Who have you met?

8533. 옛 친구야. - An old friend.

8534. 직면하다 - to face

8535. 그는 도전과 직면했다. - He faced a challenge.

8536. 그녀는 위험과 직면한다. - She faces danger.

8537. 우리는 변화와 직면할 것이다. - We will face change.

8538. 겁났어? - Are you scared?

8539. 조금, 그래. - A little, yes.

8540. 대면하다 - to confront

8541. 나는 문제를 대면했다. - I faced the problem.

8542. 너는 상황을 대면한다. - You face the situation.

8543. 그는 적을 대면할 것이다. - He will face the enemy.

8544. 준비됐어? - Are you ready?

8545. 네, 준비됐어. - Yes, I'm ready.

8546. 96. 명사 단어들 외우기, 필수 10개 동사의 단어들을 가지고 50문장 연습하기 - 96. Memorize noun words, practice 50 sentences with the 10 essential verb words

8547. 기술 - technology

8548. 이슈 - issue

8549. 감정 - emotion

8550. 동아리 - club

8551. 커뮤니티 - community

8552. 프로젝트 - project

8553. 전략 - strategy

8554. 생각 - thought

8555. 의견 - opinion

8556. 지지 - support

8557. 친구 - friend

8558. 팀 - team

8559. 선수 - player

8560. 동생 - Brother

8561. 동료 - colleague

8562. 정보 - information

8563. 자료 - data

8564. 증거 - evidence

8565. 용기 - courage

8566. 사람들 - people

8567. 자금 - funds

8568. 가족 - family

8569. 상대방 - opponent

8570. 위험 - danger

8571. 도전 - challenge

8572. 실패 - failure

8573. 다루다 - deal with

8574. 그녀는 기술을 다루었다. - She dealt with the technology.

8575. 우리는 이슈를 다룬다. - We deal with issues.

8576. 당신들은 감정을 다룰 것이다. - You will deal with emotions.

8577. 어려워? - Difficult?

8578. 조금 어려워. - A little difficult.

8579. 활동하다 - to be active

8580. 나는 동아리에서 활동했다. - I was active in a club.

8581. 너는 커뮤니티에서 활동한다. - You are active in the community.

8582. 그는 프로젝트에서 활동할 것이다. - He will be active in the project.

8583. 재밌어? - Are you having fun?

8584. 네, 많이. - Yes, a lot.

8585. 진화하다 - Evolve

8586. 그는 전략을 진화시켰다. - He evolved his strategy.

8587. 그녀는 생각을 진화시킨다. - She evolves her thinking.

8588. 우리는 기술을 진화시킬 것이다. - We will evolve our technology.

8589. 변했어? - Has it changed?

8590. 많이 변했어. - It's changed a lot.

8591. 표시하다 - to show

8592. 나는 감정을 표시했다. - I marked my feelings.

8593. 너는 의견을 표시한다. - You express an opinion.

8594. 그는 지지를 표시할 것이다. - He will show his support.

8595. 보여줄까? - Shall I show you?

8596. 좋아, 보여줘. - Okay, show me.

8597. 응원하다 - To cheer

8598. 그녀는 친구를 응원했다. - She cheered for her friend.

8599. 우리는 팀을 응원한다. - We cheer for the team.

8600. 당신들은 선수를 응원할 것이다. - You will cheer for the athlete.

8601. 같이 갈래? - Do you want to come with me?

8602. 네, 가자. - Yes, let's go.

8603. 주의를 주다 - to give attention to

8604. 나는 동생에게 주의를 주었다. - I gave my brother my attention.

8605. 너는 친구에게 주의를 준다. - You give attention to your friend.

8606. 그는 동료에게 주의를 줄 것이다. - He will give attention to his coworker.

8607. 필요해? - Do you need it?

8608. 네, 조심해. - Yes, be careful.

8609. 수집하다 - to collect

8610. 그녀는 정보를 수집했다. - She collected information.

8611. 우리는 자료를 수집한다. - We collect materials.

8612. 당신들은 증거를 수집할 것이다. - You will collect evidence.

8613. 찾았어? - Did you find it?

8614. 네, 찾았어. - Yes, I found it.

8615. 모으다 - to gather

8616. 나는 용기를 모았다. - I gathered courage.

8617. 너는 사람들을 모은다. - You gather people.

8618. 그는 자금을 모을 것이다. - He will raise funds.

8619. 준비됐어? - Are you ready?

8620. 거의 다 됐어. - We're almost there.

8621. 속이다 - To deceive

8622. 그는 친구를 속였다. - He cheated his friends.

8623. 그녀는 가족을 속인다. - She deceives her family.

8624. 우리는 상대방을 속일 것이다. - We will deceive the other person.

8625. 알아챘어? - Do you get it?

8626. 아니, 몰라. - No, I don't.

8627. 꺼리다 - Reluctant

8628. 나는 위험을 꺼렸다. - I was reluctant to take risks.

8629. 너는 도전을 꺼린다. - You are reluctant to take on a challenge.

8630. 그는 실패를 꺼릴 것이다. - He will be reluctant to fail.

8631. 두려워? - Afraid?

8632. 조금, 그래. - A little, yes.

8633. 97. 명사 단어들 외우기, 필수 10개 동사의 단어들을 가지고 50문장 연습하기 - 97. memorize noun words, practice 50 sentences with the 10 essential verb words

8634. 소식 - News

8635. 상황 - situation

8636. 결과 - result

8637. 성공 - success

8638. 달성 - Attainment

8639. 지연 - delay

8640. 소음 - noise

8641. 불편 - Inconvenience

8642. 실수 - mistake

8643. 성취 - achievement

8644. 팀 - team

8645. 성과 - result

8646. 늦음 - lateness

8647. 오해 - misunderstanding

8648. 친구의 성공 - friend's success

8649. 동료의 기회 - colleague opportunity

8650. 이웃의 행복 - happiness of neighbors

8651. 동생의 인기 - Little brother's popularity

8652. 친구의 재능 - friend's talent

8653. 동료의 성공 - colleague's success

8654. 의견 - opinion

8655. 규칙 - rule

8656. 선택 - select

8657. 계획 - plan

8658. 슬프다 - Sad

8659. 그녀는 소식에 슬퍼했다. - She was saddened by the news.

8660. 우리는 상황에 슬퍼한다. - We are saddened by the situation.

8661. 당신들은 결과에 슬퍼할 것이다. - You will be saddened by the result.

8662. 괜찮아? - Are you okay?

8663. 아니, 슬퍼. - No, I'm sad.

8664. 기쁘다 - I am glad

8665. 나는 성공에 기뻐했다. - I was pleased with the success.

8666. 너는 소식에 기뻐한다. - You rejoice at the news.

8667. 그는 달성에 기뻐할 것이다. - He will rejoice at the achievement.

8668. 행복해? - Are you happy?

8669. 네, 매우. - Yes, very.

8670. 짜증나다 - Annoyed

8671. 그는 지연에 짜증났다. - He was annoyed by the delay.

8672. 그녀는 소음에 짜증난다. - She is annoyed by the noise.

8673. 우리는 불편에 짜증날 것이다. - We will be annoyed by the inconvenience.

8674. 짜증나? - Annoyed?

8675. 네, 많이. - Yes, a lot.

8676. 부끄럽다 - Embarrassed

8677. 나는 실수에 부끄러워했다. - I was embarrassed by the mistake.

8678. 너는 상황에 부끄러워한다. - You are embarrassed by the situation.

8679. 그는 결과에 부끄러워할 것이다. - He will be embarrassed by the result.

8680. 어색해? - Awkward?

8681. 네, 조금. - Yes, a little.

8682. 자랑스럽다 - Proud

8683. 그녀는 성취에 자랑스러워했다. - She was proud of her accomplishment.

8684. 우리는 팀에 자랑스러워한다. - We are proud of the team.

8685. 당신들은 성과에 자랑스러워할 것이다. - You should be proud of your accomplishments.

8686. 뿌듯해? - Proud?

8687. 네, 많이. - Yes, a lot.

8688. 미안하다 - Sorry

8689. 나는 실수로 미안했다. - I was sorry for my mistake.

8690. 너는 늦음에 미안하다. - You are sorry for being late.

8691. 그는 오해에 미안할 것이다. - He will be sorry for the misunderstanding.

8692. 사과할래? - Do you want to apologize?

8693. 네, 사과할게. - Yes, I'll apologize.

8694. 부러워하다 - To envy

8695. 그는 친구의 성공을 부러워했다. - He envied his friend's success.

8696. 그녀는 동료의 기회를 부러워한다. - She envies her colleague's opportunities.

8697. 우리는 이웃의 행복을 부러워할 것이다. - We will envy our neighbor's happiness.

8698. 부럽지? - Envy, right?

8699. 응, 부럽다. - Yes, envy.

8700. 질투하다 - To be jealous

8701. 나는 동생의 인기를 질투했다. - I was jealous of my brother's popularity.

8702. 너는 친구의 재능을 질투한다. - You are jealous of your friend's talent.

8703. 그는 동료의 성공을 질투할 것이다. - He will be jealous of his colleague's success.

8704. 질투해? - Jealous?

8705. 좀, 그래. - A little, yes.

8706. 강요하다 - To impose

8707. 그녀는 의견을 강요했다. - She imposed her opinion.

8708. 우리는 규칙을 강요한다. - We impose rules.

8709. 당신들은 선택을 강요할 것이다. - You will impose a choice.

8710. 필요해? - Do you need it?

8711. 아니, 선택해. - No, you choose.

8712. 공표하다 - to promulgate

8713. 나는 계획을 공표했다. - I promulgate a plan.

8714. 너는 의견을 공표한다. - You declare an opinion.

8715. 그는 결과를 공표할 것이다. - He will publish the results.

8716. 알렸어? - Did you announce it?

8717. 네, 모두에게. - Yes, to everyone.

8718. 98. 명사 단어들 외우기, 필수 10개 동사의 단어들을 가지고 50문장 연습

하기 - 98. Memorize the noun words, practice 50 sentences with the words of the 10 essential verbs

8719. 억압 - suppression

8720. 부정 - denial

8721. 위협 - Threat

8722. 분쟁 - dispute

8723. 갈등 - conflict

8724. 문제 - problem

8725. 조건 - condition

8726. 요구 - request

8727. 계획 - plan

8728. 신호 - signal

8729. 경고 - warning

8730. 증거 - evidence

8731. 우정 - friendship

8732. 건강 - health

8733. 지식 - knowledge

8734. 기회 - opportunity

8735. 관계 - relationship

8736. 추억 - memory

8737. 명령 - Command

8738. 자료 - data

8739. 자금 - funds

8740. 환자 - patient

8741. 위험 - danger

8742. 감염 - infection

8743. 위기 - Danger

8744. 도전 - challenge

8745. 대항하다 - stand up against

8746. 그는 억압에 대항했다. - He stood up against oppression.

8747. 그녀는 부정에 대항한다. - She stands against injustice.

8748. 우리는 위협에 대항할 것이다. - We will stand against the threat.

8749. 이겼어? - Did you win?

8750. 아직 모르겠어. - I don't know yet.

8751. 중재하다 - To mediate

8752. 나는 분쟁을 중재했다. - I mediated the dispute.

8753. 너는 갈등을 중재한다. - You mediate the conflict.

8754. 그는 문제를 중재할 것이다. - He will mediate the problem.

8755. 해결됐어? - Is it resolved?

8756. 네, 해결됐어. - Yes, it's settled.

8757. 타협하다 - Compromise

8758. 그녀는 조건에 타협했다. - She compromised on the terms.

8759. 우리는 요구에 타협한다. - We compromise on our demands.

8760. 당신들은 계획에 타협할 것이다. - You will compromise on the plan.

8761. 동의해? - Do you agree?

8762. 네, 동의해. - Yes, I agree.

8763. 간과하다 - to overlook

8764. 나는 신호를 간과했다. - I overlooked the signal.

8765. 너는 경고를 간과한다. - You overlook the warning.

8766. 그는 증거를 간과할 것이다. - He will overlook the evidence.

8767. 못 봤어? - Didn't you see it?

8768. 아니, 못 봤어. - No, I didn't see it.

8769. 가치를 두다 - to value

8770. 그녀는 우정에 가치를 두었다. - She valued her friendship.

8771. 우리는 건강에 가치를 둔다. - We value our health.

8772. 당신들은 지식에 가치를 둘 것이다. - You will value knowledge.

8773. 중요해? - Is it important?

8774. 네, 매우. - Yes, very.

8775. 소중히 여기다 - to value

8776. 나는 기회를 소중히 여겼다. - I valued the opportunity.

8777. 너는 관계를 소중히 여긴다. - You value relationships.

8778. 그는 추억을 소중히 여길 것이다. - He will cherish the memories.

8779. 소중해? - Treasured?

8780. 네, 매우 소중해. - Yes, very precious.

8781. 대기하다 - to wait for

8782. 나는 명령을 대기했다. - I waited for the command.

8783. 너는 신호를 대기한다. - You wait for a signal.

8784. 그는 기회를 대기할 것이다. - He will wait for the opportunity.

8785. 준비됐어? - Are you ready?

8786. 네, 됐어. - Yes, I'm ready.

8787. 예비하다 - To prepare

8788. 그는 자료를 예비했다. - He prepared the materials.

8789. 그녀는 계획을 예비한다. - She will prepare a plan.

8790. 우리는 자금을 예비할 것이다. - We will reserve the funds.

8791. 준비할까? - Shall we prepare?

8792. 네, 해야 해. - Yes, we should.

8793. 격리하다 - to isolate

8794. 그녀는 환자를 격리했다. - She isolated the patient.

8795. 우리는 위험을 격리한다. - We isolate the risk.

8796. 당신들은 감염을 격리할 것이다. - You will isolate the infection.

8797. 안전해? - Is it safe?

8798. 네, 안전해. - Yes, it's safe.

8799. 대처하다 - to cope

8800. 나는 위기를 대처했다. - I dealt with the crisis.

8801. 너는 문제를 대처한다. - You cope with the problem.

8802. 그는 도전을 대처할 것이다. - He will deal with the challenge.

8803. 가능해? - Is it possible?

8804. 네, 가능해. - Yes, it is possible.

8805. 99. 명사 단어들 외우기, 필수 10개 동사의 단어들을 가지고 50문장 연습하기 - 99. Memorize noun words, practice 50 sentences with the 10 essential verb words

8806. 적 - enemy

8807. 위협 - Threat

8808. 경쟁 - compete

8809. 함정 - trap

8810. 오해 - misunderstanding

8811. 위기 - Danger

8812. 자리 - seat

8813. 의견 - opinion

8814. 기회 - opportunity

8815. 운명 - fate

8816. 도전 - challenge

8817. 이해관계 - interests

8818. 상대 - opponent

8819. 세부사항 - Detail

8820. 약속 - promise

8821. 하늘 - sky

8822. 그림 - painting

8823. 전망 - View

8824. 비밀 - secret

8825. 조언 - advice

8826. 계획 - plan

8827. 기쁨 - pleasure

8828. 슬픔 - sadness

8829. 승리 - Victory

8830. 사과 - apologize

8831. 의문 - question

8832. 정보 - information

8833. 맞서다 - to confront

8834. 그는 적을 맞섰다. - He faced the enemy.

8835. 그녀는 위협을 맞선다. - She confronted the threat.

8836. 우리는 경쟁을 맞설 것이다. - We will face the competition.

8837. 두려워? - Are you afraid?

8838. 아니, 안 두려워. - No, I'm not afraid.

8839. 빠지다 - To fall into

8840. 그녀는 함정에 빠졌다. - She falls into a trap.

8841. 우리는 오해에 빠진다. - We fall into a misunderstanding.

8842. 당신들은 위기에 빠질 것이다. - You will fall into a crisis.

8843. 괜찮아? - Are you okay?

8844. 네, 괜찮아. - Yes, I'm fine.

8845. 양보하다 - to give way

8846. 나는 자리를 양보했다. - I yielded my seat.

8847. 너는 의견을 양보한다. - You yield your opinion.

8848. 그는 기회를 양보할 것이다. - He will yield the opportunity.

8849. 필요해? - Do you need it?

8850. 아니, 괜찮아. - No, I'm fine.

8851. 맞다 - Right.

8852. 그는 운명을 맞았다. - He meets his fate.

8853. 그녀는 기회를 맞는다. - She gets a chance.

8854. 우리는 도전을 맞을 것이다. - We will be challenged.

8855. 준비됐어? - Are you ready?

8856. 네, 준비됐어. - Yes, I'm ready.

8857. 충돌하다 - to clash

8858. 나는 의견이 충돌했다. - I have a conflict of opinion.

8859. 너는 이해관계가 충돌한다. - You have a conflict of interest.

8860. 그는 상대와 충돌할 것이다. - He will conflict with his opponent.

8861. 괜찮아? - Are you okay?

8862. 네, 괜찮아. - Yes, I'm fine.

8863. 놓치다 - to miss

8864. 그녀는 기회를 놓쳤다. - She missed the opportunity.

8865. 우리는 세부사항을 놓친다. - We miss the details.

8866. 당신들은 약속을 놓칠 것이다. - You will miss the appointment.

8867. 걱정돼? - Are you worried?

8868. 아니, 괜찮아. - No, I'm fine.

8869. 쳐다보다 - Looking up

8870. 나는 하늘을 쳐다보았다. - I stared at the sky.

8871. 너는 그림을 쳐다본다. - You stare at the painting.

8872. 그는 전망을 쳐다볼 것이다. - He will gaze at the view.

8873. 예쁘지? - Isn't it pretty?

8874. 네, 예뻐. - Yes, it's pretty.

8875. 속삭이다 - To whisper

8876. 그는 비밀을 속삭였다. - He whispered a secret.

8877. 그녀는 조언을 속삭인다. - She whispers advice.

8878. 우리는 계획을 속삭일 것이다. - We will whisper plans.

8879. 들렸어? - Did you hear that?

8880. 아니, 못 들었어. - No, I didn't hear.

8881. 외치다 - to shout

8882. 나는 기쁨을 외쳤다. - I shouted for joy.

8883. 너는 슬픔을 외친다. - You shout sorrow.

8884. 그는 승리를 외칠 것이다. - He will shout victory.

8885. 들려? - Do you hear that?

8886. 네, 들려. - Yes, I hear you.

8887. 물다 - To bite

8888. 그녀는 사과를 물었다. - She asked for an apple.

8889. 우리는 의문을 묻는다. - We ask questions.

8890. 당신들은 정보를 물을 것이다. - You will ask for information.

8891. 아파? - Does it hurt?

8892. 아니, 안 아파. - No, it doesn't hurt.

8893. 100. 명사 단어들 외우기, 필수 10개 동사의 단어들을 가지고 50문장 연습하기 - 100. memorize noun words, practice 50 sentences with the words of the 10 essential verbs

8894. 사과 - apologize

8895. 껌 - chewing gum

8896. 채소 - vegetable

8897. 커피 - coffee

8898. 곡물 - grain

8899. 향신료 - Spice

8900. 스프 - soup

8901. 샐러드 - salad

8902. 소스 - sauce

8903. 빵 - bread

8904. 과일 - fruit

8905. 김치 - kimchi

8906. 맥주 - beer

8907. 빵 반죽 - bread dough

8908. 치즈 - cheese

8909. 와인 - wine

8910. 고기 - meat

8911. 길 - road

8912. 다리 - leg

8913. 강 - river

8914. 집 - house

8915. 시작점 - starting point

8916. 고향 - hometown

8917. 씹다 - chew

8918. 나는 사과를 씹었다. - I chewed an apple.

8919. 너는 껌을 씹는다. - You chew gum.

8920. 그는 채소를 씹을 것이다. - He will chew his vegetables.

8921. 맛있어? - Is it tasty?

8922. 네, 맛있어. - Yes, it's delicious.

8923. 갈다 - To grind

8924. 그녀는 커피를 갈았다. - She ground the coffee.

8925. 우리는 곡물을 간다. - We grind the grains.

8926. 당신들은 향신료를 갈 것이다. - You guys will grind the spices.

8927. 준비됐어? - Are you ready?

8928. 네, 준비됐어. - Yes, I'm ready.

8929. 분쇄하다 - to grind

8930. 나는 약을 분쇄했다. - I crushed the medicine.

8931. 너는 돌을 분쇄한다. - You crush stones.

8932. 그는 씨앗을 분쇄할 것이다. - He will crush the seeds.

8933. 필요해? - Do you need it?

8934. 네, 필요해. - Yes, I need it.

8935. 휘젓다 - To stir

8936. 그녀는 스프를 휘저었다. - She stirred the soup.

8937. 우리는 샐러드를 휘젓는다. - We whisk the salad.

8938. 당신들은 소스를 휘젓을 것이다. - You guys are going to whisk the sauce.

8939. 잘 섞였어? - Is it mixed well?

8940. 네, 잘 섞였어. - Yes, it's well mixed.

8941. 담그다 - to soak

8942. 나는 빵을 우유에 담갔다. - I soaked the bread in milk.

8943. 너는 과일을 물에 담근다. - You will soak the fruit in water.

8944. 그는 채소를 절임에 담글 것이다. - He will soak the vegetables in pickles.

8945. 시간 됐어? - Is it time?

8946. 네, 됐어. - Yes, it's ready.

8947. 발효시키다 - to ferment

8948. 그녀는 김치를 발효시켰다. - She fermented the kimchi.

8949. 우리는 맥주를 발효시킨다. - We ferment beer.

8950. 당신들은 빵 반죽을 발효시킬 것이다. - You're going to ferment the bread dough.

8951. 준비됐어? - Are you ready?

8952. 네, 준비됐어. - Yes, it's ready.

8953. 숙성시키다 - to age

8954. 나는 치즈를 숙성시켰다. - I aged the cheese.

8955. 너는 와인을 숙성시킨다. - You age the wine.

8956. 그는 고기를 숙성시킬 것이다. - He will age the meat.

8957. 맛있겠다, 안 그래? - It's going to be delicious, isn't it?

8958. 네, 맛있겠어. - Yes, it will be delicious.

8959. 건너가다 - to cross the street

8960. 그녀는 길을 건너갔다. - She crossed the road.

8961. 우리는 다리를 건너간다. - We are going to cross the bridge.

8962. 당신들은 강을 건너갈 것이다. - You will cross the river.

8963. 위험해? - Is it dangerous?

8964. 아니, 안 위험해. - No, it's not dangerous.

8965. 되돌아가다 - To go back

8966. 나는 집으로 되돌아갔다. - I went back to my house.

8967. 너는 시작점으로 되돌아간다. - You go back to the starting point.

8968. 그는 고향으로 되돌아갈 것이다. - He will go back to his hometown.

8969. 늦었어? - Is it late?

8970. 아니, 안 늦었어. - No, it's not late.

MP3 파일들 다운로드 - 밑의 주소를 클릭하시거나 큐알 코드를 스마트폰으로 접속후 비밀번호를 넣으시면 다운로드가 가능합니다.

비밀번호 1456

https://naver.me/5CrcKe4y

또는

https://www.dropbox.com/scl/fo/gjda0n0tmfe9apyw0w137/h?rlkey=d1gdzbxn0ksnsnf0gb0uc8bwf&dl=0

QR 코드를 스마트폰을 찍으시면 보실 수 있습니다. 비밀번호는? 1456입니다.

1천 동사 5천 문장을 듣고 따라하면 저절로 암기되는 영어 회화(MP3)

발 행 | 2024년 4월 17일
저 자 | 정호칭
펴낸이 | 한건희
펴낸곳 | 주식회사 부크크
출판사등록 | 2014.07.15.(제2014-16호)
주 소 | 서울특별시 금천구 가산디지털1로 119 SK트윈타워 A동 305호
전 화 | 1670-8316
이메일 | info@bookk.co.kr

ISBN | 979-11-410-8142-3

www.bookk.co.kr